W9-BAS-522

COLLECTION FOLIO

Réjean Ducharme

L'hiver de force

Gallimard

Réjean Ducharme, né en 1941 à Saint-Félix-de-Valois (Québec), a fait les métiers les plus divers et a voyagé aux États-Unis et au Mexique. Il a publié six romans, fait jouer quatre pièces, a écrit des scénarios de films et des chansons.

à ma fidèle Auchimine,
tuée par une machine,
avec
l'assurance
que je n'oublierai
pas nos
tours de chaloupe
avec
Clara Bow.

« ... pour que nous soyons, dans une civilisation qui en partie n'est pas la nôtre, des égaux que l'on respecte et chez qui l'on est forcé de reconnaître des qualités de race et l'intelligence victorieuse : préparons-nous, dans le culte de la supériorité. »

Edouard Montpetit.
Cité par Hermas Bastien,
de l'Académie des sciences
morales et politiques,
dans les *Cahiers de l'Académie canadienne-française.*

« C'est tous des jaloux, ces hosties-là ! »
Carpinus.

L'homme est le meilleur ami du chat, c'est pourquoi il faut y penser deux fois avant de faire des affaires pour le faire disparaître.

LA ZONE DES FEUILLUS TOLÉRANTS

Comme malgré nous (personne n'aime ça être méchant, amer, réactionnaire), nous passons notre temps à dire du mal.

Nous disons du mal des bons livres, lus pas lus, des bons films, vus pas vus, des bonnes idées, des bons petits travailleurs et de leurs beaux grands sauveurs (ils les sauvent en mettant tout le monde, excepté eux et leurs petits amis, aux travaux forcés), de tous les hippies, artistes, journalistes, taoïstes, nudistes, de *tous ceux qui nous aiment* (comme faisant partie du gros tas de braves petits crottés qui forment l'humanité), qui savent où est notre bien (parce qu'ils sont intelligents eux), qui veulent absolument que nous quittions l'angoisse de nos chaises pour nous embarquer dans leur jumbo-bateau garanti tout confort jusqu'à la prochaine nouvelle vague.

Les jaloux sont des incapables, c'est bien connu, et des peureux, par-dessus le marché. C'est en plein ça, c'est nous tout crachés (... qui s'accordent en genre et en nombre).

Mille masses en mouvement, armées de micros, de typos, de photos, de labos se disputent notre petite idée et nous n'avons pour nous défendre que les moyens donnés aux solitaires médiocres, malsains et malpropres : l'anathème, les potins, les farces : « Regarde-moi ça, chère, Denis Héroux qui sort un autre film de cul, c'est le cas de dire que c'est de la diarrhée... » Car nous voulons absolument nous posséder nous-mêmes tout seuls, garder ce que nous avons (qui est si fugace qu'il est parti ou qu'il a changé aussitôt que nous croyons l'avoir trouvé, vu, nommé), dont le plus apparent est justement notre haine pour tout ce qui veut nous faire *vouloir* comme des *dépossédés*.

Pompidou, Baudouin, Trudeau sont corrects. Ils ne veulent rien changer ; ils sont contents que nous restions épais comme nous sommes. Ils nous laissent jouer tranquilles dans notre coin pourvu que nous les laissions jouer tranquilles dans le leur. Plus ces gens-là n'ont pas d'idées, plus on les aime.

On n'ouvre plus les rideaux. On dort jusqu'à une heure et demie deux heures de l'après-midi. On sort quand il fait noir.

Mais on n'est pas si sûrs que ça de notre coup...

On a parlé de ça toute la nuit, on a trouvé que ça n'a plus de bon sens. Il faut que ça change ! Hé ! on est devenus paranoïaques. Pas de paranoïa de fantaisie ! De paranoïa de quand tu souffres ! De paranoïa malade ! De paranoïa de quand tu as peur que les ambulances s'en aperçoivent, qu'elles se mettent à courir après toi.

Nicole a dit :

— Faisons qu'y ait plus rien ; quand y aura plus rien on pourra plus dire du mal de rien. Comme quand on était aux Beaux-Arts puis qu'on lisait Sartre puis qu'on comprenait tout à l'envers ce que voulait dire *réaliser l'existentiel...* — (On croyait qu'il fallait fermer les yeux et regarder les mots tourner dans notre tête jusqu'à ce qu'ils ne veulent plus rien dire.) — T'en souviens-tu ?

— Te rends-tu compte, chère, qu'on peut déc[illegible], choisir ? Qu'on peut, ici, dans notre appartement, dire que c'est ça qui est ça puis aller jusqu'au bout, qu'y a rien qu'une balle dans la tête pour nous arrêter ?

— Moi je veux qu'on se couche puis qu'on reste couchés jusqu'à ce qu'on comprenne plus rien. Les gens vont parler puis ça va être du bruit, c'est tout... On va répondre cui-qui-kui comme les oiseaux ; ils vont penser qu'on fait des farces mais ça va être pour vrai...

— Euh...

— Moi je suis sûre que si on reste couchés assez longtemps on va finir par ne plus comprendre ce que le propriétaire veut dire par *payez le loyer*. Si tu comprends pas le mot payer, tu peux pas payer... tu comprends ? Pourquoi les moineaux paient pas ? Parce que personne est capable de leur faire comprendre le mot payer... tu comprends ?

En tout cas, on mène une vie platte. Comment ça se fait ? Un problème bien posé est à moitié résolu, qu'ils disent. On va essayer. En tout cas, on va bien voir si c'est des menteurs.

Qu'est-ce que c'est que nous faisons qui a fini par morpionner complètement notre affaire ? On va se regarder faire puis je vais tout noter avec ma belle écriture.

En tout cas c'est le début de notre vie enregistrée, il va falloir fêter ça.

*

Nicole tord le flasque devant sa langue tendue, c'est l'eucharistie de la dernière goutte. Un autre de mort ; la belle caravelle de l'étiquette flotte dans le vide maintenant, comme si elle montait au ciel. C'est la bière qu'on aime le plus mais ça en prend beaucoup. Quand on veut faire ça vite on boit du fort, et le seul qu'on peut s'offrir c'est le moins cher, le rhum White Sails, White Sails comme les vaches de Maskinongé à cause de leurs grandes oreilles blanches. Mais nos grandes sorties chic c'est aller se taper des Bloody Mary au Café 79. Mais ça coûte des dix vingt piastres, c'est des bidoux !

On s'est acheté cinq boîtes de panatelas Garcia y Vega. On les a éparpillés sur la table. Ça fait beau. Hé ! chaque cigare est enfermé dans un genre de petit cercueil en papier aluminium, doré par-dessus le marché.

On s'est acheté deux gros médaillons de filet de bœuf, ça nous a coûté $ 1.87, ça fait que ça a besoin d'être bon.

Nicole tire par-dessus la ceinture de ses slacks à pattes d'éléphant son chandail touristique de Durango, vieux de cinq ans, vieux du temps qu'on nageait dans l'argent (les bidoux du Conseil des Arts).

Nicole est en train de faire cuire les steaks exorbitants dans un poêlon à cuisson sans beurre, à cause de ma ligne. Elle étrenne cet ustensile traité au téflon. Ils nous ont garanti que ça ne collerait pas au fond. Je demande à Nicole si ça colle. « Ça a pas l'air. »

On s'est acheté un billet de Mini-Loto, on l'a collé sur le mur au-dessus du radiateur de la cuisine, avec du scotch-tape. On est tombés sur le numéro 77706. Nicole dit qu'avec ces trois 7 d'affilée on n'a aucune chance, que ce n'est pas assez ordinaire pour que ça ait du bon sens. Le père, c'est des billets de Super-Loto qu'il prend. Il aime mieux avoir une chance de gagner $ 200 000 qu'en avoir huit d'en gagner 5 000. C'est de la mégalomanie tout craché ; ça lui coûte quatre piastres et c'est bien bon pour lui. On a acheté enfin quatre fascicules de l'encyclopédie Alpha, (*la Mémoire du Temps*), pour ne pas avoir l'air de profiter de ce qu'ils donnent les deux premiers pour le prix d'un.

On s'est jetés à la dépense. C'était pour fêter notre décision de repartir à zéro. Tu ne peux rien inaugurer, même des travaux d'introspection pour trouver des solutions pour sortir de ton trou, sans que ça te coûte les yeux de la tête.

*

Laïnou nous téléphone, délirante. Elle triomphe au Concours international de Québec. « Je triomphe ! » Triomphe toujours. (Dis-nous ce que tu veux que ça nous fasse puis on va faire comme si ça nous le faisait.) Mais ça aurait été trop cochon de ne pas avoir l'air de partager sa joie, elle qui avait pris la peine de loger un appel interurbain sans faire virer les frais. Quel enthousiasme ! Sauter d'un coup sec de la vache enragée aux couches supérieures de la culture québécoise sans puer la satisfaction, c'est dur, même quand on vient de passer dix ans à répéter : « Leur gloire je l'ai de travers dans le cul ; ma gloire c'est quand ils vont tous être d'accord pour dire que mon œuvre vaut pas de la marde. »

Laïnou est peintre-spécialiste. Spécialiste de deux sortes de taches : les bleues et les jaunes. Le jaune symbolise la joie ; le bleu c'est le contraire. Plus ça ne va pas, plus le nombre et la grosseur de ses bleus excèdent ceux de ses jaunes. Et plus elle peint plus ça ne va pas : c'est la tension vers l'absolu total. Pour le Concours elle est allée presque jusqu'au bout, elle a donné presque son apothéose : cent pieds carrés de flaques bleues dégoulinant de tous côtés vers un point jaune ; elle a appelé ça *Le comble du malheur.*

On a été les premiers à apprécier l'aphasie apostasiaque de l'*an-art* de Laïnou. Nous croyions naïvement qu'elle avait trouvé quelque chose qui ne finirait pas par prendre... et nous lui prodiguions tous les soins pour qu'elle ne finisse pas par se dégonfler.

— Ça a marché ! Ça marche ! J'ai vendu ! Je vends ! Les poches pleines de fric ! En avez-vous besoin ? Je pars pour Brasilia dans deux semaines ! Il est question que j'expose à Paris !

On lui demande comme ça va avec les confrères, les critiques, les fonctionnaires, enfin tous les requins de sa mythologie.

— C'est con mais ils aiment, ils pigent ! Ils sont aussi fous, partis, paumés que nous ! Vous devriez venir voir : ils se sont tous pris par la main et ils *décadansent* ! Jusqu'au sous-ministre qui est un gars fucké ! Mais ce qui bat tout c'est Pierre Dogan. Il est joaillier, il a 23 ans, du sang indien, toujours une bouteille de vin dans sa poche : « Il arrête pas de picoler, vous allez le diguer ! » Il l'a poussée dans les toilettes des femmes du hall d'exposition, il l'a déculottée, il lui a fait son affaire, ça a été le cul de foudre.

— Il a du sang indien.

— Tu l'as déjà dit.

— Il en a plus que j'ai dit tout à l'heure, il en a plein, il embaume le sang indien. Et puis alors on s'est assis par terre de chaque côté de la cuvette, on a bu son litre de vin, et puis alors il m'a raconté tranquillement qu'il est bien intéressé à s'accoter avec moi vu que sa blonde vient de le sacrer dehors et que j'ai l'air d'avoir des lots d'argent. Il est drôle ! drôle ! époustouflant ! Son art c'est le plus fort. C'est des bijoux de boîtes à surprise qu'il trempe dans l'acrylique et qu'il revend à des prix de fou avec ses initiales gravées partout, son P.D. qu'il dit... Un vrai cinglé! Comme j'en ai rencontré qu'à Paris! J'ai si hâte de vous le présenter!

Nous on a si hâte qu'elle soit partie, qu'elle expose à Brasilia, à Paris, tout partout. Tout ce qu'on faisait avec elle, on est capables de le faire tout seuls. Personne n'a besoin d'une femme peintre montée sur ses grands chevalets pour aller à Maskinongé sur le pouce, au Forum voir jouer nos frères Mahovlich, au Café 79 prendre un Bloody Mary. Et puis alors c'est agaçant à la fin cette façon qu'elle a, même au téléphone, de parler tantôt joual[1] avec l'accent parisien tantôt vice versa, c'est catégoriquement insupportable.

*

On se promène pour digérer. C'est le triomphe de Laïnou qui nous est resté sur l'estomac.

L'étoile qu'arbore le néon de la bijouterie Gold Star est rouge ; on ne voit pas le rapport... la suite dans leurs idées. Le capot de la Corvette Trans-Am est revêtu d'une aigle éployée ; je demande à Nicole si ça lui donne un coup là où les gars qui ont inventé ça pensent. La Camaro Super-Sport se montre fière à plusieurs endroits de sa carrosserie du double S trapu de son sigle chromé ; il n'y a pas que nous de romantiques...

On marche en corrigeant les fautes des enseignes des deux palissades de petits commerces qui encaissent la rue Mont-Royal. On marche en criant comme à l'encan

1. Jargon montréalais raffiné par le théâtre puis exploité par la chanson et le cinéma québécois.

les noms des autos stationnées en files ininterrompues, comme aux flancs d'un canal.

On est très absorbés. On fait un gros saut quand Roger, sorti de nulle part, nous interpelle. Roger Degrandpré, le protecteur puissant qui n'attend que le bon tuyau pour nous pistonner comme il faut.

— Hé les bommes de Maskinongé !... on manigance encore ?

— On marche. On fait pas le trottoir mais c'est juste...

— Vous regardiez le restaurant comme des agents d'immeubles... Caressez-vous des idées de vous lancer en affaires...

Parce que c'est un génie il se croit obligé de faire de l'esprit. On est plus drôles que ça mais on n'a pas un jeu pour faire nos comiques. Ça fait des mois qu'on se plaint... qu'on se colle à lui comme des chiens fous bâtards et galeux pour qu'il nous aide à trouver une grosse job dans la publicité. On l'a tellement sollicité, dérangé, tanné, que sans toute sa grandeur d'âme il ne reconnaîtrait même plus vos faces. Non, on ne lui répondra pas par des grossièretés.

— On regardait pas le restaurant, on critiquait le néon. Le P s'allume pas, le A tremble, le E bourdonne. Puis toi ?

— J'entrais manger. Venez, je vous paie un snack !

On saute sur l'occasion, mais pas en effrontés, en protestant : « Oh non ! » On le suit entre les tables en nappe empesée du Picardie, en regardant le tapis, en s'accrochant partout, en téteux épais ravis et confus. Il faut en mettre plus que moins quand on frise la trentaine, qu'on n'a pas d'expérience, qu'on se cherche une job payante. Aussitôt assis, Roger nous annonce que Petit Pois va être là dans cinq minutes. « Depuis le temps que je me promets de vous la présenter... »

Fuck ! On pourra pas placer un mot. Quand on téléphone chez Roger et que c'est Petit Pois qui répond, on est trop gênés, on paralyse, on raccroche. On va dire bonjour madame, c'est tout. Ferme ta gueule puis mange. On va rester assis tranquilles au pied de l'échelle sociale avec nos problèmes d'argent puis on va faire bien attention qu'ils ne paraissent pas. Ça fait tellement vil !

— Qu'est-ce que vous allez manger ?

Pour éviter que Roger se considère quitte avant d'avoir été vraiment utile, nous choisissons ce que le menu propose de moins cher : le steak de jambon à l'ananas.

Assez grande, plutôt ronde, Petit Pois est le contraire du personnage de je ne sais plus quel cartoon auquel elle doit son surnom. Elle est comme dans ses films. On la reconnaît tout de suite. Caché comme un oiseau malade dans le feuillage noir des cheveux, son visage est trop pâle, trop tragique, trop beau dans la lumière trop claire de ses yeux trop grands. En tout cas, on est saisis. Les mains dans les poches d'un afghan ouvert jusqu'à terre comme la porte d'une chambre de fourrures vivantes, portant à l'épaule une musette indienne frangée assez long pour faire un rideau, elle marche avec cette lenteur que l'assurance change en majesté ; ça remplit le restaurant. On sent tout de suite que c'est une vedette. On ne fait ni une ni deux : on se lève, comme à l'école Saint-Pierre quand la maîtresse entrait. C'est là qu'elle part à rire, qu'elle s'écrie : « Vous êtes cons, man ! », que ses lèvres saisissent vivement nos bouches et qu'éclatent ces gros baisers qui continuent de faire bourdonner nos oreilles et de réchauffer nos cœurs si longtemps glacés.

Elle glisse ses fesses sur moi pour se loger au milieu de notre siège, laissant Roger seul de son côté de la table. Elle lui fait un pied de nez puis nous dit : « Tu passes ta jeunesse à ses côtés, heureuse de la sacrifier à un grand homme. Un soir, comme ça, pour rire, tu changes de place, tu te mets en face, puis qu'est-ce que tu vois ? un petit con ! »

Elle montre sa musette à Nicole : « C'est fait avec des dessous de queues d'ours... c'est sharp, hein ? »

Elle se met dans nos petits souliers et elle nous suit. C'est avec le même recueillement que nous, la même complaisance suspecte, qu'elle écoute Roger faire ses farces plates. Quand nous rions, elle rit, mais ce n'est pas pour nous imiter, c'est parce que c'est une fille correcte, c'est parce que quand elle retrouve son cœur, que n'ont pas brûlé les réflecteurs, elle aime mieux faire corps avec les crottés qu'avec les grosses légumes. Elle a compris tout de suite que nos flatteries et servilités se moquent de Roger, et elle se moque de lui avec nous, et elle est si belle et c'est si tendre, si complice, si secret, que ça nous monte à la tête, qu'on est ivres.

Comment dire la gravité, l'importance, la plénitude de la partie d'yeux et de genoux, où aucun coup n'était facile ou n'était raté, qui s'est jouée à la barbe de Roger Degrandpré, qui rapetissait comme un ballon qui se dégonfle, qui s'éloignait de l'autre côté du gouffre qui sépare aimer d'amour et aimer que les autres écoutent quand on fait des farces plates.

Quand Petit Pois a eu fini sa pointe de tarte aux pommes et son verre de lait, Roger lui a dit :

— On a des rendez-vous partout, ma louve ; faudrait qu'on pense à se grouiller.

— Y a pas un soir que faut pas aller à quarante-deux places ; je commence à avoir mon voyage, moi.

— Parlant de voyage, faut que j'aille aux toilettes. Excusez.

Pendant la petite absence hygiénique de Roger, elle en a profité. C'est là qu'elle a lancé ses mains sur nos mains sur la table et qu'elle s'est écriée :

— Faut qu'on se voie, seuls, demain, après-demain, tout le temps ! Donnez-moi votre numéro de téléphone !

— Roger l'a.

J'espère que je n'ai pas tout gâché en disant ça. Il s'est fait, dans ses drôles de zyeux violets, une sorte de flou qui nous a donné la chair de poule.

Que nous avons hâte qu'elle nous appelle ! Elle court dans nos veines, devant nos sangs, laissant derrière elle, entre le sang et elle, un vide où nous ne cessons de tomber. Nicole n'arrive pas à dormir. Elle est restée couchée mais elle n'arrête pas de remuer. Moi, ça fait quarante-deux fois que je me relève et que je me recouche. Minou, notre chat de gouttière surdoué, lance le museau en l'air, aspire toute cette angoisse, étouffe, miaule comme du fond de l'enfer.

*

On est catastrophés. C'est effrayant comme c'est épouvantable.

Elle a appelé, elle est venue, elle nous a revus, nous l'avons déçue.

— Qu'est-ce qu'on va faire, cher ?

— On va faire comme on a toujours fait : on va toffer en attendant que ça se passe.

— Ce coup-ci c'est trop. Si tu trouves pas mieux que ça je vais craquer, péter, crever, mourir.

Nous avons éteint la TV ; ça ne nous empêche pas de

la regarder. Nous brûlons, blottis. Mais la viande ne brûle pas, elle fond. Nous fondons donc, farcis de braises, Nicole blottie dans les bras du fauteuil, moi par terre, blotti entre ses jambes. C'est un fauteuil revêtu de leatherette rouge ; il nous suit depuis dix ans sur toutes ses petites pattes dévernies ; il va bien pour regarder la TV ; on l'a payé $ 5 quand on a échoué à Montréal et qu'on a été se meubler au complet à l'Armée du Salut.

Les cuisses de Nicole se serrent et se desserrent autour de mon cou, dans des sortes d'orgasmes de douleur où la douleur n'aboutit pas. Le comble de mes forces c'est d'empêcher ma tête de tomber, de rouler sur le prélart. Non, nous n'en menons pas large. Une injure, portée comme une bulle par ma bave bouillante, éclate parfois entre nos lèvres : « Fuck ! »

Petit Pois nous a tout bien expliqué : hier elle *flippait* à cause qu'elle était *high* ; ce soir elle est *down* à cause qu'elle faisait un *bad trip*. Là, c'est l'asphyxie. Nos bras se noient dans les forces impuissantes qui tendent leurs muscles à bout. Nos cœurs, gonflés plus gros que nos poitrines, suffoquent, calent. Baignées d'acides, nos entrailles tordent, sautent, lèvent ; nos ventres se vident par nos bouches, nez, oreilles. Trop de sang trop pressé : si nous ne serrions pas nos artères dans nos poings elles fouetteraient. Nous avions une amie *passionnée, chaude, bonne,* nous l'avons perdue. Toute une soirée, hier, elle nous a donné son cœur ; toute une soirée, tout à l'heure, elle nous a arraché le nôtre.

Qu'est-ce qui s'est tant passé ? Rien. Rien, dans ce que ça a de plus noir. Hier, ardente. Aujourd'hui, pas là. Hier, elle n'a pas arrêté de jouer avec les boutons de sa blouse et de se demander, tout haut ou tout bas, comment qu'elle avait pu se défoncer avec rien qu'une pincée de hasch.

— Fallait que j'aille voir mon oncle qui a un cancer à l'Hôtel-Dieu. Ça me fait peur ces affaires-là. J'ai fumé un fond de pipe, une petite croûte de rien. Arrive à l'hôpital, ouvre la porte, crash : froid dans le dos, creux dans le ventre, cris pleins la gorge, plus capable... J'ai viré de bord, j'ai marché jusqu'ici, puis j'ai niaisé deux heures et demie, toute seule de fille avec dix-neuf gros méchants Grecs. Parlez, faites-moi guili-guili, faites-moi rire, faites quelque chose.

« Qu'est-ce que tu prends ? » Elle va finir son verre de Seven-Up, qui a eu le temps de jaunir depuis qu'il traîne. « Aimes-tu l'endroit ? » Nous avons choisi le Thalassa Bar parce que c'est le plus tranquille du Plateau. Elle dit qu'elle trouve que ça ne swinge pas le diable, mais on sent qu'au fond elle s'en sacre.

Elle l'avait l'air résigné d'une condamnée à s'emmerder... tellement qu'on n'a plus rien eu à dire avant de commencer à parler. Ça fait qu'on a fait nos fans et qu'on l'a interviewée. Elle a dressé ces antennes que les artistes disent qu'ils ont et elle a fait son possible pour nous donner quelques bons flashes.

— Qu'est-ce que tu penses de l'amitié ?

— Moi quelqu'un qui m'aime d'amitié il m'insulte, il m'écœure. S'il est pas capable de m'aimer plus que ça qu'il me laisse tranquille !

Elle regardait à tout bout de champ sa montre Mickey Mouse (ce n'est pas fait pour montrer l'heure mais pour montrer que ça ne montre pas l'heure et donc qu'on s'en sacre, mais elle la regardait d'une façon qui correspondait à un usage qui supposait d'autres soucis). J'ai fini par me résigner à comprendre et j'ai été demander l'heure au barman.

« Dix heures et quart. » Elle a bâillé.

— Es-tu fatiguée ? Veux-tu aller te coucher ?

— Ah je sais pas trop... Décidez pour moi...

Nous avons descendu sans rien dire l'escalier du Thalassa Bar. Nous avons marché sans rien dire, la parole coupée pour toujours, jusqu'à l'avenue du Parc. Dans la nuit froide, devant la montagne lisse et nue où la lune blanchoyait comme une dernière couche de neige, nous avons couru pour héler le taxi Diamond qui fonçait pour ne pas manquer sa verte. J'ai ouvert la portière gris fer du Chevrolet Biscayne 1969. Elle est montée sans rien dire, tête première, pliée en deux. Et je n'ai jamais rien vu de moins sexy que ses petites culottes, qu'elle a montrées sans faire exprès, comme toutes les femmes qui montent en auto.

Nous avons regardé son taxi rejoindre la bande des autres autos, descendre la côte, se baisser pour passer sous le saut-de-mouton.

Soudain, on était assis dans l'abri de l'arrêt d'autobus et on voyait les autos tournoyer, glisser, capoter et gicler des sangs de toutes les couleurs, comme des cancrelats. Les ampoules de mille watts des lampadaires explosaient, bombardaient. L'avenue du Parc gondolait, craquait, morcelait ses asphaltes, nous les lançait à la figure.

Elle ne nous a même pas dit au revoir. « Fuck ! » Nous ne voulons pas nous endormir dans cet état ; nous avons trop peur que notre hyde-a-bed se referme sur nos corps comme un cercueil. Nos visions apocalyptiques nous reprennent. Nicole crie. Sa main, qui flattait mes cheveux, les empoigne, tire, arrache.

— Ça peut plus durer. Faut qu'on réagisse. On va se lever puis on va faire une grosse orgie ! O.K., chère ?

Nicole allume le rond *front-right* du poêle électrique, Nicole met de l'eau dans la casserole : c'est Nicole qui va faire le café. Je branche le toaster, je sors le beurre, le pain, le fromage : c'est moi qui vais faire les sandwiches. On va se bourrer. On va manger assez qu'on va fendre ! Fuck ma ligne !

Ça fait mal ! Allons donc, ça a l'air de quoi ? On souffre... Y a-t-il rien de plus commun, vulgaire, vil, de plus tripoté par toutes sortes de mains visqueuses, de plus roulé dans toutes sortes de lits détrempés ? La ville de Montréal croupit dans des désespoirs plus tordants, tordus, tortillés du cul. Ça pullule, infeste. Tout à coup, lumière : ça fait trop de monde comme nous, ça nous écœure. C'est notre dégoût de la grosseur du tas des écrasés du cœur qui va nous sauver. Notre mépris et notre orgueil vont nous lancer comme des moineaux hors des tunnels d'égout où tout ça bave, pue, se vautre. PAS NOUS ! Plus il y en a, moins c'est fait pour nous ! PAS NOUS !

Avant c'était difficile : les tranches des paquets de fromage Kraft collaient ensemble. Maintenant ça va bien : ils les enveloppent une par une dans des feuillets de cellophane. Je suis en train d'engloutir comme rien mon cinquième sandwich. Nicole donne tout ce qu'elle a pour terminer son troisième. Ça ne veut plus entrer. Ça ne descend pas plus loin que sa pomme d'Adam. Je lui demande comment ça va. Elle répond que ça va mieux, vraiment mieux, qu'elle ne me dit pas ça pour m'encourager.

Durer à tout prix jusqu'à demain, jusqu'après avoir dormi. Demain n'aura rien puisqu'il n'aura pas *elle ;* mais demain *ça ne nous fera plus rien.* Demain c'est ailleurs. Et demain, rien, *rien du tout,* c'est justement ce que nous aimerons le plus. Nous serons tellement contents qu'il n'y ait rien, demain, que c'est dans des spasmes de liberté que nous entreprendrons de nous venger. Nous recollerons les mille morceaux de notre monotonie puis nous irons la rebriser en millions de miettes sur sa figure photogénique d'écœurée de champagne ! Même si c'est un cancer, le mal qu'elle nous a fait, nous guérirons puis nous irons l'accabler de notre santé ! Chipie ! Intellectuelle de gauche ! Poufiasse ! Bûcheronne ! Avionne ! Toune ! Reine des Tounes !

*

On s'est levés au milieu de l'après-midi. On serait restés couchés mais ça faisait une heure qu'on avait envie de pisser ; on n'était plus capables de se retenir.

On a regardé dehors. Il n'y avait rien, sauf le printemps, et il ne faisait rien. On a lavé la vaisselle. Il n'y en avait pas beaucoup ; ça a été vite fait. Avant, quand il ne nous restait plus rien à faire, on se creusait la tête. « C'est effrayant, la vie est en train de nous passer sous le nez. » Maintenant on s'assoit et on reste assis tranquilles en priant le bon Dieu que ça ne change pas. « On est donc bien ! » On s'est dit que ce qui nous passe sous le nez ne nous passe pas à travers le cœur. Et on s'est crus.

Nous avons parlé pour ne rien dire. Rien n'est meilleur que la vivacité de l'attention que Nicole porte aux niaiseries que je dis ; et l'obligation de la reconnaissance fait que Nicole peut dire ensuite toutes les siennes sans être interrompue. Quand on manque d'inspiration, on ouvre le TV-Hebdo à la page du jour et on démolit les acteurs des films annoncés. Que c'est des plus putains que leur cul, qu'il n'y a que la gloire et l'argent qui comptent pour eux, que c'est de leur faute s'il n'y a plus d'amour, que c'est eux qui l'ont dégradé en embrassant n'importe qui devant tout le monde pourvu que ça paie ou que ça les fasse connaître... Toutes ces affaires-là...

Le bon, le meilleur et le mieux c'est rien. Reste assis

là et nie tout : le cigare entre tes dents, le jour dans tes yeux, la peau sous tes vêtements. Nie, nie, nie, et recueille-toi comme une bombe dans chacun de tes *non*, et ne t'arrête jamais d'être sur le point d'éclater, et n'éclate jamais.

Ça faisait bien quatre cinq heures qu'on venait de passer à ne rien faire quand on est sortis. On était de bonne humeur ; on était fiers de n'avoir rien fait si longtemps. On a marché. Les derniers restes de l'hiver, des sortes d'os sales, achevaient de fondre sur le béton du trottoir, cette sorte de mur horizontal. Nicole marchait en évitant de passer sur les joints. Moi je marchais en mettant un pied devant l'autre, sans plus. On a pris le métro. Il n'allait nulle part. Il filait jusqu'au bout de rien puis il virait de bord et nous emportait jusqu'à l'autre bout de rien. On ne s'est pas plaints. Bien au contraire, ça faisait notre affaire. Quand on en a eu assez on a débarqué. On s'est ramassés au Honey Dew de la station Guy. On a dit à la waitress ce qu'on voulait. Elle a pris nos paroles puis elle est allée les crier dans le microphone de l'intercom de la cuisine : « Deux hot dogs ! Deux ordres de patates frites ! » Au pied de la pente de son cœur, sur une plaquette de bakélite, son prénom était gravé : IVANKA. On a vu un barbu manger un hamburger avec rien dedans. Pas de relish, pas de moutarde, pas d'oignon, pas de ketchup. Rien. Ivanka le lui a servi ouvert ; on pouvait voir le sang que suait le steak mouiller le pain. Ça prend toutes sortes de maniaques.

Au United Cigare Store du coin, on a fouillé dans les pocket-books. On s'est fait regarder de travers. Pour sortir sans se faire attaquer, on a acheté un paquet de Columbia. C'est des cigares pas fumables, mais la boîte est belle. Toute jaune, entourée d'un genre de bracelet à bandes rouges et brunes portant en médaillon, devant et derrière, une tête d'Apollon.

Notre Admiral Cascode c'est toute une TV. Elle marchait depuis 1957 quand Laïnou s'en est débarrassé (pour se payer la couleur et le contrôle à distance avec ses $700 d'héritage). Eh bien elle a enterré la New Philco de Laïnou, et elle continue de capter, sans neige et sans antenne, les quatre canaux de Montréal. On a un pick-up Telefunken, les Hollandais c'est les meilleurs dans le son. Quant à notre radio, le petit frère Léo-Paul s'ennuyait tellement, à son arrivée à Montréal, qu'on lui a prêtée ; on l'a bien regretté. On n'en a jamais réentendu parler ; il a dû la vendre pour boire.

On regarde *Le blé en herbe* au canal 10 en faisant nos frais : une Heidelberg dans une main, un Columbia dans l'autre.

On voit Phil et Vinca courir, crier et se quereller comme deux jeunes chiens. Les amours d'adolescents c'est bien flippant. Une nuit, après *Roméo et Juliette* au cinéma muet, ils s'embrassent pour la première fois. Aussitôt Phil s'essuie ; alors on comprend que pour lui c'est mal, que ça laisse comme une grosse tache grasse sur son image de leur enfance commune... Ça commence bien. C'est cochon et ce n'est pas deux acteurs que nous connaissons, comme il y en a tant... On se prépare à se dézipper en priant le bon Dieu que ça ne se morpionne pas. Là, on tourne la tête car le black-out en étoile qui annonce les annonces vient de se produire et qu'on ne veut pas les attraper en pleine figure.

On retrouve Phil et Vinca sur la plage le lendemain de leurs attouchements. Il affirme chastement que ça n'a rien changé, qu'il n'y en aura plus, que ça continue comme avant. « Grand niaiseux ! » s'écrie Nicole. « *On est libres et on s'aime,* implore Vinca ; *alors prenons ce qui s'offre.* » Phil se lève : « *Je n'ai pas le droit !* » Phil sort du champ. Close-up du visage de la gamine, un barrage de colère que lézardent les larmes. « Pauv tite bête ! » s'écrie Nicole.

Soudain, après une autre brochette d'annonces, péripétie : une grande torpédo Hispano-Suiza s'égare, s'engage dans un cul-de-sac, se ramasse dans les dunes. La conductrice, une sorte de statue molle consacrée à la gloire de la *difficulté d'être* (d'*être* riche, oisif et supérieur), aperçoit Phil et lui fait des signes qui ouvrent comme des ailes les longs plis de sa cape. C'est Edwige Feuillère. Elle dévisage Phil avec une savante concupiscence ; il rougit, tenté et honteux ; c'est le cul de foudre. Nous, c'est le contraire : on débande, c'est fini, ils ont perdu deux joueurs ; non, on ne veut pas pleurer (de rage) quand, à cause de la trop grande différence d'âge, Edwige retournera à Paris et Phil dans les bras d'une Vinca ravie, comme impatiente de profiter de l'expérience acquise dans le lit de sa prestigieuse rivale.

Inutile de regarder au 6 et au 12 ; c'est toujours les mêmes histoires hérotiques de détective, soldats, cowboys. Essayons le 2.

La première séquence du film du canal 2 n'a pas fini de se dérouler que nous lancine l'impression d'avoir déjà vu ça et haï ça. Une autre séquence ; la mémoire a terminé sa mise au point, elle nous livre l'identité de l'œuvre coupable.

— Fuck ! C'est *Comment qu'elle est !*

On a vu si souvent *Comment qu'elle est* qu'on croit qu'on va faire une autre dépression carabinée. On a vu si souvent Françoise Brion faire son impénétrable avec ses deux grandes narines et Eddie Constantine faire son dur à cuire avec son petit chapeau qu'on croit qu'on va se mettre à pleurer. Oui, ça sape tout notre peu de courage retrouvé.

— Qu'est-ce qu'on va faire, mon André ? Va pas falloir qu'on retourne tout de suite se coucher, hein ?...

— Non ! Je dis non ! Non, on se laissera pas réabattre comme ça ! Ils ne prévaudront pas ! On va tenir tête ! On va faire le contraire de ce qu'ils croient ! On va regarder encore *Comment qu'elle est !* Jusqu'au bout ! Pas d'un seul œil ! Pas par-dessus la jambe ! Non ! On va s'appliquer ! Ils auront jamais vu ça ! Loin de fuir l'abîme, descendons dedans ! La tête droite ! Jusqu'au fond ! Puis si c'est pas assez creux pour eux, on va creuser. Puis si le film recommence tout de suite après, on va se le retaper ! On va les toffer ! C'est pas eux qui vont avoir le dernier rot, c'est nous ! C'est des tripes qu'on a dans le ventre, c'est pas des nouilles !

Ça ne servirait à rien qu'on se recouche. On se retournerait dans notre hyde-a-bed comme des poulets à la broche et puis c'est tout.

Pas de nouvelles de la Reine des Tounes. Nous en avons eu envie toute la journée. Nous ne nous le sommes pas dit. Nous nous sommes promis de ne plus jamais parler d'elle.

*

Ce radiateur existe depuis si longtemps qu'on dirait qu'il a vécu. Les couches superposées de peinture blanche, comme une croissance, ont élargi ses vermicules, arrondi les angles de ses côtes, incorporé les vis, changé en grosses verrues les gros écrous. Dans le tunnel d'entre les tubulures poussent des mousses noires qui fructifient en mites, mouches, blattes. Nous méditons sur le radiateur de la cuisine. Il y en a un autre dans notre autre pièce, le *salon double*. C'est ainsi qu'ils désignent une chambre à coucher convertible en vivoir, c'est-à-dire un living-room dont le divan cache un lit (hyde-a-bed).

Nous habitons le côté nord de l'étage d'une ancienne clinique d'oto-rhino de l'avenue de L'Esplanade. Entre les rues Duluth et Mont-Royal, cinquante vieilles belles maisons s'épaulent pour endiguer le bassin de nature déversé par la montagne ; c'est là qu'on est. Ça a été acheté à tempérament par des Grecs, Italiens, Polonais, Lituaniens, et c'est devenu des ruches à bommes et à immigrants. Notre Lituanien est aide-boulanger aux Arena Bakeries ; il a aménagé la cave ; il s'y tient tranquille avec sa femme, qui ne parle pas un mot de *bilingue,* ses deux enfants, universitaires, la tuyauterie et les entrelacs de l'électricité. Les locataires du rez-de-chaussée : ni vu ni connu. Notre voisine est une petite Allemande blonde qui a toujours l'air bête et qui roule en Ford Torino fast-back jaune moutarde (elle doit être bunny au club Playboy : elle a un lapin de collé dans une de ses petites vitres). On est persécutés parce qu'on n'est pas forts sur le ménage. Quand Extermination National Chemical vient fumiger les insectes, il voit que c'est chez nous que c'est sale, il le dit au Lituanien, le Lituanien le dit aux autres locataires, ça fait que tout le monde parle dans notre dos... Notre point de vue c'est qu'il n'y a pas une blatte pour piquer aussi fort que la petite blonde bêcheuse quand on la rencontre dans le corridor et que c'est les petites blondes bêcheuses qu'Extermination National Chemical devrait fumiger.

Notre lampe pour lire ne marche plus. L'ampoule a pété au milieu de l'Introduction de la *Flore laurentienne* du frère Marie-Victorin la nuit dernière ; elle a lancé un éclair de kodak puis elle n'a plus rien voulu savoir.

Nous mettons nos coupe-vent, nous descendons à

pied dans le centre de la ville, nous entrons dans le château de la Quincaillerie Pascal. Nous aimons aller là. Nous explorons comme des cassettes les casiers débordants de clous, écrous, boulons. Nous remplissons, comme de monnaies anciennes, nos poings de vis dorées, argentées, brillantes. Ils vendent de tout. Même des poteaux télégraphiques. Mais on n'a pas le droit de monter dedans pour les essayer. (Farce platte). On ne peut pas acheter *une* ampoule de cent watts ; il y en a deux par boîte : il faut acheter le couple ou s'en passer.

Pour perdre une sorte d'excès de pas, on marche jusqu'au Forum avec nos deux lumières Sylvania. Ce n'est pas loin, mais aller-retour c'est assez pour donner faim. On s'arrête, passé un étal de motos Honda, dans un restaurant à la façade raisonnablement ordinaire. Mange le hot dog, mange les patates frites, regarde. La caissière n'est pas derrière sa caisse. Assise à deux tabourets à notre droite, elle mange un steak sur une planche à pain. L'horloge électrique est droit devant nous ; c'est une grosse face noire qu'auréole un tube de néon ; entre le 5 et le 6 de l'anneau phosphorescent des chiffres, la grande aiguille fait des très petits bonds très espacés qui lui feront rattraper la petite. Sous l'horloge gît accroché un poisson blanc aux nageoires grises, trophée de plastique vertigineusement quelconque. Son impersonnalité est si dense qu'il faut que tu regardes dix fois avant de le voir, si profonde que tu cesses de regarder aussitôt de peur qu'elle t'engloutisse.

La waitress pose la facture sur le comptoir, sens dessus dessous, guise de politesse. Je la retourne, comme rien. $1.62 ! Fuck ! Pour $1.62, boulevard Saint-Laurent, on en aurait mangé une douzaine, de hot dogs ! Ça prend tout pour ne pas qu'on se fâche, éclate, casse tout. $0.45 du hot dog ! Quelle cruauté !

Quelle bassesse ! Pour nous calmer, nous désarmer, nous empêcher de nous réveiller en prison, nous déplions une serviette et, sur le papier trop poreux, nous écrivons une lettre.

Nous voulons changer du tout au doux, nous rebâtir sereins. Alors mettons-nous à tout aimer, à ne plus choisir du tout, à accueillir tout, même les poissons fabriqués en série, à embrasser tout d'un cœur égal, même les additions multipliées par pure voracité. Nos horreurs et nos dégoûts ne font qu'empirer le mal qui nous est fait et améliorer le plaisir de ceux qui nous le font. Alors n'en éprouvons plus ; ouvrons-nous ; brûlons nos venins, nos boucliers, nos vêtements ; offrons-nous, tendons-nous, donnons-nous, faisons-nous fourrer.

La demi-heure de lunch de la caissière n'est pas finie. C'est la waitress qui la remplace. La waitress n'a pas le temps d'encaisser pour l'instant : elle est en train de prendre les commandes d'une table de quatre. Ils veulent bien nous voler, c'est hosties-là, mais à condition qu'on leur laisse le temps de souffler. La waitress est du genre nerveux, pressé et débordé. Comme toutes les waitresses nerveuses, pressées et débordées, les embouchures des poches de sa blouse laver-porter sont barbouillées de coups de stylo. La pression des injures qui se bousculent derrière mes lèvres serrées grandit, pousse, pèse. Sentant ça Nicole me glisse à l'oreille : « Qu'est-ce qu'il a dit Charles Gill ? » (Il a dit : « *Je suis un désespéré mais je ne me découragerai jamais.* »)

On est sortis du restaurant, mais pas de l'exploitation éhontée dont on a été victimes. Tant et si bien qu'en plus de tout ce qu'on a envie de vomir sans pouvoir, des bouts du dialogue de *Comment qu'elle est* nous montent à la gorge.

— *Connaissez-vous Venise ?* demande Eddie Constantine.

— *Non, on ne me l'a jamais présentée !* répond Françoise Brion.

On vient de dépasser une cabine téléphonique. On a trop besoin, *besoin* tout court, pour continuer de résister. D'un commun accord tacite, on vire de bord, on court. Le sort s'acharne : un bum ou un plaisantin a chié au fond de la boîte ; dans ma hâte je lance en plein dans le tas mon pied. Je suis un désespéré mais je ne me découragerai jamais ; ça fait qu'on laisse faire la marde puis qu'on compose le numéro.

— Si c'est Roger qui répond on accroche, O.K. ?

— O.K. boss !

C'est Roger qui dit l'allô. On raccroche. Malgré les hot dogs, la marde, tout ça, ça fait du bien de fermer la ligne au nez d'un ami d'enfance qui réussit... (Les gens qui réussissent réussissent exprès pour te faire chier, bonhomme.)

*

Dévêtir une banane, la décrocher du bouton de la pelure. La rompre en deux. Donner la petite moitié à Nicole, garder la grosse. Mastiquer, en se regardant mastiquer, les cinq bouchées molles. S'essuyer sur le haut de ses jeans... Puis regagner les jardins qu'a fanés la paresse du cœur de la Toune.

Nous savons ce qu'il ne faut pas faire : c'est l'appeler. L'honneur, c'est regarder la TV jusqu'à ce qu'elle ne diffuse plus rien puis aller se coucher. On se retient tant qu'on peut. On peut assez bien jusqu'à la fin des émissions. Quand il n'y a plus personne dans la TV et plus de bière dans le frigidaire, c'est dur, ça craque.

Tout à l'heure encore, on n'a plus pu. Elle a répondu après le deuxième drelin.

— C'est André qui parle. Tu dormais ?

— Quel André ?

— André Ferron... Tu dormais ?

— Oui... Un peu... Comme ça...

Déjà à bout de mots, de souffle, de nerfs. Il aurait fallu que nous *prévoyions ;* que nous établissions avant de passer à l'action une liste de bonnes questions. Je lance des S.O.S. à Nicole. Elle est plus en panne que moi. J'insiste, je presse, ça urge. Elle hausse les épaules, elle prend son visage dans ses mains, elle lève les bras au ciel. Je n'ai jamais eu tant de contrition et de ferme propos de ne pas recommencer.

A l'autre bout de la ligne, la Toune attend, sans manifester d'impatience, sans manifester d'intérêt, sans manifester rien du tout. Elle attend et puis c'est tout, comme les gobe-sous des postes de péage de l'autoroute de la Rive-Nord. On tremble, on perd la carte, les pédales, la boule, et toute l'eau de notre corps par nos aisselles : ça glisse, glacé, jusque sur nos reins.

— Es-tu là ?

— Je suis *toujours* là. *Être là* c'est ma plus grande qualité.

— Excuse-moi. Excuse-nous. Bonne nuit. J'espère que que que.

Ah que ça va mal ! Qu'est-ce que tu peux faire après une catastrophe pareille ? Quel échec sentimental ! L'un derrière l'autre, la tête basse, les yeux brûlants, nous tournons autour de la cuisine en lançant des coups de pied, de poing, de derrière, au radiateur, au poêle, à la sortie de secours, à la boîte du chat, à l'évier, aux armoires, au frigidaire, à la porte de la chambre de bains. Dans cet ordre, suivant le sens contraire des aiguilles d'une montre.

*

Quand on a ouvert la TV, Raymond Lemay dessinait, avec sa rapidité spectaculaire ordinaire, les zones de pression du synopsis des prévisions. C'est un as : il sait par cœur les températures du lendemain de toutes les principales villes du monde, du Canada et du Québec. Quand il a fini, en guise de bye-bye, il lance sa craie vers l'objectif de la caméra ; c'est comme si c'était toi qu'il visait. C'est drôle, mais ça fait assez longtemps que ça dure.

« Quand Miss Mayrolton est venue me voir à minuit moins vingt-cinq, j'ai trouvé ça un peu curieux... »

Là, on regarde *Rendez-vous avec Callaghan.* C'est un film policier anglais fabriqué en Italie avec des acteurs américains de troisième ordre. C'est l'histoire d'un détective privé qui ne veut rien savoir de Scotland Yard : il veut mener tout seul son enquête. Décidés à jouir de tout, nous sommes pendus à ses lèvres.

« Pour la faire avouer, comme vous dites, il faudra que Scotland Yard la trouve. »

On a enfin acheté le disque de Boris Vian. Ça faisait des mois qu'on le surveillait à la pharmacie Labow. $5.49 c'était trop cher. On a attendu notre prix. Patience et longueur de temps.

« Que voudrais-tu que j'aille faire chez les macchabées au milieu de la nuit ? Croix-tu que j'ai du temps à perdre ? »

La pharmacie Labow recrute ses clients dans la plèbe du Plateau. On savait qu'ils ne toucheraient pas au disque même avec des gants blancs, que le disque s'empoussiérerait, que la pharmacie Labow se découragerait, qu'elle couperait le prix, qu'elle le recouperait, que de rabais en rabais elle finirait par le laisser aller pour $ 0.99.

« *Ça ne m'empêchera pas de dormir si on vous condamne à être pendu.* »

Partis acheter du Bromo-Seltzer, on revenait avec Boris Vian. Une pluie battante chassait les gens des trottoirs et on n'avait plus mal au ventre ; rien ne nous gênait pour faire les fous. Embrassés par la taille, nous donnions, moi sifflant, Nicole chantant, tous dansant, toutes sortes d'interprétations de *Monsieur le Président je vous fais une lettre que vous lirez peut-être si vous avez le temps.* Depuis les Beaux-Arts c'est notre leitmotiv, notre theme-song, notre plus belle chanson du monde.

« *Trouvez le chapeau et vous aurez l'assassin...* »

Il était six heures et demie quand on a refait le lit. On a tendu avec soin la courtepointe, on s'est étendus en faisant bien attention de ne pas la froisser. Vierge, le disque luisait sur la table tournante ; j'ai allongé le bras, j'ai poussé le levier jusqu'à l'enclenchement marqué *on-manual.*

« *Qu'avez-vous fait réellement hier entre dix heures et demie et onze heures quarante ?* »

Chacun sur son oreiller, elle au fond, moi au bord, rigides comme deux gisants, elle une main sur la poitrine et l'autre sur le ventre comme Catherine de Médicis, moi les bras le long du corps comme Henri II, on a écouté Magali Noël interpréter *Fais-moi mal Johnny* et Boris Vian chanter lui-même *Bourrée de complexes, Je suis snob,* toutes les autres. Quand *Le déserteur* revenait, à son tour, les frissons nous reprenaient ; c'était si bon qu'on croyait qu'on ne pourrait jamais se lasser. De toute façon, ça n'arrivera pas demain puisqu'on a ouvert la fenêtre et lancé le disque dans le parc Jeanne-Mance.

« Je sais que cette boîte rapporte de l'argent à voir le nombre de pigeons qu'on y plume ! »

Il était onze heures quand on a regardé de nouveau le réveille-matin. Ça allait bien : le temps de prendre une bouchée et le film commencerait au canal 10. J'ai ouvert une boîte de soupe au poulet et aux nouilles. Dans l'eau qui commençait à fumer, Nicole a versé le sachet en remuant avec une cuiller. J'ai sorti deux bols et deux poignées de crackers au goût de bacon. Quand ça a commencé à faire des bulles Nicole a éteint le rond, goûté, fit hmmmm, puis elle a rempli nos bols, puis elle a versé le reste dans l'assiette du chat, puis elle a rincé la casserole, puis elle s'est assise. Sa place à table c'est dos au poêle. La mienne c'est dos au frigidaire. Comme ça on peut se faire face et s'admirer.

« J'ai un tuyau sur le testament que le vieux gardait caché dans le boîtier de sa montre. »

De la soupe ça se boit à petites gorgées, ça se tète, ça se sippe, comme du café. C'est bon avec des crackers au goût de bacon. De la soupe c'est nourrissant, c'est vite fait, c'est plein d'avantages et dépourvu d'inconvénients.

Là, on est heureux (le bonheur c'est le temps que dure la surprise d'avoir cessé d'avoir mal) et on regarde *Rendez-vous avec Callaghan.* Là, il y a un malotru qui braque un revolver sur Callaghan et Callaghan crâne.

« Vous n'oserez pas tirer, je le sais. »

*

Avec nos 28 et 29 ans nous sommes pas mal plus vieux que la Toune. Pourtant c'est elle qui mène, c'est nous qui nous sentons comme des enfants.

— Je m'excuse pour avant-hier. Je vous aime mais ça synchronise pas. Vous vous arrangez toujours pour me frapper dans un mauvais mood. Je suis tellement mauvaise ce temps-ci que je peux envoyer chier ma mère, puis ma mère c'est ma plus grande chum. No heavy feelings[1] ?

— No heavy feelings.

(Fuck! Parler en anglais! Nous! Tout est perdu! Même l'honneur!)

— Je veux vous ouvrir mon cœur. Je vous appelle parce que là je sens que je pourrais. Mais venez vite, dépêchez-vous, je peux pas vous garantir que ça va durer...

Affolés! On ne trouvait plus nos mains pour ouvrir la porte, plus nos pieds pour dévaler l'escalier. On ne prend jamais de taxi, on avait envie d'en prendre deux, douze, vingt-deux! En appeler un, ou en attendre un dans l'Esplanade, ça aurait pris trop de temps. On a pris nos jambes à nos cous, on a piqué à travers le parc jusqu'au carrefour. Le chauffeur nous a trouvés tellement essoufflés, hagards, blêmes, qu'il nous a crus quand on lui a dit que c'était urgent; il a pesé assez fort sur le gaz pour brûler les semelles de ses pneus.

Résultat, on est arrivés trop vite. Elle n'avait pas terminé la lettre qu'elle avait cru qu'elle pourrait bâcler dans le temps qu'on se rende. Ça l'a contrariée, désaccordée, déphasée, bloquée; ça l'a toute fuckée. Montée pour nous parler d'elle jusqu'au petit matin, elle n'a plus pu qu'effleurer le sujet.

Elle raffole des albums de sexe-fiction de chez Eric Losfeld. Ils coûtent dans les vingt bidoux chaque. En sortant, Nicole a dit : « A ce prix-là n'importe qui en raffolerait. » Elle nous en a donné un, tout neuf. Un

1. Pas de sentiments grazéviskeux ?

qu'elle avait offert à Roger comme cadeau d'anniversaire ; occupé comme il est à nettoyer le Québec, il n'a pas eu le temps de l'ouvrir. En sortant, Nicole a dit : « Les restes des autres ça nous intéresse pas ! On est trop occupés à rien faire, on aurait pas le temps de l'ouvrir, anyway. »

Ce qui avait l'air d'*impressionner* le plus la Toune dans le peu qu'elle a fini par nous confier, c'est comment qu'elle trompe Roger. Ça fait un peu *Bonjour tristesse* dit comme ça ; de la façon qu'elle nous l'a dit ça faisait tout le contraire. Elle nous a exposé que la fidélité genre conjugal c'est de l'avarice crasse, que c'est une entente pour être sûr de ne rien donner qui ne sera pas rendu, que c'est du commerce, que c'est une farce d'appeler ça de l'amour, qu'être en amour c'est être comme une quantité inépuisable de papillons et mourir (chaque fois) tout de suite après qu'on a fécondé l'autre, n'importe quel autre. Elle couche à droite et à gauche par vertu, pour répandre la grâce, donner le tempo.

— Les hommes ont froid. Puis ce qui est chaud, c'est pas les âmes charitables comme Jésus-Christ, c'est pas les grosses têtes comme Karl Marx, c'est les bons gros culs comme moi ! Comprenez-vous ça ?

Elle ne veut pas que Roger connaisse cette compassion. Elle le vexerait et ça compliquerait tout. (C'est un secret.) Ce n'est pas de le perdre qu'elle a peur, mais que *lui* la perde. Elle, n'ayant pas besoin d'elle, elle n'a pas besoin de rien, et n'ayant besoin de rien, elle est dure. Lui, ayant besoin de lui pour réaliser son idéal d'une société juste, il est faible, tout lui fait mal, tout prend sur lui, même la jalousie.

— Dites ces affaires-là à personne, O.K. ? Même ma mère les sait pas. C'est comme si je vous avais attendus toute ma vie pour les dire... Bon eh bien... c'était mes plus grands secrets, c'était les plus grosses amarres que j'avais pour vous accoster...

Elle était tout attendrie, tout éprise. A force de dire du bien de son amour, elle avait fini par éprouver de l'amour pour son amour. Elle se désirait elle-même, les yeux pleins de jus. C'était bon quand même.

Pour nous quitter sur une note triste, elle nous a dit que même si c'est exaltant d'aider un *géant* à décoloniser le Québec, ce n'est pas une vie ; que si elle n'était pas *obligée* de le faire elle sacrerait son camp. Si elle pouvait *voler de ses propres ailes,* elle volerait en Amazonie inoculer les Jivaros contre la typhoïde qui est en train de les décimer pour que le vieux secret de leur sagesse ne se perde pas, ou elle volerait en Ionie se cacher dans une petite île pour ne plus rien savoir...

— Puis vous autres, mes trésors ?...

On a eu envie de lui dire qu'on était contents d'être là, tout à côté d'elle, mais on s'est retenus ; on a eu comme l'impression que ça n'avait rien à voir.

*

Il est onze heures et demie. Il reste une demi-heure.

(Pour ne pas passer notre temps à attendre son coup de téléphone, on lui a téléphoné pour lui demander si elle prévoyait qu'elle nous téléphonerait.

— C'est contre ma nature de Verseau de faire des projets. Je projette pas de vous téléphoner puis je projette pas de pas vous téléphoner.

Bête comme ses pieds. Raide and dur. On s'est dit : « Bon eh bien ça y est, encore quelqu'un qui trouve qu'on s'attache trop vite. » Pourquoi qu'elle nous appelle ses trésors, qu'elle nous embrasse sur la bouche, pourquoi qu'elle s'est fendue de ses plus obscènes confidences si elle a dédain qu'on s'attache ? Les gens font tout pour se rendre attachants puis quand on s'attache ils ne sont pas contents.

— Je vous téléphonerai peut-être jamais, mais si jamais je vous téléphone je vous téléphonerai *à minuit*... Correct comme ça, man ?)

Moins quart. *Le loup de Malveneur*, un vieux film d'horreur qui a l'air d'une horreur lui-même, se déroule au canal 2. Nos yeux écoutent trop le téléphone pour voir ce qu'ils regardent. Quand il reste juste un quart d'heure, nos freins cèdent ; le besoin et la peur, attelés ensemble, nous emportent, nous descendent, comme ils veulent ; jusqu'à l'échéance nous dévalons à tombeau ouvert une pente qui s'incline de plus en plus, pour devenir flanc d'abîme.

Moins dix, moins cinq. Nos oreilles se tendent, forcent, vibrent, se mettent à prédire, mentir. Dans leur impatience atroce d'entendre le téléphone sonner, nous les avons vues sauter du temps, aller écouter dans des secondes et des minutes à venir. Nous n'entendons plus l'eau du café bouillir ; il ne doit plus en rester une goutte dans la casserole. Qui va aller éteindre le rond ? Nous sommes bien trop occupés ! Nous sommes tout ouïe, ouïe des pieds à la tête, et ça grandit, s'amplifie. Ce n'est plus nous qui allons et venons entre le fauteuil rouge et le hyde-a-bed, c'est quatre oreilles qui nous ont dévorés. Notre intention est si forte d'entendre sonner le téléphone que nos fibres produisent une sorte d'avant-écho hypnotique, et ça agit si bien sur le combiné que nous voyons toute sa bakélite noire se retenir, trépigner, qu'elle va éclater comme une vessie d'un instant à l'autre.

Peur, nous avons peur, Toune, si peur que tu te refermes, que tu condamnes la seule porte qui nous expulsait de ces cachots, placards, poubelles, que tes envolées nous lâchent aussi sec qu'elles nous ont saisis. Peur, nous avons si peur des poètes, vedettes, anachorètes, tous visionnaires, révolutionnaires, extraordinaires, qui se déploient, qui te coudoient, que tu tutoies au Chat Noir, à la Petite Hutte, à l'Accrochage ! A quoi ça sert de se donner tant de mal pour n'être rien s'il faut être quelqu'un pour ramasser ces heures de toi que tu jettes ?

Appelle, ne nous refuse pas cette miette. Appelle, on se sent tellement mieux après avoir fait du bien à deux crottés, épais, téteux. Appelle ; blottie dans la chaleur de ta bonté tu n'auras pas besoin de tranquilline, équanil, valium pour t'endormir.

Il n'y avait qu'une heure, c'était minuit, elle est passée. Impossible de fixer nos yeux sur les images du *Loup de Malveneur*, ou même de les maintenir à la surface de nos visages ; aussitôt hissés, ils retombent au fond du cachot, du placard, de la poubelle.

— Laïnou... Crois-tu qu'elle est revenue de Québec, Laïnou ?...

On téléphone chez Laïnou. Ça ne répond pas. On peut toujours se remonter le moral en s'imaginant ce qu'elle nous aurait dit pour nous remonter le moral. Ce n'est pas difficile, elle dit toujours la même chose pour nous remonter le moral. « Vous êtes trop sensibles. »

*

Je suis assis sur les petits trous de la bonde. Ça fait que l'eau ne peut pas s'écouler, qu'elle épaissit sur nos cuisses, qu'elle s'accumule, qu'elle monte. Qu'elle monte ! Qu'elle inonde ! Je ne me suis pas mis là exprès pour boucher la douche, mais c'est comme ça ; puis je ne vois pas pourquoi je me tasserais. Plus tu changes de place, plus c'est pire.

On est assis au fond de la douche, les jambes de l'un parmi les jambes de l'autre. La pomme crache comme une tuyère, sauf que c'est le contraire, c'est-à-dire glacé. Les deux conduites sont grandes ouvertes, mais après les ébats de la petite blonde bêcheuse, il ne reste jamais beaucoup d'eau chaude. D'abord, on s'est mis debout. C'était une erreur. C'est bien moins fatigant assis. On frissonne, les os claquent, les dents, la peau rougit, bleuit, fend ; tout ça ; en pure perte. Ça ne donne rien : on ne sent rien. Si on attrape du mal on va se ramasser à l'hôpital ; ça nous est bien égal. La TV aussi crache à pleines conduites. Si ça la force trop, qu'elle pète ! Quand Alain Cuny se fâche, qu'il prend sa voix terrible pour décourager Jacques Perrin de suivre sa vocation sacerdotale, on comprend tous les mots ; ça traverse comme rien les tonnerres que fait la grêle sur les parois de tôle. La vraie vie, ça vie-bre ! La petite blonde bêcheuse doit en bêcher un coup ! Qu'elle défonce ! Elle ne bêchera jamais assez pour expier tous les péchés qu'elle fait au club Playboy ! Qu'elle aille dormir dans sa Ford Torino fast-back !

Là, on va s'administrer nos deux sacrements : prendre un café et lire la *Flore laurentienne.* (On a continué un peu l'Introduction, on s'est arrêtés à la Zone des Feuillus tolérants.)

Debout devant le poêle, perdue dans les mêmes moignons de pensées que moi, Nicole attend que l'eau bouille. Elle ôte le couvert de la casserole pour voir si ça s'en vient ; elle se reprend dans ses bras pour se réchauffer. Les gouttes qui constellent ses jambes lisses glissent douces jusqu'au prélart, roulent grossir les îles où baignent ses pieds. Une goutte s'attache au bout de son nez ; après un grand effort pour briller comme un pendant d'oreille, elle tombe, s'écrase sur le bord du poêle. Le long métrage est fini. Les fantômes Alain Cuny, Jacques Perrin et Rossana Schiaffino redorment, rembobinés dans leurs boîtes de métal octogonales marquées, au crayon-feutre : *La corruption* PART I, *La corruption* PART II. On n'a pas éteint pour si peu la TV. Quand il n'y a plus rien, elle joue encore : son vide crie. C'est un cri aigu qui ne monte ni ne baisse : il est droit. C'est un appel qui nous tire, un vecteur irrésistible, comme un train ininterrompu qui nous passerait sous le nez. On résiste puis on suit. Ça exaspère puis excite. Ça nous rend fous, mais si fous que gais, que soûls, qu'on n'a plus peur de rien, qu'à tue-tête on met au défi Dieu, Diable, Homme, Bête, Minéral, Végétal, de nous faire fermer jamais notre TV.

Nous ne voulons plus vous entendre ! Même vos silences ont trop de sens, propres et figurés ! Nous voulons entendre ce qui n'est rien, l'entendre bien, l'entendre fort ! O.K. là ?

Quand Nicole fait basculer sa tasse pour prendre une gorgée de café, tout le café, sans exception, s'incline, monte vers sa bouche. Pas une particule qui reste en place, qui ne fasse corps ; le café, d'une seule pièce, penche. Sa bouche s'arrondit, ses lèvres se plissent, elle aspire. On ne boit pas les premières gorgées d'un café, on les siphonne, on les teste... « C'est chaud. » Oui, Nicole. Oui ! oui ! C'est vrai : *c'est chaud.* C'est chaud et puis c'est tout ; il n'y a que ça.

Il n'y a qu'un moyen de vaincre l'angoisse : arrêter de s'en faire et dominer la situation. C'est tout simple mais il faut y penser. Je dis ça pour ceux que les recettes intéressent ; nous on est au-dessus de ça.

*

C'est une belle grande fille. C'est stupide de lui en vouloir parce qu'on l'aime. Elle n'est pas grosse, mais elle n'est pas mince. Elle est pleine. Comme de quelque chose de bon. C'est pédant de se battre pour s'empêcher de l'aimer. Disons que c'est notre Toune et restons-en là.

On a travaillé aujourd'hui. On s'est fait $20. 20 bonnes raisons de toffer jusqu'à ce qu'il n'en reste plus. Les bidoux ça tombe toujours à pic. C'est la première fois que Roger fait appel à nos services. C'est parce que notre Toune a intercédé en notre faveur. On ne pourra pas dire qu'on l'a aimée pour rien.

Sous les nombreux ordres de Sex-Expel, la *permanente* (on lui a été tout de suite antipathiques à cause qu'on l'a traitée de secrétaire), on a mis sous enveloppes, adressé, timbré et posté à trois cent soixante-douze abonnés la revue trimestrielle de Roger, *La bombe Q*.

On l'aime : on a tout à perdre à la fuir, et rien à gagner. On a téléphoné pour la remercier de son coup de piston. Ça n'a pas répondu. C'est dommage : on avait préparé assez de matière pour une demi-heure de conversation où elle n'aurait eu rien à dire que oui et non. On avait même des sujets de rechange. Au cas, par exemple, où elle n'aurait pas été du tout dans un mood pour parler d'amitié, on aurait introduit *La bombe Q*, question de faire nos compliments. Mais aussi nos réserves, qui concernent surtout la tenue grammaticale et typographique. On lui aurait dit comment on a vu pulluler les fautes et les coquilles, et on lui aurait rappelé qu'on est des correcteurs d'épreuves à la pige. C'est vrai. Le peu de vie que nous gagnons, c'est comme correcteurs d'épreuves. Les éditeurs et les imprimeurs de Montréal ont tous notre numéro de téléphone. Il n'y en a pas des tas qui nous appellent, certes, il n'y en a même qu'un ou deux, mais ça ne prouve pas que nous ne soyons pas compétents. Nous connaissons par cœur la grammaire Grevisse (*Le bon usage,* Duculot, Gembloux, 1955).

Nous nous enorgueillissons d'être *à la pige.* Faire une carrière de correcteur d'épreuves ce n'est pas notre genre. Notre genre c'est la grandeur. C'est les loisirs absolus ou une job payante. Une situation. $250 par semaine à se tourner les pouces dans une compagnie de publicité. On a les diplômes pour.

Tout à l'heure (c'est encore chaud), on s'est fait battre 6 à 2 à New York. Les Rangers, profitant d'une zone de basse pression de nos frères Mahovlich, ont écrasé, défoncé, déclassé nos Canadiens ; (ils n'en ont fait qu'une poignée, qu'une bouchée, qu'une pincée). Hé Frank ! Hé Pete ! Wake up ! C'est les éliminatoires mondiales du hockey ! C'est pas la *Pavane pour une Infante défunte !*

— Cesse, cher ! Les joueurs qu'on aime c'est pour qu'on leur soit fidèles. Quand ils font des erreurs c'est pour qu'on les aime plus, sinon davantage !

A cette heure, on est à Venise. C'est le jour des noces de Sangrido Bembo et Eleonora Remi. Le cortège nuptial s'avance sur le canal. La gondole de la fiancée se détache en avant ; les rames des autres se dressent pour la saluer. Elle est arrivée. Il (Lex Barker) l'attend devant le portail. « Veux-tu ? » demande le curé. « Oui ! » répond-elle, impatiente, juteuse, perdant de la salive aux quatre coins de la bouche. Tout à coup, péripétie : les lansquenets du Grand Inquisiteur envahissent le chœur, s'emparent du héros. Il est accusé d'avoir conspiré avec Guarnieri, « *ce coquin qui est le chef des pirates* ». Fini les cochonneries !

*

Quand on s'est réveillés, le soleil débordait chaque côté du rideau. Ça nous a terrifiés, puis déprimés, puis catégoriquement découragés.

— Moi je me lève plus ! C'est fini ! C'est toujours à recommencer ! Fuck ! Ki manchent da marde !

Nicole a dit moi aussi ; alors on a tiré les couvertures jusque loin par-dessus nos têtes. On s'est collés, on s'est serrés. On a essayé de se perdre corps et maux l'un dans l'autre. On s'est pressés, fort, plus fort, pour abattre le mur, pour sortir, se déshabiter. Ça n'a pas marché. Ça ne marche jamais. Puis chacun a repris *lui-même,* chacun a ravalé comme un vomi sa personnalité. « Premier qui se lève ! » On a couru au lavabo en se donnant des petites tapes sur les fesses. Il faut bien se donner quelque manière d'encouragement.

— Je propose qu'on aille prendre un coup !

— Moi je propose qu'on se soûle assez pour qu'on roule.

Mettre un peu de Crest à la menthe sur la brosse à dents, faire couler un peu d'eau dessus pour qu'il mousse, le chien sale. Puis faire ça vite parce que ça presse, que le soleil coule à flots de chaque côté du rideau, qu'on patauge déjà jusqu'aux genoux dans sa boue blanche.

Plus il fait beau plus on trouve ça dur. Les gens qui aiment le printemps nous puent au nez d'avance ! C'est des sado-masochistes ! La petite blonde bêcheuse doit adorer toute cette nature qui sue partout son jus ! C'est en plein son genre, cette hostie-là.

Avec le gros immeuble qui la bouche là-bas, dans le bout du parc Lafontaine, la rue Rachel est une piscine.

On plonge en se bouchant le nez dans le soleil qui la remplit à ras bords. Personne dans la cour de l'école : le soleil a effacé les enfants, les a tous bus dans sa colle. On court pattes aux fesses. Le seul moyen de passer à travers c'est à toute vitesse. Boulevard Saint-Laurent, la lumière est rouge : il ne faut pas s'en occuper. Si on s'arrête, les pieds s'embourbent, germent le temps de le dire, poussent des racines, plus moyen de grouiller. C'est le sprint où s'écorche le vampire quand il est allé chasser trop loin pour rentrer avant l'aube dans son sépulcre.

Il fait noir au Café 79. Comme on aime. Si noir que la barmaid doit allumer une lampe de poche pour compter la monnaie. Deux tubes mauves appliqués aux colonnes de chaque extrémité du comptoir diffusent la seule lumière; elle porte ce drôle de principe qui imbibe de phosphorescence les vêtements blancs et confond le reste.

Sur le trône de cet enfer artificiel trois Perséphones se relaient. C'est Terry qu'on aime le plus. Florence est correcte mais elle ne fait pas de spécial. C'est Ginette qui règne cet après-midi ; elle fait sa fraîche ; il faut mériter son affection, comme à l'école : en montrant qu'on a un idéal, les ongles nets et qu'on travaille dur pour réussir ; c'est la seule qu'on vouvoie.

— Chacun deux bières pour commencer.

— Quatre Heidelberg... ?

— Comme vous dites...

Avec Florence et Terry, pas besoin de préciser quelle marque. Elles nous traitent avec la familiarité cordiale due à des clients de cinq années, quoi ! C'est des vraies barmaids, des pures. L'autre fait ça en se bouchant le nez en attendant d'avoir ramassé assez d'argent pour pouvoir emprunter le reste à la Caisse Populaire pour ouvrir sa boutique (Jynet Mod). C'est une seineuse et une dégradeuse de profession.

Quand tu bois sur un estomac vide, tu es soûl vite et pour longtemps. Ça sauve du temps et de l'argent. Pour en sauver encore plus, chacun règle en quatre cul sec le cas de ses bouteilles. Je vide plus vite que Nicole. Mais ça ne veut rien dire ; elle n'essaie pas de me faire concurrence. Elle fait cul sec comme ça lui plaît ; ça lui plaît lentement, doucement, le nez bien fourré dans l'écume, en avalant les flots un par un.

— Deux autres s'il vous plaît...

— Deux autres Heidelberg chacun ou deux autres Heidelberg en tout et pour tout ?...

— En tout et pour tout !

En attendant les deux Zantoutaipourtoux, chacun se pelotonne au fond de lui-même pour regarder celles qu'il a bues lui monter à la tête : gravir le sang en le ralentissant, dissoudre les vagues dans le gouffre où les fleuves du sang rebondissaient en tempêtes. Et notre meilleur c'est ça : quand on s'absorbe pour guetter le moment où le courant ne passe plus, où l'usine ferme, où les choses s'arrêtent comme pour ne plus recommencer ; c'est comme une bonne mort.

Tout ce qui nous reste à faire jusqu'à sept heures, c'est prendre une gorgée de temps en temps pour maintenir l'équilibre des contraires, garder le degré d'intoxication qui donne que ça va si bien. Après il va faire noir dehors aussi, on va pouvoir rentrer chez nous sans risquer d'attraper une paranoïa galopante montante et de tomber en panne quelque part au-dessus du monde parmi les gaz rares.

On a deux danseuses topless, à gogo par-dessus le marché. Aux demi-heures il y en a une qui s'amène puis qui se dépoitraille puis qui se déchausse puis qui se juche sur le gros tambour rempli d'ondoiements de toutes les couleurs qui se dresse au fond des deux branches du comptoir. Pendant qu'elle twiste en petites culottes roses transparentes trois chansons du hit parade, l'autre change les disques en lisant un photoroman avec sa blouse boutonnée jusqu'au cou. Les deux se réchauffent avec *Knock Three Times.* Ça fait que Ginette commence à être écœurée et que si ça continue elle va leur donner « *trois p'tits coups* » quelque part, pas « *sur le plafond de ta cham-am-bre* ». Quant aux sentiments des clients, tout le monde s'en sacre. Il n'y a pas de clients. Il y a rien que nous. Je demande à Nicole comment les cupules de paillettes font pour ne pas tomber des seins des filles, comment qu'elles peuvent tenir... Comme je sais qu'elle ne le sait pas plus que moi, je ne fais pas trop attention à ce qu'elle me répond.

Dans le frigidaire, il reste une pointe croûtée de fromage de face de vache rouge qui rit (tu sais ?) ; dans l'armoire, une dizaine de tranches de pain infroissable Weston. On se dit que ça serait idéal avec un bon grand verre de jus de tomate bien poivré. Nicole court en chercher une boîte chez le Grec de la rue Marianne qui fait crédit et qui reste ouvert jusqu'à dix heures tous les soirs même le dimanche.

— Il a encore été très gentil avec moi. C'est drôle. Je le comprends pas ce gars-là, moi...

*

Hé ! elle nous a appelés. Elle nous a téléphoné, oui oui ! Nous prenant à tour de rôle, une demi-heure Nicole, une demi-heure moi, elle nous a alimentés jusqu'aux petites heures du matin. Elle nous a donné, sans mesurer, sans choisir, les petits cris de tous les vautours, rats, cafards fatigués de tourner dans la cage de son lit, de sa chambre, de sa nuit. Elle ne se sentait pas bien ; elle nous a dit jusqu'au fond l'abîme de ce qui n'allait pas ; elle a fait bruisser une par une à nos oreilles toutes les feuilles de son arbre malade. C'était drôle : elle, elle se morfondait ; nous, on jubilait. On était si contents de plaindre notre Toune, de pouvoir enfin lui faire de quoi.

Elle a rempli et blanchi toute la nuit, et nous aussi, oui oui ! Elle a habité jusqu'au ciel la place que nous lui avions laissée faire dans nos cœurs et que la longueur des jours sans nouvelles d'elle avait multipliée en désert... puis elle a continué d'arriver, d'entrer, de nous peupler, repoussant à ses besoins les limites de notre espace intérieur, nous augmentant sans cesse, sans mesure, nous gonflant enfin d'assez d'amour pour que la maison chavire, la montagne nage, qu'on renfloue toute la ville de Montréal.

Quand nous avons raccroché nous étions si grands et si légers, et ça nous rendait si vifs, si urgents, qu'il a fallu sortir, partir, voyager, tout de suite, tels quels, pieds nus, Nicole en haut de pyjama, moi en bas. On a glissé l'escalier, sauté le perron, survolé la rue, oui oui ! On descendait du ciel, on était venus se répandre, déborder, gicler, tomber partout par terre dans le parc Jeanne-Mance.

En réalité, on a fait moins d'extravagances que de méditation profonde. Après avoir hurlé nos poumons à l'enseigne de KIK KOLA posée comme une couronne de lumières sur le toit du business-college du carrefour, et avoir embrassé à pleine bouche les fûts froids d'une file de lampadaires cannelés, nous nous sommes recueillis. On a été se percher sur la clôture résonnante de la patinoire en vacances puis on est restés là à balancer nos jambes au-dessus de la boue. Plus tard, tant de belle grosse boue nous a tentés ; on s'est laissés tomber dedans, on a pataugé dedans de bord en bord puis on est ressortis par la porte du banc des joueurs.

Puis on a refait le tour du parc Jeanne-Mance sans rien dire, ensemble mais chacun de son bord. Tête basse, presque face contre cœur, comme pour lécher sa joie, Nicole jalonnait le périmètre bétonné de petits pas traînés. J'étais à côté d'elle et je faisais comme elle.

Maintenant qu'elle nous a appelés, qu'elle s'est gémie en nous, qu'elle s'est écriée : « Ah faudrait passer des semaines ensemble sans manger ni dormir », ne soyons plus inquiets du reste de nos jours. Jetons-les ; que les pauvres les ramassent. Brûlons-les ; nos cœurs sont assez chauds. Dépassons-les ; nos cœurs courent assez vite. Laissons-nous glisser ; la pente est assez longue.

C'est trop de *minuits* sans nouvelles de toi. Le premier nous a anéantis ; les autres n'ont servi à rien ; ils étaient superflus.

Les Canadiens se sont fait éliminer comme des grands veaux. Seuls Richard et Lemaire n'ont pas joué comme des cochons. Nos frères Mahovlich ont traîné la patte tout le long de la série comme s'ils se l'étaient laissé graisser. On s'est fait arranger correct. Ça nous a mis le moral à terre. 3 à 2 pour New York ; dernière période, dernières dix secondes ; mise au jeu à la droite de leur gardien : Richard l'emporte, passe à Frank dans le coin ; Park guette Frank et Lemaire bataille pour rester en position devant le filet ; Frank lance vers Lemaire à travers les jambes de Park, la rondelle vole par-dessus le bâton de Lemaire, Lemaire frappe de l'air. La sirène crie, en plein dans nos cœurs. C'est fini, c'est effrayant, Nicole pleure.

Après, on s'est laissés regarder *Kid Galahad* (pas le vrai, avec Edward G. Robinson), le *remake,* avec Elvis. Post-synchronisé en argot de Paris. « *Rien qu'avec tes billets perdants,* dit Lola Albright à Gig Young, *on pourrait retapisser toute cette sale turne !* »

On en a trouvé une autre bien bonne, mais on ne se

rappelle plus qui la dit à qui : « *T'es mieux de boucler ton clapet, vieille nouille !* » Imagine !

Regarder les cuisses de Nicole s'aplatir pour s'adapter la surface du siège de sa chaise. Sa chaise est verte. La mienne est bleue. La table est rouge. Ça fait pop, mais on n'a pas fait exprès ; le mot n'existait même pas quand on a eu fini de les peinturer. C'est des couleurs qu'on aime et puis c'est tout. Si tu veux pas qu'on se choque, bonhomme, pop-nous pas !

Lécher avant de la déposer sur le napperon, pour que ça ne fasse pas de gouttes, la cuiller qui a remué le café. Demander à Nicole à quoi elle a rêvé (« Ah pas grand-chose ! ») puis lui dire que j'ai rêvé à la Toune, qu'elle se mariait toute nue à l'Oratoire Saint-Joseph avec tout le monde qui passe à la TV, qu'ils étaient tous gentils, qu'on avait honte d'avoir dit du mal d'eux, qu'elle s'est fâchée noir quand elle nous a vus, qu'elle a pris des grands airs et qu'elle a crié : « Man, qui va me débarrasser de ces petits téteux hypocrites ? »

Tout ce qu'on fait de bon ces temps-ci, c'est s'empêcher de lui téléphoner. On a peur de la déranger. On sent que si on la dérange on est finis.

Vouloir. Prendre la peine de vouloir. Vouloir ce café. Vouloir la tasse. Vouloir les bavures sur le ventre de la tasse. Les vouloir puis les prendre, puis les reprendre, puis les prendre encore. Puis aussitôt qu'on ne peut plus les vouloir, les oublier : vouloir assez les oublier pour qu'ils cessent d'exister.

Vouloir ! Vouloir tout le temps !

Plus jamais ! Plus jamais passer tant de jours et de nuits oubliés sur une table de téléphone par sa belle main distraite !

Regarder tout notre temps ! En regarder chaque particule et accomplir sur chacune notre devoir de décider de la vouloir ou de la jeter !

*

Marcella nous téléphone pour qu'on vienne de toute urgence tout de suite corriger les épreuves d'une prise de position du Syndicat national des S.R.D. et des V.G.L. On la connaît, la Marcella. C'est toujours *de toute urgence tout de suite* avec elle. On répond on vient on court on vole. Mais on pense on va t'en faire des toute urgence tout de suite mon hostie d'énergumène. Hé ! c'est pas allable. Dans le bout de Ville d'Anjou. Les autobus arrêtent avant. Il faut attendre cinq correspondances puis marcher un mille et quart sur des trottoirs neufs. C'est $5 en taxi. C'est le tiers de la paie. C'est ce qui s'appelle exorbitant puis nous on s'appelle pas pressés.

L'Imprimerie Mondiale est notre meilleur client. C'est-à-dire que quand Marcella n'a pas besoin de son petit extra c'est par nous qu'elle fait corriger *Le réveil de Montréal-Nord*. Les fois que c'est elle on sort $0.10 puis on l'achète. Pour voir comment c'est effrayant comme c'est épouvantable la job qu'elle a faite. Ce n'est pas mêlant : elle laisse plus de fautes que de texte. Des C cédille sans cédille. Des majuscules partout. Des virgules entre les articles et les substantifs. Une pléthore de pléonasmes superlatifs vicieux. On a un fonne noir. On jouit comme des cochons.

A la Mondiale, ils fourrent les correcteurs dans le coqueron (pas plus grand que la table qui le meuble) où les employés prennent leur lunch et leurs coffee-breaks : PRIVÉ — SALLE DE REPOS DU PERSONNEL. On travaille dans le bran de pain, les visques de Coke et les relents des poubelles bourrées de cœurs de pommes, d'os de poulets mal rongés, de croûtons de pizza pleins d'empreintes de dents. Quand c'est l'heure du lunch ou du coffee-break, on ramasse nos petits puis on décolle : PRIORITÉ — YIELD.

Les mots de la prise de position des S.R.D et des V.G.L. sont presque parfaits. Les écrivains des syndicats sont des professionnels ; huit heures par jour cinq jours par semaine ; ils connaissent leur orthographe : ils ne font que des fautes de bon sens. J'en frappe une monumentale : *le tandem Pelletier-Trudeau-Marchand*. Pourquoi pas le quintette ? Pas de raisons de se priver ! Fuck ! Nicole n'a jamais tant ri depuis la fois qu'elle est tombée sur *son premier baptême de l'air*. On n'ose pas communiquer notre perle au malotru qui corrige en face de nous *Parlons Sports*. On a trop peur qu'il ne saisisse pas l'astuce. On louche sur ses épreuves de temps en temps pour jouir de combien qu'il les cochonne. Un enfant nonchalant verrait à vol d'oiseau les fautes qu'il laisse passer avec ardeur et application. Les sports et les potins artistiques sont rédigés par une bande d'épais et corrigés par une bande d'ignorants, ce qui fait que les lecteurs deviennent une bande de crétins. C'est bien connu ! C'est répugnant !

Notre tarif c'est $0.25 la page de livre, $1 la page de journal. Les pages tout en images comptent ; ce n'est pas de notre faute s'ils manquent d'imagination. Il n'y a pas d'images dans les œuvres syndicales. Au contraire, c'est plein de tableaux statistiques. Ça nous donne des véritables surcroîts de travail. Il faut avoir recours à des délicates techniques de contre-vérification. Quand il y a des mises en pourcentages, des additions, des multiplications, tout ça, il faut refaire les calculs. Ils se trompent souvent. On est contents quand on trouve une erreur. Ils sont contents qu'on prenne ça au sérieux tant que ça. (Ils pensent qu'on veut les aider ; on veut juste se payer leur tête.)

C'est $0.25 et puis c'est tout. Quand le gars dit : « Hé ! mes pages, elles sont minuscules, moi, bon ! », on lui répond du tic au tac : « Hé ! ça t'apprendra à réfléchir avant de choisir un format qui augmente le nombre des pages pour fourrer le public ! »

« Écoute ça une minute, cher ! » s'écrie Nicole brusquement. Mais elle rit trop, elle n'est pas capable de me le dire tout de suite. C'est des véritables *quintes* de rire ; ça l'empêche catégoriquement de s'exprimer. « Écoute bien ça une minute ! » Ça recommence. Prise 4, prise 5.

— Aboutis !

— « *Des bruits* (hi hi !) *d'antisyndicaliste* (hi hi hi !) *et d'agent double* (hi hi hi hi !) *courent à son sujet !...* »

Après un long conciliabule, on décide de laisser telle quelle cette phrase. Les équivoques qu'elle contient sont trop subtiles pour eux. Ils ne les verraient pas si on les leur grossissait mille fois. Si on les leur corrige, ils vont crier au meurtre, ils vont croire qu'on a voulu saboter leur prise de position. On ne leur en veut pas trop. Aux innocents les mains pleines. Et puis chacun son métier. Le leur c'est les « idées », ce n'est pas les « sens ». Eux c'est des hommes d'action ; nous on est des petits calembourgeois.

D'autres qui ont des « idées » pas piquées des vers c'est (ironie du sort) les propres ennemis des syndicalistes : les capitalistes. Vive *Kotex,* les serviettes sanitaires *sang-suelles.* Hourra pour *Wonder Bra,* ça met vos seins en *évi-danse.* Fuck !

*

On ne peut catégoriquement pas sentir Charles.

— Sacré petit titan plein de petits tics, va !

Quand on a vu dans le TV-Hebdo qu'ils passeraient un one-man show spécial de Charles aux *Beaux Dimanches*, on n'a fait ni une ni deux : on s'est promis de lui faire passer un mauvais quart d'heure.

— Sacré Sinatra de sous les jupes de Paris, va! On le déteste. On n'en veut pas. On ne sait pas pourquoi du tout. La détestation est la dernière chose purement stupide et désintéressée. Elle nous force dans cette civilisation que les mathématiques ont confite en intelligence, à passer outre à la cohérence, à respirer un peu d'air malin. Hatred gets you high! C'est excitant! Si t'es pas venu ici pour avoir du fonne, décolle, laisse la place aux autres.

— Guette bien, chère! Dans deux mesures, dos à la caméra. Ça y est! Quel demi-tour! Quelle performance exacte! Cent quatre-vingts degrés! Le même angle parfait que l'année dernière!

— La bohème!

— Traverse la TV qu'on te rollsroyce un peu le chignon! La bohème!

On n'a pas dérougi, injure sur injure. Une mitraille! Une raclée du joyeux calvaire.

Il pleut du travail. On n'était pas aussitôt revenus du fin fond de Ville d'Anjou que Roger nous téléphonait pour nous proposer une job de 400 pages.

— C'est une analyse historique hégélienne marxiste-léniniste. C'est publié par *La bombe Q*. On prend un petit virage vers le centre... On s'est mis ensemble pour écrire un petit bouquin pour faire comprendre au peuple comment c'était devenu inévitable. On a fait ça vite; ça fait que ça nous prend des bons correcteurs. Combien ça va me coûter?

— Une seconde qu'on se consulte...

J'ai bouché les petits trous du téléphone. Je les ai bouchés pour rien : nous n'avons pas eu besoin de dire un mot. J'ai regardé Nicole avec des $$$ dans les yeux, elle m'a fait signe que non. (*Non,* pas $ 100, ça fait trop *somme astronomique;* la Toune, sui n'a jamais eu besoin de gagner de l'argent pour vivre, va être scandalisée, elle va croire qu'on est des vénaux ; en plus de nous baisser dans son estime elle ne voudra plus nous pistonner.)

— Vingt-cinq tomates c'est-u correct ?

— Je vais vous en donner cinquante... Signé, réglé, classé, on en parle plus. Ça fait-u votre affaire ?

Il avait l'air fier de son coup. Sa munificence l'exaltait visiblement lui-même. On était émus d'avoir su si habilement lui donner l'occasion de se montrer sous des dehors avantageux... On a profité que tout le monde était content pour demander si notre amour était là ; si elle y était, on pourrait-u, guise de récompense, lui parler une minute ? On avait trop peur que la réponse soit *non* pour qu'elle soit *oui* (les peureux ont toujours raison et toujours à leur détriment).

— Elle est en train d'égoutter des spaghetti ; elle a jamais fait ça de sa vie ; ça la met dans tous ses états Smack ! smack ! elle vous donne deux gros becs sur le fouillon. Salut.

Alors on téléphone à Laïnou pour lui parler de tout ça puis de Charles. Sur Charles nous tombons tout de suite d'accord, pas de problèmes : la dernière bonne chose qu'il a faite c'est *Esperanza* en 1958 « et puis alors y a des méchants qui disent que c'est même pas de lui ». Quant à l'analyse historique hégélienne, c'est catégoriquement différent, elle ne veut rien savoir. Comme chaque fois qu'on parle business avec elle, on est en train de se faire complètement engueuler. C'est une athée enragée de l'argent. Une autre... Quelqu'un qui l'écouterait sans la connaître la trouverait snob.

— qu'est-ce que c'est cette histoire de *travailler,* de

bombe je-sais-plus-cul-con-quoi ? Pourquoi ? J'horreur de ça !

— Pour assurer notre subsistance, imagine-toi !

— Pas du tout ! C'est pour vous faire plaindre, vous donner bonne conscience, vous distinguer ! C'est votre petite marotte ! Essayez pas de montrer à un vieux singe comment faire des grimaces... C'est pas le fric qui vous intéresse puisque vous refusez le mien !

— Insiste pas trop...

On dit ça pour faire une farce. Elle ne la trouve pas drôle.

— Combien vous voulez ? $ 100 ? $ 500 ? $ 1 000 ?...

— Tu vas avoir l'air fin quand tu vas avoir tout donné...

— Je vais avoir l'air moins con qu'avec $ 5 000 en banque !

— O.K. ! O.K. ! Assez, arrête ça, ferme ta gueule puis dis-nous comment ça se fait que t'es pas encore partie t'exposer au Chili avec ton P.D. trempé dans l'acrylique... Puis non, laisse faire, on a changé d'idée, on veut pas le savoir. Dis-nous plutôt quand tu penses que tu vas pouvoir venir nous voir.

Elle dit tout de suite. Elle saute dans un taxi. Elle arrête à la Régie pour acheter un flasque de White Sails. Elle arrive. Le contraire d'une Toune c'est ça. Pas de *winkelzüge !* Pas de zigonnage en allemand.

Elle s'est mis deux paires de Fabulash. Elle fait sa belle quand ses amours vont bien. On ne veut pas être méchants, ni vulgaires, mais elle a bien de la misère à se faire fourrer gratis. Tant dure l'argent tant dure l'amant. C'est un peu ridicule, vieille comme elle est, 40 ans. Elle le sait. Ça n'a pas l'air de la déranger. Elle fait la fataliste. Elle dit : « C'est fait pour faire. » La vérité c'est que ça la décourage mais qu'elle pense que le découragement lui fait faire des meilleurs tableaux.

Elle nous roffre de son argent. Elle trouve ça effrayant $50 pour 400 pages. Elle n'en revient pas. « Rien que les lire ça me prendrait toute l'année, moi ! » Maintenant qu'elle est riche elle ne veut plus qu'on travaille. Elle nous le défend. Elle nous fait un chèque ; on le déchire ; c'est effrayant comme cette femme aime donner ; et comme ça qu'elle s'est mis tant de monde à dos ; mais peut-être que ça fait son affaire. De toute façon, on lui en doit assez comme ça, dans les $450.

— Loupez pas ça mercredi : ils vont interviewer Petit Pois à l'émission *Gros Plan.*

— On la connaît bien Petit Pois. C'est notre Toune...

On ne se doutait pas que les yeux de Laïnou pouvaient, sous le fardeau des doubles faux cils, s'ouvrir si grand. les gens sont si mégalomanes.

— Vous connaissez Petit Pois ? Vous m'en cachez des trucs !

*

La vie est contrecarrante.

Les événements courent après nous depuis qu'on a décidé de jouir de notre platitude, de mettre notre orgueil à ne rien trouver de plus beau que rien du tout.

La Toune nous a envoyé une douzaine d'œillets. Ils sont habillés en branches d'asperges, comme pour monter la garde dans un salon funéraire. C'est un képi qui nous les a apportés, un képi pressé qu'on signe son récépissé, qui avait hâte de retourner à sa wagonnette parce qu'elle était stationnée en double et que c'est lui qui paie les tickets, pas la compagnie limitée.

A la page 404 de mon Quillet Flammarion, les alouettes *grisollent,* les bécasses *croulent,* les geais *cageolent,* les huppes *pupulent,* les perdrix *cacabent,* les ramiers *caracoulent...* Il y en a plein deux colonnes. On devient tout fous. Ça rend la tête grosse comme ça.

Mais c'est le langage des fleurs qu'on cherche. On veut savoir ce que les œillets veulent dire (avec une bachelière de collège français de Westmount doublée d'une doctoresse de science politique, il faut que tu fasses attention aux doubles sens). On ne trouve rien. Ni à *fleur,* ni à *œillet.* Ni dans mon dictionnaire, ni dans le Petit Larousse de Nicole, ni dans l'encyclopédie Irolier. On se console en se disant que des œillets cueillis par des mains de compagnie limitée ça ne doit pas avoir grand-chose à dire, anyway.

Roger a trouvé l'analyse historique hégélienne assez urgente pour écrire RUSH au crayon-feutre sur les trois chemises (jarretées de grosses bandes élastiques brunes) qui renferment les 426 pages (c'est loin de 400), mais il n'était assez pressé pour nous les envoyer par taxi. Il a eu le temps de demander à sa *permanente* (Sex-Expel) de nous téléphoner pour nous réveiller (à dix heures, dans le meilleur) pour nous demander de passer les prendre au bureau des Petites Éditions. Ces gens-là ne savent pas ce que c'est que marcher en plein soleil jusqu'à la rue Berri, descendre les trois escaliers automatiques du métro, les remonter parce qu'on a oublié de prendre des correspondances, manquer la rame d'un poil à cause de ça, se rendre compte que les Petites Éditions sont à deux pâtés de maisons de la station Frontenac, qui fait qu'on n'a pas du tout besoin de correspondances. Ça ne connaît rien. Ça passe son temps à seriner que ça lutte contre la misère de l'homme québécois puis ça agit comme si la *quhéhétude* (oui oui, c'est bien comme ça qu'ils appellent ça) était leur club select, le salon précieux de Madame Bufferine.

On ouvre une chemise. On lit au hasard. Pour se donner du pep pour commencer. « *Pelletier est un étapiste. Il ne croit pas à la vertu du globalisme.* » Fuck ! Le style nous déprime catégoriquement. Et puis ils parlent tous de Pelletier, Trudeau, Marchand. Ils pensent que c'est en disant du mal des autres qu'ils vont nous embarquer, ils rêvent en couleurs. S'ils veulent nos votes qu'ils versent des larmes. Moins de calembours puis plus de sentiments hostie de sacrement. Qu'ils montrent un peu qu'ils sont pris dans la même quhébétude que nous. Qu'ils niaisent puis qu'ils pleurent ! Oui oui !

Pas d'affaire à tant se forcer le cul pour vivre. Plus qu'à égrener notre chapelet de fucks, se redéshabiller, se recoucher. A deux heures de l'après-midi ce n'est pas dormable. On a des infidélités de plusieurs jours à rattraper dans la lecture de notre *Flore laurentienne.* On va prendre notre courage à deux mains et leur régler leur cas. Or voici que soudain, excités par le tour de cochon que ça joue à Roger et à son triple RUSH arrogant, on savoure à pleines bouches les âpres notions. Onomastique, physiographie, bouclier précambrien, on trouve tout bon. On lit à haute voix, en modulant avec de l'âme la fin des phrases, dans le genre des curés quand ils prononçaient l'épître, l'introït...

— Sargent, C. S., *The Silva of North America,* 14 volumes, Bostonnnnn... Bailey, L. H., *Manual of Cultivated Plants,* 2 volumes, New Yorrrrrk...

C'est chacun son tour. Un lit un chapitre, disons *La liste des publications,* deux pages, puis passe le volume à l'autre qui doit lire le suivant, disons *Esquisse générale,* vingt pages. On a un fonne noir. Surtout quand c'est l'autre qui se fait attraper.

C'est la troisième fois qu'on reprend ces pages, on

commence à les connaître, mais ce n'est rien par rapport à notre idéal. On a dans la tête de les apprendre par cœur, c'est l'affaire de toute une vie, c'est exaltant, cent fois sur le métier, might as well... can't dance.

On en a lu un hostie de coup. Sans relâche, sans arrêt, sans cesse et sans rien jusqu'à six heures du matin. On a réalisé notre objectif de compléter la traversée de l'Introduction puis on a foncé dans les Ptéridophytes — ou Cryptogames vasculaires — avec encore en masse de tigre dans notre réservoir.

Nicole n'est pas chanceuse. C'est à son tour de lecture que toutes les grosses familles se sont présentées. Elle s'est tapé les Equisétacées : neuf espèces, cinq pages. Les Polypodiacées comprennent quinze genres, vingt-six espèces et s'étendent sur douze pages : elle se les est tapées. Mais Nicole prend les jeux au sérieux, elle ne voulait catégoriquement pas passer à l'histoire comme étant celle qui s'était dégonflée.

On a poussé jusqu'aux Cupressacées, « arbres à feuilles opposées ou verticillées, persistantes... » En fin de compte, personne n'a lâché vraiment. Ce qui s'est passé c'est que pendant que je lisais l'If du Canada, notre seule et unique Taxacée, Nicole s'est endormie. Ou évanouie. Je l'ai secouée, fort ; elle n'a pas réagi. Du tout. Même pas un frémissement. Pas : « Euh ? »

En tout cas ils ne pourront pas dire qu'on a lambiné.

*

Aujourd'hui on a été acheter des aspirines à la pharmacie Labow parce que Nicole se tapait un gros mal de bloc puis on a corrigé, en tout et pour tout, treize pages de l'analyse hystérique géhennienne. On est dans un mood pour tuer, comme dirait la Toune (qui continue de nous laisser poireauter). 426 pages ! Fuck ? La quhébétude c'est pas fait pour les chiens.

*

Trois jours de retard, ça agit. Ce matin, vers sept heures, une heure que nous ne connaissons pour ainsi dire que par ouï-dire, nos consciences professionnelles sont entrées dans des convulsions.

Donc, *grosser Lärm* (grand tapage en allemand) intérieur, on se réveille. Donc, on est pris de panique, tendus de remords comme des ressorts. Nicole attrape son Petit Larousse, moi mon Quillet Flammarion, on se précipite dans la cuisine. On enlève les œillets de sur la table, on les serre dans le frigidaire, on se jette comme des ogres, moi sur la PREMIÈRE PARTIE, elle sur la DEUXIÈME.

— Celui qui finit le premier a le droit de traiter l'autre de WET KLEENEX !

— Tu l'auras voulu !

Il faut que ça roule ! Les fautes, il faut que ça saute ! Puis que ça fourmille, pullule ! Plus qu'on en trouve plus qu'on est contents : ça va lui montrer à Roger comment qu'ils méconnaissent leur grammaire, lui et ses preux chevaliers de la survivance française ! Quel fonne noir ! On ne peut pas s'empêcher, c'est trop bon, de corriger les rares phrases sans défaut. Pourquoi se priver ? Qu'est-ce qu'on risque ? Ils ne sont pas assez futés pour voir la différence, anyway ! Et puis depuis le temps que Roger fait son frais avec nous, qu'il joue au supérieur condescendant, au protecteur patient, on mérite bien ça ! Ça a commencé à l'école Saint-Pierre du rang Saint-Louis de la paroisse Saint-Joseph de

Maskinongé : il était le premier de la classe, on était les épais ; quand on ne comprenait pas le problème, il levait le bras, trépignait : « Psssst ! psssst ! mamoiselle ! mamoiselle ! je peux-t-u aller leu zexpliquer si vous plaît ? » Toujours poli, propre, empressé, il maîtrisa dès l'enfance les moyens d'écœurer le monde en faisant semblant de lui faire du bien. On était les meilleurs en rédaction, mais c'est à lui que la maîtresse donnait 10 sur 10. Hé ! il était parent avec l'auteur de *Trente arpents*, un roman qu'elle avait lu quatorze fois de suite les culottes mouillées. Hé ! nous notre seul parent célèbre c'était Tarzan Retournable, le ramasseur de bouteilles. Il écumait les rives de la route jusqu'à Berthier. Il était fier quand il en ramenait une cinquantaine parce que ça sonnait fort dans la caisse de son tricycle, comme les bancs de glace quand ils descendent tous ensemble des Grands Lacs. Et puis il *carculait* qu'à $0.02 la bouteille ça lui ferait $1. $1 qu'il n'avait pas travaillé pour.

Qu'on se dépêche ! Qu'on finisse au plus sacrant ! Si notre cadence ne fléchit pas puis que nos dictionnaires tiennent bon, on a des chances d'en venir à bout ce soir. Vite ! car la nouvelle que ça va faire (ah l'importance des nouvelles, ce *product*) va nous permettre d'appeler chez notre amour sans avoir l'impression de la déranger. Vite ! qu'on entende de vive oreille sa petite voix traînante d'ancienne enfant. (« Allô ? Comment ça va ? — C'est pas toi qu'on appelle, c'est Roger. On a fini de corriger le livre ; ça nous a pas pris grand temps, hein ? Qu'est-ce que t'en penses ? ») On est prêts à tout pour ne pas passer pour des pots de colle, on aime mieux se passer d'elle que de faire de quoi qui la porte à croire qu'on ne peut pas se passer d'elle ; mais à ronger, pour tout aliment, les minutes cruelles qui entourent le silence de *minuit,* nos cœurs maigrissent, pâlissent, pâtissent.

— WET KLEENEX ! s'écrie Nicole.

Elle est contente de m'avoir battu. Elle crie, saute, tourne, tape des mains : les femmes ont une façon enfantine d'extérioriser le genre de joie que donne ce genre de victoire. Elle compte les pages qui me restent puis elle se sauve avec en courant. Il faut que je la poursuive, attrape, renverse, pince, chatouille, all that stuffy stuff.

Comme snack ce n'est pas riche : deux Heidelberg et un mégot de House of Lords tout aplati d'avoir séjourné si longtemps sous le tapis. Nicole aime boire la bière dans un verre, moi à même la canette, comme Paul Newman dans *Hud* et *Cool-Hand Luke.* Elle n'inspire pas la fumée des cigares : elle la rejette aussitôt et agite la main pour écarter le nuage. Ce que j'aime moi, c'est, les poumons bien remplis de fumée, y faire couler une bonne grosse lampée de bière.

138 pages encore. 69 chacun. On carcule qu'on peut avoir fini avant dix heures. Ça va bien, on est enthousiastes, on a un fonne noir. On se remet au travail comme deux neufs.

A une dizaine de pages du but on n'a plus pu se retenir : on s'est mis à téléphoner comme des dératés. Ça ne répondait pas. On laissait sonner cinq coups on raccrochait puis on ressayait cinq minutes après. Une heure après ça n'avait rien donné. On ne s'est pas découragés même si on n'est pas nés sous le signe du Bélier (ah l'horoscope, ce *product*). On les a toffés. On était sûrs que ça finirait par faire de quoi. « Ça se peut pas que ça aboutisse pas ; ça serait trop cruel. » Ça a abouti. Mal. Quand Roger nous a appris négligemment que la Toune était partie souper à l'Accrochage *avec une copine,* on s'est sentis si jaloux, laids, sales, niaiseux, téteux, qu'on a oublié de lui annoncer notre fameuse nouvelle. Je ne sais pas si tu le sais mais son analyse hystérique géhennienne on a bien failli la publier dans la cuvette des toilettes. Et ça ne nous aurait pas dérangés qu'on bouche le tuyau en tirant la chaîne. On est bien décidés à ne plus jamais avoir envie de rien. Même pipi.

*

On prend le métro, on va chercher notre paie. On arrive aux Petites Éditions, Sex-Expel n'est pas contente de nous donner notre paie mais elle est bien obligée. On reprend le métro, on va au Café 79 dépenser la moitié de notre paie.

Quand c'est Terry on se fait bien traiter. Elle fait les Bloody Mary bons. Elle met beaucoup de sauce Tabasco ; elle sait qu'on aime ça quand ça nous brûle la gorge. Elle ne coupe pas en deux les rondelles de citron ; elle les laisse plein-soleil ; elle en donne toute une à chacun ; elle sait qu'on aime lécher tout le jus, puis mâcher lambeau par lambeau les membranes, puis picorer la pulpe, puis faire rouler sur la bakélite noire du comptoir le petit cerceau jaune qui reste. Quand ce n'est pas Terry on aime mieux prendre de la bière. On est prêts à payer le prix exorbitant que les Bloody Mary coûtent, mais à condition que ce ne soit pas le jus de tomate que ça goûte.

Après trois Bloody Mary on est en pleine forme. On dit du mal.

— Comment tu la trouves la fille des Petites Éditions ?

— Plus putain que son cul.

— Elle m'écœure moi aussi. Ça fait trois fois qu'on

va là, ça fait trois fois qu'elle nous reçoit comme des des des. T'as vu comment qu'elle nous a traités encore tout à l'heure ? Hé !

— Traités ? Tu penses qu'elle nous traite, nous ? T'as l'esprit des grandeurs, chère !

— On serait si heureux si elle nous souriait ! C'est tellement rien puis ça fait tellement de bien ! Tu crois que c'est exprès qu'elle fait sa fraîche ?

— Prends Marcella à la Mondiale. Ça fait cinq ans qu'elle nous fait l'air bête. Cinq ans d'air bête d'affilée, tu peux pas dire que c'est pas pour nous faire chier. Ils veulent tous nous faire chier ! C'est leur idéal !

— Qu'ils veulent tous nous faire chier, ça prouve rien qu'une chose : c'est qu'ils sentent qu'on est pas de leur gang ! Qu'ils le sentent ! Je suis bien contente !

Le grand avantage de l'alcool c'est qu'on peut dire cul et chier sans manquer s'étouffer. Après cinq Bloody Mary on ne dit plus que ça. C'est si excitant ! Mais le meilleur c'est le petit tremblement étincelant que ça produit dans les yeux de Nicole quand je vais jusqu'à *bander* et *fourrer*.

Toutes les femmes ont l'air d'aimer ça mais il ne faut pas que tu te fies là-dessus trop-trop. Les folies et les cochonneries les passionnent mais c'est la propreté et la sécurité qui les rendent le plus folles et cochonnes. C'est les gangsters qui les excitent mais c'est les policiers qu'elles épousent et qui en profitent. Oui oui ! Je n'y connais rien, remarque.

Bien entendu, c'est de notre Toune qu'on a parlé le plus. On a commencé vers quatre heures ; vers onze heures on n'avait pas vidé la moitié de nos cœurs. Qu'elle peut être tendre mais qu'elle ne peut jamais, qu'elle est trop occupée pour s'occuper de ça. Qu'elle a beaucoup de cœur mais que c'est à faire carrière qu'elle donne tout son cœur. Qu'elle est belle mais qu'elle le sait puisqu'elle n'est pas gênée de jouer les jeunes premières dans ses propres films, que tant de manque de modestie c'est bien débandant.

— Elle se prend pour Petit Pois, cette hostie-là !

— C'est ça, tu l'as ! Ah qu'elle m'a fait chier quand elle a répété mot pour mot à *Gros Plan* ce qu'elle avait chuchoté comme un drame honteux épouvantable. « Intellectuelle engagée ? cinéaste de gauche ? c'est de la bouillie pour l'élite. Pour tous les autres je suis comme toutes les autres, une femme, une peau, une p'lote, l'amour-toujours-l'amour. Je suis une p'lote et c'est ma passion, comme Jésus-Christ. Ou je l'assume, et je me perds dans la foule elle-même perdue. Ou je m'insurge et je me fais enfermer dans la tour d'ivoire avec mes petits copains les happy few... »

Cette fameuse interview nous a assez fait chier qu'à la fin ils auraient pu nous plier en deux et nous ranger sur un cintre.

On est rentrés chez nous juste à temps pour les longs métrages. On avait le choix entre *Les yeux cernés* de Michèle Morgan, si grande dame qu'elle ne porte pas à terre, qu'on ne sera jamais assez mal pris pour se dézipper là-dessus, et *Le Ragazze di Piazza di Spagna*. On s'est tapé Lucia Bose et Cosetta Greco. C'est bien à cause qu'on les aime et qu'on veut être gentils parce que *Le Ragazze di Piazza di Spagna* il n'y a pas un mois que ça ne revient pas par un canal ou l'autre. C'est bien à cause qu'elles ne sont pas bêcheuses, parce que le film passait au 10, le canal pollué par Buttoneer *(« L'ennui avec les boutons c'est qu'ils se décousent sans cesse !«),* Ultra-Stitcher, Analeurone *(« Rien n'est plus déplaisant et embarrassant que les démangeaisons gênantes ! J'ai essayé Analeurone ! Je puis vous le recommander ! »).* Ces annonces sont si mauvaises qu'elles puent. Elles puent si bien qu'on les sent venir de loin.

De si loin qu'on a le temps de prendre nos jambes à nos cous et d'aller se cacher dans la chambre de bains. On n'est jamais aussi soûls qu'une couple d'heures après qu'on s'est soûlés. C'est là qu'on se prend par le cou, qu'on rit parce que le plancher baisse partout où on met les pieds, qu'on chante les larmes aux yeux les succès du bon vieux temps des Beaux-Arts : *Un jour tu verras on se rencontrera, Mon pote le gitan c'est pas un marrant, Les amants trompés ignominieusement...*

*

Pendant que la TV achève toute seule de jouer *The Barefoot Countessa* (le long métrage du 12 commence une demi-heure après tous les autres, ça fait que quand tous les autres sont finis tout n'est pas fini) nous buvons nos cafés le cœur serré. Prête l'oreille, chère ; écoute, à travers la double cloison de gyproc qui sépare notre bedroom déguisable en living-room de notre dining-room mâtiné de kitchen, ce que Ava Gardner va répondre à Humphrey Bogart, qui vient de lui demander ironiquement combien de temps a duré son voyage de noces. « *Nine weeks, three days...* (Ava consulte sa montre, guise de gag)... *fourteen hours and seven minutes...* »

— Quel dialogue !

On a le cœur serré parce que la Toune nous a appelés pour nous annoncer qu'elle part pour plusieurs jours pour le lac Saint-Jean pour repérer des sites pour son prochain film avec son scénariste, son décorateur, son producteur, quoi encore... On était malades de bière. On se faisait pitié nous-mêmes tellement on n'allait pas bien. Elle nous a achevés.

— Qu'est-ce que tu veux que ça nous fasse, man ? De

toute façon t'es toujours trop occupée pour nous donner de tes nouvelles, man... Si tu passes ton temps au téléphone à nous faire des politesses qui c'est qui va parler de toi à la télévision, man ? Gâche pas ta vie, man, va faire ton film...

Elle a raccroché d'un coup sec. Outrée, quelque chose comme ça. Outrés, on l'était nous en tout cas. On avait gardé ses œillets... Œillets nos œils ! On s'est jetés dessus puis on les a mordus. On les a déchiquetés puis on les a piétinés les larmes aux yeux puis la morve au nez. Le téléphone sonnait encore. Rêvions-nous ? D'ivres de rage on est devenus ivres de culpabilité (c'est nous qui l'engueulons et c'est elle qui rappelle pour s'excuser, pauv'tite bête). On a dégrisé vite : « Ici l'Imprimerie Mondiale. » (Pour parer aux dangers de la familiarité c'est comme Imprimerie Mondiale que Marcella engage les conversations.) J'ai crié n'importe quoi à Marcella. Mets ta main devant ta bouche quand tu souris, si tu te dépêches pas tes comptes courants vont courir après toi, manche da marde, skie, police pas de cuisses numéro trente-six.

C'est comme ça que tout de suite après avoir perdu notre seul amour on a perdu notre seul client. Perdre l'amour, malgré tout, c'est éphémère : tu souffres pendant que ça fait mal, puis ça cesse de faire mal et tu te sens mieux. Le client, lui, c'est une autre histoire : tes besoins matériels ne partent pas avec ta douleur d'avoir perdu ta job. Mais on a discuté, analysé, et on s'est mis d'accord pour encaisser positivement ce dur coup. Le confort nous a rendus mous, flous, flasques. On n'a jamais été au-dessus de nos affaires, certes, mais assez d'argent c'est trop d'argent. Une bonne indigence va nous rendre la vigilance de notre adolescence. Hé ! ça fait dix ans qu'on convoite l'état de grâce de ne rien faire du tout ; il commençait à être temps qu'il se passe quelque chose qui nous force à agir en conséquence... Voilà ce qu'on s'est dit... LAY ZOMM SADAPP : petit changement de crédo règle petit changement de situation.

Pour parer au plus pressé on écrit nos noms et notre adresse sur nos derniers bidoux avec la mention PROPRIÉTÉ DE. Terry nous a juré dit qu'il paraît que ça marche, qu'il y a des comiques qui les retournent.

Aux nouvelles sportives, l'instructeur des Canadiens a commenté en ces termes la tenue de Chuck Arnason durant les séries éliminatoires : « C'est un *futur* joueur d'*avenir.* » Fuck ! Pourquoi qu'il se prive ? Pourquoi pas *un futur jeune joueur d'avenir prometteur ?* De quelque côté qu'on tourne la tête c'est déprimant.

Bon eh bien on va se coucher et donner un grand coup pour finir les Polygonacées. On est rendus au Polygonum sagittatum alias Renouée sagittée alias Gratte-cul alias Arrow-leaved Tearthumb, « plante annuelle à tige décombante ». On est pas mal avancés. Et puis avec ça puis avec l'encyclopédie Alpha on s'en vient pas mal érudits en tout.

Qui c'est qui sait qui c'est MIKHAIL BARCLAY DE TOLLY, si ce n'est pas nous ? Qui c'est qui sait qui c'est JOHN BARDEEN, hein ? Qui c'est qui sait que JUAN ANTONIO BARDEM « *peut se situer dans la lignée du Buñuel dont il n'a pas le génie...* » ?

*

— Dormir, il comprend pas ça ; c'est jeter son temps par la fenêtre. J'ai dix-sept ans de plus que lui, moi ; c'est con mais ça compte. Aimer, je suis cent pour cent pour ; mais ruiner ma santé, ça me tue.

Laïnou en arrache avec son beau sauvage. Tout ce

qu'il lui donne c'est du fil à retordre. Les yeux comme deux kystes, la bouche sur le menton, la figure comme une vieille outre vide, plus d'appétit, plus de Brasilia, plus de tétons, ça va mal. Il rentre quand il n'a plus $0.01 et que tous les bars sont fermés. Et puis alors il se couche. Et puis pas sur elle. Sur le plancher, devant la porte comme une grande masse de flan. Et puis alors il ne l'encourage pas dans son art. Tiens, pas plus tard qu'hier, elle avait deux croûtes de cinquante pieds carrés à emballer, le camion du C.N. attendait, stationné en double, elle était énervée, affolée, dans tous ses états ; eh bien l'hostie de chien sale a fait semblant de ne pas comprendre quand elle lui a demandé d'aller chercher la pelote de ficelle dans la commode. Tu te rends compte ?

— C'est un autre con d'idéaliste. Un coup de main, dans son vocabulaire, c'est Che Guevara qui perd goutte à goutte dans un vieux lavabo le reste de la vie, qu'il a donnée à la Bolivie. Moins que ça, ça vaut pas le cul, c'est pire que rien, c'est dégueulasse.

Depuis les Beaux-Arts, parce qu'elle est plus âgée que nous et portée à nous protéger, Laïnou est notre tante folle. Quand elle appelle et que ses sanglots secouent d'un bout à l'autre le fil du téléphone, on saute dans un taxi, même si ça coûte les yeux de la tête (elle habite à Notre-Dame-de-Grâce, avenue Draper ; c'est loin ; en autobus, ça prendrait une demi-journée, on la trouverait au bout de son sang).

Elle bavait, morvait ; on l'a mouchée. Elle n'avait pas le goût de s'habiller ; on a lacé ses bottes et poussé ses bras mous dans les trous des manches de son maxi. Elle ne tenait pas debout ; on l'a prise, Nicole par la taille, moi par-dessous les épaules, et on l'a portée jusqu'en bas de l'escalier. La meilleure médecine dans un cas de dépression, c'est la marche. Par la rue Marcil puis par la côte Saint-Antoine, on a traversé toute la cité de Westmount. « Tu te sens mieux ? — Non. — Ça fait rien, c'est pas si mauvais signe. Lâche pas. » Alors on a pris la rue Sherbrooke et on s'est traînés jusqu'au boulevard Saint-Laurent. Là au pied d'un de ces arbustes empotés qui jalonnent les trottoirs, elle a vomi, de la bile, comme une pompe aspirante-foulante Puis elle s'est mis dans la tête d'aller voir au Chat Noir si son idéaliste y était.

— Fuck les idéalistes ! On t'emmène chez nous. On va te coucher, on va te border, on va te faire jouer *Hey Jude* jusqu'à tant que tu fasses ton gros dodo. Tu vas voir comment qu'on va te traiter bien.

Personne n'avait plus la force de marcher. On s'est mis en rang pour attendre l'autobus 51. On s'est assis au fond, sur le divan ; les pires places sont toujours les seules libres. Les gaz pétés par les fesses dieselles montaient direct dans nos narines. Ce n'était pas indiqué pour requinquer Laïnou. Ça n'a pas été long que le cœur lui a levé. On a débarqué, on a prix un taxi. Ça a coûté $1 avec le pourboire (c'est mieux d'en donner un bon ; tu risques moins de te faire faire des gros yeux puis de passer le restant de la journée à te sentir vil et persécuté). Laïnou voulait absolument payer. On n'a absolument rien voulu savoir. On l'a mise de force au lit. Elle s'est relevée aussi sec, comme avec un ressort dans le derrière.

— Se coucher quand il fait clair, c'est con, ça me tue, c'est jeter son temps par la fenêtre. Il m'en reste plus beaucoup, du temps, moi ! Je suis pas une tite poulette du printemps, moi !

On lui a fait un café, elle l'a bu en feuilletant nos derniers fascicules d'Alpha. Ça lui a fait du bien. Elle a mis son maxi puis elle est sortie, après nous avoir promis de ne pas faire la folle puis de revenir. Elle a rebondi une demi-heure après avec un large sourire et une grosse surprise : tous les Alpha qui nous manquaient jusqu'au numéro 66.

Elle avait trop l'air fière de son coup, on n'a pas pu résister : on lui a donné des becs, on lui a dit qu'elle était « notre Laïnou à nous autres tout seuls ». Ce n'est pas notre genre d'être si démonstratifs : ça l'a émue, ça a fait couler la dernière larme de sa *vieille outre*. Ça lui a aussi ouvert l'appétit.

— Hé les mecs ! je mangerais bien une bonne pizza tout-habillée moi ! Pas d'anchois, j'horreur de ça.

On en a fait venir une par téléphone de Chez Rachel : Une extra-large. Ça nous a coûté moins cher que trois petites puis il en est resté en masse pour le chat.

And anytime you feel the pain
Les jours où ça te fait trop mal
Hey Jude refrain
Hé Jude laisse faire
Don't carry the world
Prends pas l'univers
Upon your shoulders
Sur tes épaules
For well you know
Tu le sais bien
That it's a fool
c'est un crétin.
Who plays it cool
A marcher droit
By making his world
Il rend son chemin
A little colder
De plus en plus étroit...

(Les Beatles)

*

— Tu vas rester ici tant que t'auras pas assez de cœur pour le calicer dehors, cet hostie de chien sale-là ! On va t'attacher s'il faut !

Mais plus ça va plus c'est déprimant. Car elle a de plus en plus envie de lui et nous, de plus en plus hâte qu'elle évacue, débarrasse.

Nos horaires ne coïncident pas ; elle se couche à minuit, l'heure qu'on commence à vivre. Elle a le sommeil léger et la pharmacie Labow ne vend pas de boules Quiès. Pas question d'ouvrir la TV ou de lire notre *Flore laurentienne* fort. On ne prend pas de douches : sans se battre, crier, rire, ça ne vaut pas la peine. On reste pris là, dans l'alternative de flatter le chat ou d'aller faire le tour du parc Jeanne-Mance. On fourre tout le temps nos hosties de pieds dans des hosties de plats.

Trois dans le hyde-a-bed, ça ne dort pas. On s'étend de chaque côté d'elle avec mille précautions puis on attend, en regardant fixement au plafond les ténèbres pâlir, qu'elle daigne éprouver qu'elle a assez dormi. Mais alors il faut partager sa grasse (visqueuse) matinée. Ça consiste à nous faire un rapport détaillé de l'état de son abîme existentiel (y a rien de beau puis y a rien de bon) puis à tenter de nous communiquer, par des synopsis des fictions de Henry Miller, son goût pour la dépravation sexuelle (ça te fait des grosses déclarations nihilistes puis cinq minutes après ça croit en Éros, notre Cul Tout-Puissant qui êtes aux Dacieux). « J'ai toujours des petites chaleurs le matin, moi ! »

Et puis alors ça la prend : où est mon Sauvage, que fait-il, se demande-t-il où je suis moi, ce que je fais moi ? Elle saute sur le téléphone. Elle l'envahit, congestionne les circuits. La police, les amis, les tavernes, les barmaids, elle téléphone tout ce qui est téléphonable. Et puis alors ils ont besoin d'avoir une bonne idée où est Pierre Dogan s'ils ne veulent pas se faire traiter de *crottés*, de *freaks*, de *cons dégueulasses*.

Le *grosser Lärm* cesse. Déçue par les résultats de son enquête, le découragement l'abat. C'est là qu'il faut qu'on se dépêche pour dormir. Car bientôt l'ennui va sévir, la poussant à nous réveiller à tout bout de champ sous des prétextes fantaisistes. « Ah je voulais pas vous emmerder mais y a plus de sucre. » « Ah c'est long tout l'après-midi toute seule. » « Ah je vous regardais dormir, tout collés ensemble, puis ça m'a fait flipper, c'est con hein ? » « Ah j'ai cru bien faire, je pensais que vous trouveriez ça con de louper tout ce beau soleil. »

Là, on frappe à la porte. Laïnou se précipite. Laïnou se rue. Laïnou ouvre déjà sa bouche pour embrasser son beau Sauvage doré. Gros down : c'est pour nous, c'est un képi des Télécommunications du Canadian Pacific. On n'a jamais reçu de télégramme, le cœur nous débat. Hé ! de où que ça vient ? Hé ! combien de pourboire qu'il faut qu'on donne au gars ? Tu donnes $0.10, $0.25, $0.50, c'est comme tu veux ! Tu connais ça, toi, donne-lui donc ! J'espère que c'est pas quelqu'un de mort à Maskinongé. Les enterrements de famille, aime ça aime pas ça, faut y aller.

C'est daté d'Alma. « *Appelez-moi ! Vite ! Urgent ! Pourquoi vous m'avez grondée l'autre jour au téléphone ? Vous me lâchez ? J'ai un gros besoin de parler aux deux amis du Picardie et de Toutmavie ! Hôtel de La Traversée ! Chambre 212 ! Votre tout Petit Pois !* »

On est contents. On est fous. On ne porte pas à terre. On montre la signature à Laïnou pour l'impressionner un peu. Elle est impressionnée outre mesure. « Hmmm ! »

*

Elle nous a parlé toute la nuit de bout en bout de la province. Elle nous a fait l'amitié. Ça fait déjà trois jours. On est encore tout étourdis. La tête n'est pas près de nous retomber sur les épaules.

Seuls les poumons d'un train ou d'un bateau auraient pu lancer le cri des joies qu'avaient soulevées dans nos ventres les éclats de sa petite voix fatiguée et les halètements doux de ses blancs de parole. On s'est assis par terre, le long du radiateur de la cuisine ; on n'a plus bougé ; on s'est laissés vibrer, dur et clair, pris d'une sorte de sommeil violent, tout à la plénitude, paralysie, tension de tous nos membres, nerfs, cerveaux.

Quelque chose la tourmentait, mais on n'a pas su quoi. Comme tout ce qui est trop, ça ne devait pas être exprimable. On l'a laissé parler dans le vague, où sans doute, puisqu'elle l'avait choisi, elle se reposait le mieux.

C'était des mots, mais il faut en verser dans les petits trous du téléphone pour avoir l'impression qu'il fonctionne. C'était des lambeaux de phrases toutes faites ; ça ne voulait rien dire sinon que c'est bête de souffrir, que c'est bien décourageant que la vie soit si méchante, que deux bras c'est fait pour pourrir tout ce que ça peut étreindre afin qu'on pourrisse soi-même sur le plus gros tas de pourritures possible. C'était des plaintes et des lamentations, mais elle les articulait, et ça nous frustrait un peu. Ça manquait de ferveur et de pleine confiance en nous. On a peur qu'elle ait craint qu'on ne comprenne pas... et qu'elle se soit privée d'aller au bout de sa cohérence, de gémir, oui oui, comme un animal, qu'elle n'ait pas osé nous lancer les vrais signaux de sa détresse. Ça aurait été bien qu'elle s'abandonne et qu'elle gémisse, doucement, jusqu'à ce qu'elle s'endorme et que le téléphone lui tombe des mains.

Mais elle s'emportait parfois, se lançait dans des envolées de folles contradictions où le blasphème *p'lote sale* surgissait à tout propos, comme une obsession, ou une invocation aveugle. « Dites-moi de sortir, partir, finir... Battez-moi, grosse enfant gâtée, puis jetez-moi dans le dépotoir, que je m'englue, que je pue, que j'aie froid, faim, peur... que je sois forcée d'aimer enfin... comme du monde, comme une vraie femme... Dites-moi que je suis une p'lote sale puis que c'est bien bon pour les p'lotes sales qu'elles restent emmurées dans le petit vide fade qu'elles ont à la place du cœur... Flattez-moi pas, griffez... Aidez-moi, soyez durs... »

Puis elle nous a fait promettre de rendre visite à Roger, son « Ougi » (oui oui). « Quand je pars, il perd le goût de vivre, il lâche tout. Il se déshabille même pas pour se coucher. Il se stone puis il dort où il s'écrase. Brassez-le ; forcez-le à manger ; dites-y des affaires fonnées ; prenez-en soin comme de votre Ti-Pois, c'est son Ougi (oui oui), c'est son bébé... »

On avait donné notre parole, on l'a tenue. On a appelé Roger le lendemain même. « Venez, venez ! » qu'il a dit... « Tout le monde vient... » On s'est assis pour réfléchir, pour analyser ces paroles sybillines, tâcher de savoir quelle sorte de farce platte que c'était. Notre perplexité résistant à notre perspicacité, c'est dans le flash-back des quantités de flacons qu'on avait vus rutiler dans le halo bleu de la petite lumière du bar qu'on a dû trouver le courage de se hasarder à Outremont. « Ce qu'il dit puis ce qu'il chie, ce *huevon*... pourvu qu'on se bourre la fraise !... »

Il y avait des barbus dans le salon, des chevelus dans la cuisine, des poilus tout partout. On a cru qu'on s'était trompés de chic résidence, on est ressortis pour vérifier le numéro au-dessus de la porte. On a aventuré nos plus petits pieds entre les bouteilles baignant dans leur boisson et leurs viandes engourdies par trop de fonne. On cherchait notre hôte. « Où c'est qu'il est Roger ? » Ils ne voulaient rien savoir ; on aurait pu crever sous leurs yeux de poissons morts. C'était plein de fumée, ça empestait le haschisch. Quand on a monté l'escalier de l'étage, la tête nous tournait, les jambes nous tremblaient... Nicole a dit : « Je pense que c'est ça qu'ils appellent flipper, c'est le fonne. » On est tombés sur Sex-Expel, la *permanente* des Petites Éditions : elle sortait des toilettes avec des mouvements gracieux et des regards méprisants (tout ce qui mérite d'être fait mérite d'être bien fait). « Roger ? — Qu'est-ce que c'est ? — Où est Roger Degrandpré, *el huevon ?* (c'est une injure mexicaine, ça veut dire grosse testicule). — Il dort. Il a donné ordre qu'on ne le dérange pas. Appelez demain au bureau et demandez un autre rendez-vous. »

Roger dormait comme la Toune nous avait dit : par terre, tout habillé. On l'a pris, Nicole par les jambes, moi par les épaules, on l'a soulevé, on l'a négligemment lâché sur le lit. Il s'est dressé sur son séant, il a levé une fesse pour mieux péter (à tout seigneur tout honneur), il nous a déclaré : « Demandez-moi comment ça va... Tout le monde demande comment ça va. » Il s'est frotté le front puis il a marmonné : « Hostie de mal de bloc. » Il m'a demandé d'aller demander à Thérèse (Sex-Expel) de lui apporter quatre aspirines avec un grand verre d'eau froide. Après que j'ai été parti, il s'est gratté comme il faut, là, sans s'occuper de Nicole, puis il l'a regardée comme une chienne dans un jeu de quilles et il lui a demandé comment ça va. Après quoi, sans attendre sa réponse, il lui a dit de courir me rejoindre pour me dire de dire à Thérèse qu'il avait changé d'idée, que ce n'était plus un grand verre d'eau qu'il fallait, mais un bon café fort.

— Qu'est-ce qu'il a à nous nous nous ?

— Il nous en veut parce qu'on a trouvé trop de fautes dans son analyse marxiste-léniniste de cul. Faut pas s'en faire, chère. Faut être au-dessus de ça.

On a fait toutes nos commissions puis on a été au bar, puis vite, ça pressait. Des liqueurs violettes, gris perle ; des flacons à incrustations, à cabochons ; des alcools pragois, turcs ; on avait les yeux plus grands que la panse, les dents dans les babines. Il y avait du White Sails. Pas un peu dans un petit flasque : deux gros quarante-onces pleins. On était tout émus. On en a pris un puis on est partis avec. On s'est coulés dans les deux meilleurs fauteuils (on avait le choix, tout le monde traînait par terre) puis on s'est mis à se mêler de notre précieuse affaire. J'en prenais une gorgée puis je la passais à Nicole par-dessus le cendrier d'art qui nous séparait. C'était un petit va-et-vient qui n'avait l'air de rien mais la joie montait. Et on était contents de s'apercevoir qu'on ne voulait plus rien savoir nous aussi. Soudain, un malotru parut, arracha la bouteille de la bouche de Nicole, en but le quart, puis, d'une façon qu'on voit tout le temps au cinéma, se versa le reste sur la tête. Ce n'était pas fait pour insulter. C'est la manière COOL de faire du charme aux filles. Mais Nicole est HEAVY et raciste : elle ne swinge pas, tout particulièrement avec les artistes. Quand elle est revenue de cueillir l'autre White Sails elle s'est assise sur mes genoux. « Comme ça ils vont me lâcher la paix ces espèces de de de. »

Là, ça s'annonçait bien. On avait joui comme des

cochons de trente onces sur quarante et plus ça allait plus c'était meilleur. On disait du mal des barbus, mais on ne savait plus où ils étaient rendus ; on était tellement heureux qu'on ne voyait plus clair. J'attrapais avec la langue les gouttes de sueurs qui brillaient sur le front de Nicole : elle trouvait ça drôle, je trouvais ça drôle qu'elle trouve ça drôle, c'était tordant. C'est alors que Roger est sorti de la douche enroulé dans une serviette et qu'il est venu nous trouver avec des idées de derrière la tête. « Minute, on est hôte ou bien on l'est pas. Minute, je vais vous présenter. Minute ! » Il nous a fait lever, réclamant solennellement le silence : « Minute ! »

— Mesdames et Messieurs, le Bordel des Patriotes a le privilège et l'honneur de vous offrir en exclusivité, dans un numéro qu'ils espèrent qu'il les fera sortir de leur trou — ne leur ménagez pas vos applaudissements ! — les Confidents de Lady Chatterley !

L'AMARANTE PARENTE
(AMARANTHUS GRAECIZANS)

On s'essuie puis on recommence. A zéro. Pour y rester. Pour s'ancrer là.

Nous regagnons notre base solide : notre rêve de ne rien avoir et de ne rien faire. Nous ne pouvons pas, tout de suite, d'un seul coup, nous débarrasser de toutes nos « suppossessions » et nous sortir toute la Toune de la tête. Notre décision vient de naître ; nous prendrons le temps de lui donner la force d'agir, de nous dominer, renverser ; nous prendrons le temps de la contempler, caresser, nourrir, élever. Mais sa nouveauté suffit pour le moment ; son souffle commence déjà à flétrir les mobiles tenaces de nos vieilles poursuites obscures ; nos têtes se redressent ; nous sommes tout « recommençants ». Dans quelques mois, déjà, nous pourrons passer notre temps à regarder le bout de nos chaussures sans que ça nous ennuie du tout, tout à la satisfaction de ne pas avoir à lutter pour échapper à quelque féroce angoisse. Être partis pour toujours mais rester là pour jouir de notre absence ; être morts mais garder nos yeux ouverts pour admirer notre repos. C'est en courant comme des prisonniers qui s'évadent qu'on a été acheter chez Kresge cet autre paquet de feuilles de rechange *(filler tablet)* Hilroy qu'on espère qu'il nous fera sortir de notre trou, oui oui !

Assis sur ma chaise bleue je peux, en me jetant à la renverse, m'accoter sur notre fidèle frigidaire. C'est un Kelvinator content, car il ronronne tout le temps. Son thermostat est pété ; il faut le débrancher pour qu'il arrête de marcher ; quand on passe une semaine sans s'en occuper, le givre sort par les gonds. Je fais face à la sortie de secours ; le soleil imbibe la toile patinée de son store beige ; il l'allume comme un écran de TV en dehors des heures de diffusion. Je fais face aussi au poêle, une cuisinière électrique L'Islet que le modernisme dévore ; il affiche une quantité de boutons, voyants, cadrans, telle que ça fait à Nicole l'effet de piloter un avion supersonique à décollage vertical et à géométrie variable. (Farce platte.)

A ma droite, derrière (dans un enfoncement qui la jumelle à celle de la petite blonde bêcheuse), notre chambre de bains.

A gauche, après la porte dépourvue de porte qui favorise les voyages d'une pièce à l'autre, s'enfonce, dans le toit de sa petite cabane de contreplaqué, l'évier : le robinet d'eau chaude dégoutte tout le temps, c'est comme une vieille pissette, c'est dégoûtant.

Puis le minou, puis la litière du minou... Un lot d'affaires qui n'avancent personne à rien.

Notre premier filler tablet n'était pas tout écrit. On a déchiré les feuilles qui restaient puis on les a envoyées rejoindre, au fond du sac vert Glad qui nous sert de poubelle, les restes de la lettre circulaire des savons Tide (le seul genre de lettres qu'on reçoive), qu'on a ouverte et lue tout au long, par dérision, par désœuvrement, par défi, pour beaucoup d'autres raisons qu'il serait trop long d'énumérer ici. Parlant de lettres plattes, on n'a pas hâte de recevoir la note de la Cie

Bell. Encore heureux que nous ayons eu la présence d'esprit d'attendre minuit pour téléphoner au lac Saint-Jean ; après minuit la Si Belle est si gentille : on peut parler à moitié prix. (Tu parles deux fois plus longtemps, ça fait que ça revient au même puis que ça revire à rien.)

Ne portant rien que ce qu'elle appelle son costume d'amour, Nicole va et vient, le long du radiateur, entre la porte de la chambre de bains et la litière de Minou, qui pue puis qu'on n'a jamais le courage de changer.

Je suis bouffi et boutonneux, du nez, des joues, des fesses, tout partout. Ça ne fait rien. Avec sa peau lisse et satinée, avec sa petite face de minoune, Nicole est en masse belle pour deux.

Elle réfléchit. Comme moi, elle s'est mise à la tâche de perdre la Toune et nous avec. Ayant mobilisé toute sa mauvaise volonté, elle se dit tout le mal qu'elle peut de nous et d'elle.

— Ceux qui aiment les p'lotes les suivent. Dans un mois, si on met pas le holà, on va se ramasser à l'Accrochage, p'lotes parmi les p'lotes. Puis on va être contents qu'un poète invendable vienne s'asseoir à notre table. Puis qu'il nous bomme un drink. Puis qu'il nous traite de vendus.

Portant haut son petit derrière, comme une fière négresse, Nicole passe et repasse, pour les aplanir, sur nos difficultés de jeunes gâteux.

— Tout à coup qu'elle nous aimerait... d'amitié vraie... ?

— Pour quoi faire ? Pour y penser une fois par six mois ?

*

On n'a pas sorti. On n'a pas besoin de ça. On a tout ce qu'il faut : du café, du sucre, du lait, puis le Grec de la rue Marianne qui nous fait crédit. On lit l'Alpha. Quand on va avoir fini on va passer à la TV puis on va pouvoir accoter n'importe qui dans n'importe quel QUIZ. On mange puis on se cultive. Qu'est-ce qu'on peut demander de plus ? Tout le monde se plaint ; nous on est contents. Si les gens savaient comment la vie est facile quand on est heureux ils le seraient tout le temps.

On regarde les maisons blanches de BELO HORIZONTE et Nicole s'écrie : « J'aimerais qu'on aille là un jour, ça a l'air si beau ! »

Au BELOUCHISTAN, « *l'agriculture n'est possible que par irrigation au moyen de* karez ». Nicole prononce *caresse ;* je lui en fais une couple sous la veste de son pyjama.

On regarde des hindous accomplir leurs ablutions rituelles au pied des *ghâts,* à BÉNARÈS. Les *ghâts* c'est les immenses escaliers de la mosquée d'*Aurangzed.*

La photo de la chaire de l'église Santa Croce de Florence (sculptée par BENEDETTO DA MAIANO) est ratée ; les détails se fondent dans le jaune du trop puissant éclairage. On dirait qu'elle a été prise par un touriste avec un flash-bulb qui ne voulait pas mourir. On est fâchés. On forme le projet d'écrire une lettre de vertes réprimandes aux Éditions Tout Connaître. « On vous paie avec des bons bidoux, mes hosties, présentez-nous des bonnes photos ! » Il y a des limites à rire du monde, quoi !

— Vas-tu m'emmener un jour à BENGHAZI ? Ah et puis on est bien ici... Je suis sûre qu'aussitôt que j'aurais le nez dans Benghazi le goût me prendrait d'être encore assise ici, à côté de toi, à regarder tranquillement la photo de Benghazi...

Sainte Scholastique, c'était la sœur de saint BENOIT DE NURSIE, le fondateur des Bénédictins. « C'est pas pour rien qu'elle s'est ramassée sur le calendrier ; c'est sûr que son frère l'a pistonnée... »

Le BENTHOS, c'est les animaux et les plantes qui vivent sur le fond de la mer. L'ensemble de leur domaine a nom *province benthique ;* elle est divisée en trois régions : l'*intercotidale,* la *bicécrale* et l'*abyssale.* On trouve ça beau. Il n'y a personne à Montréal qui pourrait comprendre qu'on puisse s'intéresser à ça sans avoir derrière la tête l'idée de l'exploiter. C'est tous des barbares.

« *Les étamines du* BERBERIS *sont animées d'un curieux mouvement ; lorsqu'on touche leur base avec une épingle, elles se rabattent sur le stigmate et elles le pollinisent.* » Le frère Marie-Victorin ne nous avait pas dit ça. C'est cochon. C'est beau.

Soudain quelqu'un frappe à la porte. Quand on s'amuse d'une façon prenante, c'est rare qu'on ne se fasse pas déranger. Si c'est la petite blonde bêcheuse, je la la la. C'est un képi des Postes de la Reine, un affecté aux *special deliveries.* Il a un paquet à nous donner. Mais il faut qu'on signe avant. « Signez avant ! » Signons avant. Il dit merci, bonjour, il s'en va. Il ne veut plus rien savoir de nous autres. On dit ça mais on aurait été mal pris s'il s'était mis dans la tête de rester.

C'est un colis daté d'Alma ; ça veut tout dire. Il porte comme une mosaïque les timbres de $ 0.07 qui l'affranchissent. La Toune a-t-elle collé avec sa langue chacune de ces quarante-neuf reproductions du *Wigwan* de Paul Kane, *Vancouver artist ?*

C'est deux disques des Beatles : *Abbey Road* et *Sgt. Pepper's Lonely Hearts Club Band.* Il nous manquait onze disques des Beatles ; moins deux ça fait neuf.

On ne garde que les disques des Beatles. Les autres, on les écoute puis on les jette, ou on les met devant la porte pour s'essuyer les pieds avant d'entrer quand les trottoirs sont salissants. On aime les Beatles. Et l'amour sans là fidélité, sans la loyauté et l'exclusivité, c'est de la grossièreté. L'amour sans l'indulgence, ce n'est pas riche non plus. On n'est pas près d'oublier, par exemple, que leur premier album Apple, qu'ils nous ont vendu $7.49 (taxe incomprise) (c'est le prix de quatre grandes symphonies Select), nous repasse deux chansons de *A Hard Day's Night : I Should Have Known Better* et *Can't Buy Me Love.*

Il y a, une lettre. On a failli la manquer. Elle était tombée par terre. On aurait pu la jeter comme rien. Il traîne tellement d'affaires par terre. On ne passe pas notre temps à faire du ménage. On a autre chose à faire. RIEN. Ça a l'air facile mais c'est ce qu'il y a de plus difficile. Essaie, bonhomme, si tu ne veux pas me croire. Essaie d'arrêter de te débattre pour sortir de ta médiocrité native, bonhomme. De ton petit fauteuil devant ta petite TV avec ta petite femme, bonhomme. Pour tout dire, c'est les zéros qui sont les vrais héros. (Farce platte.)

D'un côté de la feuille, la Toune a dessiné une multitude de flèches qui désignent une multitude de points. De l'autre : « *Petite note explicative : j'ai mis des petites flèches pour que vous voyiez juste où et jusqu'à quels points j'ai posé mes laid-vres sur vos bonnes figue-ures. Si vous ne croyez pas mes petites flèches, dites-le, la prochaine fois je me mettrai du rouge qui tache avant de vous embrasser. Votre tout Petit Pouah.* » On est d'accord qu'après le chèque de Laïnou ordonnant à la Banque Canadienne Nationale de payer à notre ordre « *la somme de 50 000 baisers* », c'est le billet doux le plus original et artistique qu'on ait reçu.

*

Notre pick-up en joue un coup.

Le képi des *special deliveries* a ramené sa fraise, comme dirait Lino Ventura dans *Le Gorille enroué et le roué.* Il nous apportait le double album tout blanc (tu sais ?) et *Beatlemania.*

Le pick-up est assez chaud pour cuire un œuf. La table tournante tourne jour et nuit. On reste étendus sur le hyde-a-bed et on écoute. Comme un seul radar. Avec une seule oreille en tout et pour tout. Une oreille qui abolit tout ce que nos vraies oreilles font. On se penche pour changer le disque (ou le retourner, ou reculer l'aiguille pour repartir pour la trentième fois d'affilée dans *Rocky Raccoon, Happiness Is A Warm Gun, It Won't Be Long*) et puis c'est tout ; on ne bouge pas plus que ça. Je ne sais pas si tu vois ce que je veux dire, c'est un peu dans le genre du gars qui a passé une bonne partie de sa vie sur le sommet d'une colonne assez élevée.

Ah et puis les flashes qu'on a ! Mourants ! Comme : *L'important c'est d'être libres.* Comme : *Le fin du fin c'est de n'avoir envie que de ce qu'on a et de ne jamais cesser d'en avoir envie.* Comme : *La vie ça n'existe pas.*

Merci, cher tout Petit Pouah, de nous avoir envoyé des disques par la poste. Mais juste merci. Pas merci beaucoup... Car ce n'est pas la reconnaissance qui nous étouffe. On n'est pas assez fous pour croire que c'est $30 de moins dans ta fausse musette indienne en dessous de queues d'ours qui va t'empêcher de manger plein ton ventre (si tu n'as pas décidé de maigrir, comme il y en a tant). Merci aussi pour tes baisers. Ils auraient goûté plus bon pas en papier... Mais ça aurait pris trop de ton temps cinématographique de gauche... Mais il aurait fallu que tu te baisses pour toucher nos « bonnes figue-ures », ça t'aurait éreintée, tu n'aurais plus pu parcourir le lac Saint-Jean pour faire tes repérages... (Farces très plattes.)

Quand la petite blonde bêcheuse bêche à grands coups de pied sur la cloison mitoyenne de nos chambres de bains (elle trouve que le pick-up joue trop fort, cette hostie-là), la queue du chat gonfle et le poil de son dos lève. On rit. On est bien. On ne veut rien puis on ne veut rien savoir.

C'est asocial. Asocial ce n'est pas pardonnable. Cette année. Avec la pollution, tout ça. On ne s'en fait pas; l'année prochaine ça va peut-être être la grande mode.

*

Nicole pèle une orange avec la cuiller qui a remué son café. Moi, j'ai mal partout et je bois, à même la boîte cirée, comme Paul Newman dans *La chatte sur le toit brûlant*, du lait homogénéisé. *Hypnotisé*, aurait dit Tarzan Retournable, et il l'aurait trouvée bien bonne, et il l'aurait rie de toutes ses gencives déshabitées, et il l'aurait refaite sans scrupules à la prochaine occasion. Il n'était pas blasé, si tu vois ce que je veux dire. Il n'était pas tout flasque, tout flou, tout mou. Comme il y en a tant... que ça leur prend pour se sentir des coups de fouet et des bordées d'injures (p'lote sale, plus putain que ton cul)...

— Pourquoi tu me regardes comme ça ? Ça va pas bien ?

Notre pick-up a eu une mort éclatante; ça a fait comme si toutes les lampes avaient sauté d'un seul coup; le feu a pris. On a pris nos derniers dollars

(PROPRIÉTÉ DE) et on a été fêter ça au Café 79, au Thalassa Bar, lieu de pèlerinage, à la Discothèque Apollo... et puis après alors je ne m'en souviens plus. Résultat : malade comme une marmelade. Nicole a bu autant que moi et elle n'a rien. Comment ça se fait ? C'est pour ça que je la regarde comme ça. Comme elles ont l'air bonnes la monotonie, la douceur, la lenteur avec lesquelles elle pèle son orange. Moi mes doigts tremblent, mon sang tempête dans ma tête. Lente, douce, monotone, Nicole dispose ses pelures le long du joint diamétral de la table.

— Pourquoi que l'écorce est si épaisse ?

Elle me dit que c'est parce que c'est une orange libanaise. Elle retire du rempart que les pelures ont fini par former une pelure qui porte, en caractères à moitié effacés, le mot JAFFA.

— Jaffa c'est pas au Liban, c'est en Israël !

— T'es trop intelligent, toi. Tu vas te ramasser avec une tumeur au cerveau. A ta place, moi, je ferais attention, bonhomme !

On a encore reçu la facture du télégramme qu'on a envoyé à Laïnou quand elle a exposé à Toronto en 1966. On ne veut pas payer parce qu'ils ont fait une erreur[1] et qu'ils ne veulent rien comprendre. Qu'ils mettent la police après nous. Ça ne nous fait rien. Il n'y a plus rien qui nous fait rien, sauf mal à la tête.

Cette nuit, avant de rentrer, on a fait un détour par le Laval Bar-B-Q pour acheter Montréal-Matin pour voir si les Bruins de Boston avaient éliminé les Rangers de New York. Là, j'essaie de lire le compte rendu de Pierre Gobeil, notre journaliste sportif favori. Rien à faire, les mots sautent trop.

— Fuck ! même pas capable de lire...

1. *Explose* au lieu d'*expose*.

— Bouge pas ; je vais finir ça puis je vais te donner de la bonne teinture de belladone...

Nicole est ailleurs. Elle est au pays des pelures de son orange. Elle les compte, elle contemple le total, elle s'écrie, en me regardant un peu au-dessus des yeux, comme quand on est sûr que l'autre ne verra pas plus loin que la surface de ce qu'on dit : « Hé ! c'est formidable, il y en a *neuf* ! » Elle reconstruit le rempart en mettant les pelures par ordre de grandeur : ça fait une *pente* ! c'est fantastique. Elle défait tout, elle met les pelures autour du couvercle du pot de Yuban, qu'ensuite elle retire délicatement : ça fait un *cercle* ! c'est merveilleux. Elle verse sur la table le reste de son café, elle met les pelures de loin en loin dans la flaque, elle fait marcher ses doigts dessus : ça fait *traverser la rivière en sautant de caillou en caillou* ! c'est excitant. Elle met ses *neuf* pelures dans l'enveloppe de retour des CP-CN Télécommunications, elle passe sa langue sur la marge encollée du rabat, elle rabat le rabat.

— Hé ! c'est formidable, ça fait une *lettre* !

TV-Guide, TV-Hebdo et l'horaire de Montréal-Matin, c'est rare que leurs programmes s'accordent. Quand ils le font c'est comme pour ce soir, c'est pour nous écœurer. Pour nous annoncer qu'il n'y aura pas un film de pas pourri. Katharine Hepburn, Jeanne Moreau, Sophia Loren... Nous c'est les chefs-d'œuvre qu'on ne trouve pas bons et c'est les grands comédiens qu'on ne peut pas sentir. Tu vois le genre. C'est de la pure pose. Ça ne fait rien : on ne veut pas se gargariser avec les mêmes *titres* et les mêmes *noms* que tout le monde. Te brosses-tu les dents avec le même Crest que les autres, toi ? Le début de l'hygiène, c'est haïr les microbes des voisins.

*

Nous nous mordons les pouces. Nous avons honte. Nous ne pouvons plus nous endurer. Ah comme nous nous en voulons de nous être laissés descendre si bas sur la pente baveuse des mondanités !

La Toune revenait du lac Saint-Jean. Roger nous a appelés pour nous prier de nous joindre au groupuscule réuni pour aller l'accueillir à Dorval. Je dis *prier* en guise de litote. C'était raide et impératif : « Elle veut que vous soyez là, sautez dans un taxi, on est en retard, faites ça vite ! » Un taxi, un taxi !... Ça n'a l'air de rien quand on nage dans les bidoux... Mais le maître n'avait pas le temps qu'on rouspète. Ça fait qu'on n'a rien dit, qu'on est sortis, qu'on a sauté dans un taxi. On l'a fait passer par Notre-Dame-de-Grâce pour qu'on puisse emprunter $5 à Laïnou pour qu'on puisse le payer. Ça aurait pris deux fois moins de temps à pied.

Si Laïnou avait vu avec qui qu'on était dans la Citroën noire, qui roulait si vite vers l'aéroport que les soulèvements d'air faisaient claquer sur son toit son antenne, elle se serait arraché les cheveux. On était assis avec Louis Caron (nous partagions avec lui la banquette arrière ; il aurait même suffi qu'il se fût placé au milieu pour que nous sucions l'honneur de le prendre en sandwich) et c'est Ragoul Pratte et Reinette DuHamel qui étaient assis en avant (quand tu dis qu'en allongeant le bras tu aurais pu défaire la boucle du cadogan de Ragoul Pratte, quand tu dis qu'en avançant la tête tu aurais pu fourrer le nez dans l'afro-look de Reinette DuHamel). On aurait pu se sentir comme dans une photo des arts et lettres de La Presse. Mais on avait trop peur de mourir dans un accident. On était trop occupés à guetter la petite aiguille verte, qui oscillait entre la droite et l'extrême-droite du cadran. Les personnalités ne s'en faisaient pas. Elles écoutaient le hit parade de CJMS en passant tranquillement des remarques désobligeantes autant sur les chansons que sur les interprètes. On n'osait pas se plaindre. On sentait que si on avait dit quelque chose comme : « T'as pas peur d'attraper un ticket ? », Roger nous aurait répondu sardoniquement quelque chose comme : « Les tickets c'est avec eux que je me torche ! », et que les autres en auraient profité pour nous glousser à qui mieux mieux dans leurs bouches tièdes. Mais Nicole pressait sa jambe contre la mienne, et sa cuisse émettait, comme d'une autre réalité, des signaux capables de péter comme des pustules tous les sens que pouvaient se donner ces gens assez trop sûrs d'eux pour jouer (entre autres choses) avec la mort.

Toujours est-il que tout à coup ils se sont jetés de tous leurs becs (rien n'est plus pointu que des bouches en cul de poule) sur Fernand Gignac, un crooner que les petites Québécoises osent adorer uniquement parce qu'elles le trouvent gentil. C'est que la radio s'était mise à jouer son plus récent succès, un duo tendre.

Je me sens riche auprès de toi.
— Moi millionnaire dans tes bras.

Aberrant, effarant, tordant, pissant, puant, dégradant, pepsi, kétaine, dragant. Quelles épithètes trilingues ! It made our brains reel, ça fit nos cerveaux tourner comme des toupies.

Quand ils furent taris ils cherchèrent du secours. Reinette DuHamel s'est tournée et a demandé à Nicole ce qu'elle *en* pensait. Nicole a cru qu'on comptait sans faute sur son opinion personnelle. Comme elle considère (c'est moi qui l'ai élevée comme ça) qu'il n'y a rien de plus sacré que l'opinion personnelle de quelqu'un, elle n'a parlé qu'après avoir bien pesé ses mots : « Moi, je crois que je pense que c'est des mots d'amour... puis que même quand ils sont un peu faibles ils sont touchants... non? C'est jamais ridicule des mots d'amour... non ? L'amour c'est bien... non ? » Plus elle allait plus elle s'enfonçait. J'ai pris mon courage à deux genoux (les siens) et je me suis porté à sa rescousse. Il était temps que j'opère. Reinette DuHamel avait tellement le feu quelque part qu'il fallait qu'elle se retienne pour ne pas défoncer le toit et partir en orbite.

— Ça n'empêche pas Nicole d'apprécier (adorer) les chansons (les poèmes !) de Reinette DuHamel. Hé ! elle collectionne vos microsillons (vos 45-tours aussi) ! Elle trouve même que votre humour se rapproche de (celui de) Boris Vian et c'est celui (l'humour de Boris Vian) qu'elle préfère...

— Et *sa* sœur ?

Tout le monde a fait semblant, par pitié, c'était trop cruel, de ne pas comprendre « et *sa* sœur ». Mais Ragoul Pratte n'a pas pu retenir un « Ça a fait un gros boum quand il a cassé sa pipe, Boris... mais là, c'est pas riche... » Et Roger, qui a toujours le dernier mot pour rire, d'ajouter : « Il avait rien qu'à la casser plus souvent, ça lui fera les pieds... » (quelque chose comme ça, mais mieux tourné ; on est poète ou bien on ne l'est pas).

Dans la salle d'attente *(entradas domesticas)* on s'est tenus à l'écart : alors ça s'est bien passé. On a regardé le ciel en se rappelant le jour où on est partis pour le Mexique (avec les bidoux du Conseil des Arts). Quand la Toune est débarquée, elle était si belle que ça effaçait les autres passagers, que tous les avions se pressaient autour d'elle comme les dauphins d'une escorte mythologique. (Mais c'est injuste d'aimer quelqu'un pour sa beauté ; c'est aussi barbare et malotru que d'admirer la force, le talent ; celui qui est laid et épais ce n'est pas de sa faute ; choisir c'est, plus que se tromper, tromper tout ce qu'on n'a pas choisi.) C'est alors que nous avons vu qu'il y a des snobs qui sont tellement snobs qu'ils se snobbent entre eux. Au sortir des bras primordiaux de Ougi, la Toune, au lieu de tomber dans ceux (trépignants d'impatience et sûrs de leur préséance) de Louis Caron, Ragoul Pratte, Reinette DuHamel, s'est lancée toute bouche dehors sur nos joues. On a été les premiers surpris, tant et si bien qu'on a failli se ramasser à plat dos sur la maçonnerie façon terrazzo.

La Toune, dans tous ses états, a raconté comment le petit bimoteur avait failli se disloquer dans une poche d'air entre Yamachiche et Trois-Rivières. « Il faut mouiller ça ! » s'est écrié Ragoul Pratte. Tout le monde a trouvé ça tordant.

A l'Igloo Bar, ils ont vu qu'on était trop de monde pour une seule table. Alors ils en ont fait mettre deux ensemble par la waitress. Comme tout le monde prenait du cognac Rémy Martin, on n'a pas osé demander du rhum White Sails.

L'endroit était tout désigné pour offrir à la voyageuse son cadeau de bienvenue, une espèce de genre de sorte de bock à bière. C'était une œuvre d'art, d'une création de Michel Colbach, le céramiste favori de la Toune. C'était un vase-potiche sans ouverture ; mais cette singularité, personne n'en a fait grand cas. Quelqu'un a dit : « Sacré Michel, il sort toujours quelque affaire qui tient pas debout » (sur l'air de : à fréquenter des génies on s'habitue au génie), et puis c'est tout. Le vrai gag du bock, c'était ce qui était gravé dessous. L'œuvre, portée à l'envers, passait de main en main : « Flippant, sublime, outrageant, too much... »

Nous on n'avait pas hâte de voir ce que c'était, on avait trop peur de ne pas avoir une bonne réaction ; avec ça que plus notre tour approchait plus le choix des superlatifs se raréfiait. Tout le monde riait ; on s'est dit : « Si on trouve pas de mots assez pertinents, on pourra toujours s'en tirer en riant plus fort. »

Mais quand c'est arrivé, quand je l'ai lu, le fameux *P.Q. mon Q*, la pression était trop grande, j'ai perdu mon jugement, je suis parti au galop sur une piste complètement fausse. Je trouvais sympathique que ces engagés enragés se moquent grivoisement de leur apostolat, et j'ai vu l'occasion de désarmer mes trop fortes tendances réactionnaires...

— Province de Québec mon cul ! Ah c'est bon ! Ah je suis bien d'accord !

Ah qu'ils ne l'ont pas trouvée drôle ! Ah quel froid ça a jeté !

Ils ont observé une minute de silence, comme après la mort du président Kennedy. Seule Nicole avait compris que je n'avais pas fait exprès de confondre *Province de Québec* et *Parti Québécois*. Elle m'a mis au courant de mon erreur aussitôt que possible, tout bas, à l'oreille. J'ai dit : « Je vois », mais je ne voyais pas plus. Pour des séparatistes convaincus, le Parti Québécois n'était-il pas aussi peu profanable que la Province de Québec ? C'était la tour de Babel.

Nicole a suivi la Toune aux toilettes pour lui demander des éclaircissements. Elle n'a pas voulu lui en donner. Elle a haussé les épaules d'une façon détachée avant de répondre mystérieusement :

— C'est une inside-joke... Des chicanes entre modérés et radicaux de la même espèce... Des querelles intestines intellectuelles amicales...

— Qu'est-ce que ça veut dire, je comprends pas ?

— Chanceuse !

Alors la Toune a pris un air importuné. Il n'en fallait pas plus pour que Nicole se sente importune, que ça la rende nerveuse, que son peigne lui tombe des mains. C'est la Toune qui a ramassé le peigne et c'est en finissant elle-même de démêler les cheveux de Nicole qu'elle a précisé (pas trop) sa pensée : « J'aime ça que vous soyez en dehors de ces histoires-là... Restez-y. O.K. ? »

Il n'y avait plus assez de place dans la Citroën. La Toune s'est assise sur les genoux de Louis Caron. Sous prétexte de la chatouiller, il fourrait partout ses mains blanchâtres de romancier joual[1]. Elle aimait ça. Ça l'excitait la chienne sale. Elle prenait part, elle l'encourageait. Elle n'arrêtait pas de ricaner, de se tortiller. On s'est dit fuck. On s'est dit qu'on ne voulait plus jamais avoir affaire à elle, on s'est gelés dur. Quand elle nous posait une question stupide comme « Avez-vous été voir *Clockwork Orange ?* », on répondait oui ou non, ça finissait là.

*

Le bonhomme Bolduc nous a téléphoné pour nous demander poliment si ça nous tenterait de corriger *Health-Santé* (c'est l'organe des pharmaciens herboristes de la Province de Québec ; ils le sortent tous les trois mois). Rien ne nous tentait, on était trop déprimés. On lui a dit non. On le regrette. Dire non au bonhomme Bolduc, c'est comme enlever le lait dans le thé de sa grand-mère.

Les voleurs sur gages de la rue Craig nous ont donné $ 15 pour notre pick-up. On venait de rentrer quand le

1. *L'ensangloté*, Gallimard, 292 pages.

bonhomme Bolduc a appelé, on était dans un mood paranoïaque effrayant, c'est pour ça.

$15! Fuck! Puis il a fallu qu'on tète les crottés de toutes les boutiques! C'était un Telefunken! On l'avait payé $200. Deux haut-parleurs satellites! Ça te *transporte,* bonhomme!

Qu'est-ce que c'est remplacer deux ou trois lampes? Rien! Une affaire de $10! Les fils ont un peu passé au feu, le couvercle de la valise et le caoutchouc de la table tournante aussi, mais c'est combien de dommages? Un fifrelin ou deux! Rien! Pour le reste c'est un pick-up meilleur que neuf, tout rodé d'avance!

Dire qu'il y a un Pied-Noir que ça lui forçait le cul, cet hostie-là, pour nous offrir $5! Dire qu'il nous a jetés dehors (il a ouvert la porte avec mépris sous nos nez puis il l'a refermée avec rage sur nos talons) quand on lui a demandé s'il voulait qu'on rise ou qu'on qu'on qu'on. Il n'y a pas de raisons qui justifisent qu'il aielle traité aussi deux vieillards, cet hostie-là! Au poteau!

La Mondiale ne nous appelle plus jamais. C'est Marcella qui mène là-bas, elle ne peut pas souffrir qu'on élève la voix, on l'a élevée, ça nous apprendra, méat coule pas, c'est écrit dans l'Évangile.

On hésite si (c'est un tournure gidienne) on va vendre nos affaires d'un seul coup ou une par une. Mais on est des instables. Peut-être que tout à l'heure on va craquer et qu'on va les lancer toutes dans le parc Jeanne-Mance à travers la fenêtre. On a appelé la S.P.C.A. pour le chat. « Allez-vous en prendre bien soin si on vous le donne? — Nous on est pas un hôtel. Après une semaine, si personne vient l'acheter, nous on va le gazer votre chat. Nous c'est comme ça que ça marche. Est-il vacciné? » As-tu jamais perdu tes illusions sur quelque chose d'aussi apparemment correct que la S.P.C.A.?

On va tout vendre, même notre argent. On va garder juste notre TV. Après on va dormir sur le plancher (si personne ne veut l'acheter). Après on va manger nos dents, c'est fantastique comment que c'est nourrissant : calcium, fer, fluor.

Quand le bonhomme Bolduc a appelé, on venait tout juste d'arriver de se faire fourrer. On était si écœurés que nos bouches moussaient, comme le chat quand il a mangé de l'herbe dans le parc Jeanne-Mance, du gazon que tous les bommes du bout pissent dessus. J'hallucinais, comme dirait la Toune. Je cherchais les ciseaux pour me couper les cheveux ; dans ces cas-là c'est ma seule thérapie ; je les rase, les hosties. On n'a pas engueulé le bonhomme bolduc, on lui a juste dit non. Ça aurait été écœurant d'abîmer une perle pareille. Délicat comme une femme, droit comme l'épée du roi, curieux, attentif. Il ne fait jamais de fautes de français, même quand il demande un hamburger all-dressed pas de relish à la waitress de la luncheonette du Dominion Supermarket des Galeries d'Anjou. Il dit qu'on est les seuls correcteurs de Montréal à qui il fasse confiance les yeux fermés. On se sent *valorisés* quand on travaille pour lui, *importants*. Quand on décide qu'il manque une vigurle quelque part, il est prêt à envenimer ses rapports avec le prote pour la faire mettre. A sa place à part de ça ! Pas de rafistouillonnage à coups d'X-Acto, pas de coinçage entre deux mots qui ont déjà de la misère à souffler ! Aéré ! S'il n'y a pas assez de place dans la ligne, il fait recomposer le paragraphe. L'amour c'est ça ! Éros c'est le bonhomme Bolduc.

Là, on n'est pas près de retourner dans la monde (oui oui, la monde). On va les étirer nos $ 15, tu peux têtre sûr. On va rester blottis au fond de notre trou et on va lécher nos plaies, longtemps, tu peux têtre sûr.

*

On est décidés de ne plus jamais répondre au téléphone. On avait des idées d'arracher le fil (comme dans les films policiers), de le couper en petits bouts, de les faire cuire, comme des saucisses.

Le téléphone sonna. On se précipita. Tout feu. Tout flamme. C'était elle. Notre Toune. Notre élan transcendantal vers le bas. « Allô, c'est moi, je ne sais pas trop pourquoi je vous appelle... »

Tu nous appelais exprès pour nous frustrer, exaspérer, pour faire grandir jusqu'à la tension d'éclatement le besoin que tu sais nous donner de toi. A nous, que ta seule voix fait déborder, tu as dit que tu es vide, *toujours vide,* tu as dit que tu souffres d'*absence aiguë,* que tu n'es pas là, *jamais là.* Tu es *seule* même quand tu fais l'amour. (Comme Françoise Sagan dans *Bonjour tristesse* ou comme Simone de Beauvoir dans *Pour une morale de l'ambiguïté ?*) On ne comprend pas ça, nous, ces affaires-là. Nous qui sommes avec toi même quand c'est avec tous les autres que tu es.

— Mais des fois je me demande si c'est vraiment moi qui est *absente aiguë,* qui est pas là, jamais là, je me demande si c'est pas les autres plutôt... Des fois je trouve que c'est la vie qui est absente, pas moi... Je suis prête, moi : c'est pas de ma faute si y a rien qui vient. Pensez-vous que c'est de ma faute, mes trésors ? Si y a rien, à quoi voulez-vous que je sois présente ? Si y a rien que des hippies, des séparatistes et des fédéralistes, où voulez-vous que je me mette ?

— Tu crois plus au destin national des Québécois ?

— Je fais comme si. C'est crois ou meurs. C'est con, man.

Pourquoi tu ne crois pas en nous alors ? Ça serait bien plus con.

*

Quatre-vingt-dix pour cent de nos copains des Beaux-Arts sont devenus célèbres. Marcel Marsil, par exemple, chaque film qu'il sort (il en sort à la pochetée) vire le Tout-Montréal à l'envers. C'est un raboudineur de films antispectateurs genre nouvelle vague (brevet RF 285847678, Paris 1957). Il a compris qu'il n'y a rien qu'une bonne élite grasse aime comme qu'on la fasse un peu chier ; il s'est mis à son service.

Il a un talent terrible pour vider les intestins. Aux Beaux-Arts, il nous flanquait des clystères tels qu'on n'arrivait pas à dormir, on passait nos nuits aux toilettes, les yeux tout cernés. Mais nous au moins, on n'aimait pas ça. La plupart des autres, ils adoraient... Marsil était leur soleil de marde. Ils se mettaient à genoux pour mieux devoir lever la tête pour le regarder. Ils se répétaient ce qu'il disait. Marsil a dit ci, Marsil a dit ça. C'était toujours des anathèmes épouvantables contre ceux qui étaient justement en train de lui lécher le cul, des gâtés-pourris-crasse qui se demandaient avec des airs ténébreux de quoi ils pourraient bien avoir envie dans la vie. Masochistes. Tu craches dessus, ils te paient, ils te disent merci, ils écrivent un essai sur toi : « Marcel Marsil et les affreux ». Kafkaïen. Catégoriquement démoralisant.

Une de nos grosses tortures c'est de se faire parler du nouveau film de Marcel Marsil. Quels effets catastrophiques ça a le don d'avoir sur notre moral ! On fait dépression sur dépression, on touche le seuil du suicide. On se regarde dans le miroir avec des yeux méprisants puis on se dit : « Jaloux, v'là qu'on est rendus jaloux ! » On finit par se croire. Quels tourments ! On se promène le nez sous l'aisselle en disant : « On pue, nous v'là rendus qu'on pue ! » Déchirante infortune !

Ça a fait exprès. Au lit depuis trois jours, on était en train de s'administrer un lavage de cerveau à l'Alpha qui commençait à faire effet ; on partait sur des grands rires à propos de rien. Tout à coup le téléphone (on va pourtant finir par lui faire son affaire, cet hostie-là) sonne. C'est Laïnou. Elle est toute bouleversée. Elle ne sait plus qui elle est. Elle parle dans le souffle.

— Je suis toute bouleversée. Je ne sais plus qui je suis.

— Qu'est-ce qu'y a ? Ton Idéaliste t'a relaissée tomber...

— Non !

— T'as la preuve que c'est une tapette...

— Mes yeux transfigurent ; ils ne voient plus le réel de la même manière. J'ai reçu un fameux coup de poing dans les tripes ; je ne me sens plus comme avant ; je est une autre. Je ne savais pas qu'on pouvait entrer dans un cinéma dans une peau et ressortir dans une autre. Maintenant oui. Je viens de voir le dernier film de Marsil ! Nous sommes tous des masturbateurs, des crosseurs comme il dit si bien, moi la première ! C'est dégueulasse ! Mais en même temps, comme c'est touchant, cette bassesse à laquelle nous réduit notre irréparable solitude !

— Comme nous t'envions de ce qui t'arrive ! Parle-nous de cette expérience jusque dans les moindres détails ! Pour que nous puissions jouir avec toi dans toute la force du mot ! Hélas nous n'avons pas les moyens d'aller au cinéma... $2.75 c'est tellement exorbitant ! Et puis ça augmente tout le temps !

— Si c'est une question de fric...

— N'insiste pas, raconte-nous-le plutôt, ce fameux coup de poing. Communique-nous-le ! Nous le verrons mieux par tes propres yeux ! Tu es si sensible !

Elle nous a torturés pendant deux heures et demie. Ce n'est pas de sa faute ; en effet, on l'encourageait, la stimulait, insistait... Quand elle ne savait plus où elle en était, après une série de digressions plus palpitantes les unes que les autres, on la remettait nous-mêmes sur la piste. Hé ! on ne voulait rien faire qui aurait pu lui mettre le morpion à l'oreille. Hé ! On ne voulait pas qu'elle se doute qu'on était des jaloux.

*

On a fait venir à crédit de chez le Grec, qu'on ne paiera jamais (les gens gentils tout le monde les fourre, nous les premiers), du fromage tranché Kraft, du pain tranché Weston, enrichi de vitamines M, A, S, T, I et C, du lait hypnotisé JJoubert, du sucre superfin St. Lawrence, du beurre *sale* (c'est-à-dire *salé;* les Anglais sont tout perdus dans nos accents) Lactancia et du café décaféiné Sanka. On est bons pour une grosse semaine.

Nicole a placé sur la commode l'enveloppe des CP-CN Télécommunications où elle a enfermé ses pelures d'orange. Elle ne veut pas que je la jette, que je la bouge, que j'y touche. Elle veut savoir ce qu'elle va *finir par faire* si on la laisse tranquille.

— Je vais te le dire tout de suite ce qu'elle va *finir par faire,* ta lettre de pelures d'orange ! Elle va finir par rester où tu l'as mise !

— Ça me fait rien, moi !

L'Italien de Chez Rachel nous a donné, effet de ses

techniques de marketing (ou pour les beaux yeux de Nicole), un paquet de bonbons creux au whisky. Tu peux les croquer ou les sucer. Si tu croques tu gâches ta surprise puis tes dents restent gommées pendant deux heures et demie. On préfère les faire fondre sur la langue, les user jusqu'à ce qu'il ne reste qu'une pellicule de sucre, jusqu'à ce que, de mince en plus mince, elle éclate d'elle-même, que l'alcool jaillisse, très chaud, qu'il saisisse tout d'un coup toute la bouche.

On s'en est tapé cinq pendant *Sa dernière nuit d'amour.* Là c'est *Confidences sur l'oreiller* puis c'est tellement effrayant comme c'est épouvantable qu'on est en train de tout dilapider. Nicole rouvre l'enveloppe, il reste un CAVA, elle le prend. Nicole est fière de son coup. Elle sort la langue de temps en temps : il trône dessus, brun pâle ou jaune foncé, légèrement translucide, toujours plus petit, ses angles toujours plus ronds. Elle me nargue et m'excite.

— Il est presque tout fondu, le veux-tu ?

— Oui.

— Tu l'auras pas, je le garde pour moi.

Il y a dans son petit jeu quelque chose qui l'amuse. Elle le refait jusqu'à la dernière seconde. Je fais mon possible pour enrichir son plaisir.

— Je sens ça venir, ça va y être, le veux-tu ?

— Non, manche da marde !

— Ça y est ! Dépêche ! Sans farce !

Elle donne de force sa bouche, poisseuse, sucrée, délicieuse. Je résiste aux gymnastiques de ses lèvres, qui cherchent à pousser entre les miennes le bonbon. Le bonbon se rompt, le whisky se répand, barbouille nos mentons, comme des cochons.

La grève rotative, perlée, du zèle, sur le tas, sauvage (en veux-tu en voilà) des techniciens du canal 2, nous sommes pour ; en effet, elle a des bons effets. Qu'ils débraient, comme on dit. Qu'ils débraient ! Ils ne débraieront jamais assez souvent à notre goût. Quand ils débraient, ils font sauter les affaires déprimantes comme *Marcus Welby, Quelle Famille, Hawaii 5-0, Mannix, Rue des Pignons* et ils nous projettent sans annonces, sans arrêt, des longs métrages ! Rien que des films ! Pas d'annonces ! Pas de massages de méninges pour te faire halluciner toutes les cinq minutes, pour te punir, pour te faire regretter d'être un crotté, de ne pas faire partie d'une ligue de bowling, d'être pris pour passer tes soirées avachi devant la TV. On pense souvent que s'il n'y avait jamais d'annonces à la TV il n'y aurait pas de révolutions. On a vu *Intrigue à Suez, Cinq gars pour Singapour* (saisis-tu l'astuce ?), *Prisonnier de la peur, Violence charnelle* (Cosetta Greco, de dos, comme au ralenti, soulève son pull-over ; sous cette cage deux colombes dormaient ; elles remuent, dressent le bec, comme pour s'envoler, elles n'en font rien, elles sont trop bien près du cœur de Cosetta Greco) et *Sa dernière nuit d'amour* (avec Marta Toren, qui a cassé exprès sa pipe, on suppose qu'elle était écœurée qu'ils la fassent mettre, les larmes aux yeux, la morve au nez, à genoux devant Amedeo Nazzari, cet affreux).

*

A jeun tu as beau chercher, creuser ta tête, passer des journées à ça, tu n'arrives pas à comprendre ce qui se passe. Après deux Bloody Mary, ça vient tout seul, tu le sens, tu l'as : le sens de la vie c'est d'être soûl. Et alors tu commences à parler comme un vrai Verbe Incarné, tu dis : « Hé ! Terry, ma belle Terry, un autre Bloody Mary, ma choute, ma moutonne, ma lapine ! »

Quand la Toune est partie, on était loin de se douter que la nuit finirait comme ça, c'est-à-dire en pleine euphorie. On monte la rue Rachel complètement d'accord avec tout. La croix luit sur la montagne et les bombes pleuvent sur le Vietnam, de quoi qu'on se plaint ? Pas du tout ironiques, satiriques, sardoniques. Juste de bonne humeur.

Quand la Toune est partie, tout nous faisait mal : nos yeux saignaient de l'avoir tant regardée sans trouver où loger, où se reposer assez, comme pour toujours ; nos mains étaient couvertes d'ampoules de n'avoir rien pu saisir, posséder, garder, d'un si grand bonheur si proche. On se sentait complètement perdus de ne pas avoir trouvé ce qu'on cherche, qui avait pourtant été complètement là, tout près.

La Toune est venue nous voir. Elle est entrée en annonçant dans son langage imagé qu'elle se sentait comme un rouleau de papier de toilette qui vient de tomber dans le bol des toilettes. Elle est restée pas mal plus longtemps qu'elle pensait. Nous l'avons aimée comme des fous tout le long. Quand elle est partie, nous l'avons haïe, abhorrée. Nous lui en avons voulu autant que nous l'avions voulue. Plus que ça. Nous lui avons souhaité des poux, avec pas d'ongles pour se gratter. Le pire, la chienne, c'est que, malgré qu'on n'ait pas dit « Reste ! » (qu'on ait gardé ce silence au-dessus de nos forces), elle a vu, elle a surpris, dans toute son horreur, notre désarroi. Elle a dit : « Mon cœur souffre quand il a faim ; quand il a pas faim c'est pire, il meurt. » Quand le fer tourne dans la plaie comme la clé dans la serrure.

La Toune est entrée. Elle s'est assise avec nous autour de la table. Elle ne voulait pas ôter son imperméable. Elle était venue pour cinq minutes, c'est tout. « Je vais boire un verre de lait puis je vais y aller. » C'était impossible qu'elle parte si vite. Je ne sais pas pourquoi mais on était certains de pouvoir la retenir ; quand on est sûr on peut. Ça n'a pas été si difficile que ça. Une fois montée sur les grands chevaux de toutes les carrières et professions qu'elle doit mener de front, elle n'est pas stoppable. Il a suffi qu'on lui pose les bonnes questions. « Qu'est-ce que c'est pour toi faire un film ? Est-ce une sorte d'exploit qui totalise ta singularité, ou un autre bout de chemin absurde dans l'aventure insignifiante du devenir humain ? »

Elle l'a ôté, son imper de chez Cardin. Essayer de s'exprimer, de communiquer, franchir le mur du son, ça donne vite chaud. Quand il a fallu qu'elle le remette, elle ne se rappelait plus où elle l'avait mis, ça faisait trop longtemps. (Elle l'avait lancé comme un tas de chiffons sur le frigidaire nappé de poussière. Genre grand genre. Genre : je porte des beaux vêtements mais je n'en fais pas une maladie, comme vous voyez...)

— Puis y a la tournée de financement. Faut que je l'organise, coup de téléphone par coup de téléphone. Faut que je la fasse, ville par ville, mille après mille. Puis je vais être fatiguée-morte ; il va falloir que je passe un mois à la campagne pour récupérer... Puis vous autres ?

Sa grande politesse l'incitait à clore ses discours en nous passant le micro : « Puis vous autres ? » On savait où était notre bien ; on a pu tenir bon jusqu'avant la fin : « Parle, toi ; nous on est contents de te voir et puis c'est tout. » Quand la fréquence et l'amplitude des remuements de ses fesses sur le fauteuil de leatherette se sont mises à grandir à vue d'œil, qu'on a vu devenir imminente la dernière minute, ça a été trop triste, trop dur, on n'a plus pu résister : on s'est plaints, on a vagi, vasé.

— On voulait pas te le dire, mais ça va mal. Y a plus rien qui marche. Tout se morpionne. On avait plus rien à manger, a fallu qu'on aille marchander notre pick-up dans la rue Graig. Nos rares clients nous appellent plus jamais. Y a trop de chômage au Canada, on se sent superflus, superinutiles, superabandonnés. Hé ! c'est pas comique : un Canada qui a pas besoin de notre force de travail, puis des Canadiens qui ont pas besoin de notre force d'amour, qui nous laissent tous tout seuls, qui se sont tous mis d'accord pour qu'on s'écrase dans notre coin puis qu'on grouille pas...

Elle aurait pu dire : « Je suis peut-être rien qu'une petite *Québécoise,* mais je laisserai pas faire ça, moi... » Elle n'a rien dit. (Avec une femme le meilleur moyen de ne pas obtenir une chose c'est de la demander.)

Elle a été aux toilettes avant de partir. C'est alors qu'elle a plié un billet de 20 en forme d'aéroplane et qu'elle l'a piqué dans un des trous à poudrer de la boîte d'Ajax. On l'a trouvé comme une claque dans la face. On était insultés. Fuck ! elle nous prend pour des téteux. Comment ça se fait qu'elle n'a pas compris qu'on ne se plaignait pas pour qu'elle nous paie, mais pour qu'elle... soit assez tendre tout à coup pour que ça remplace tout, pour qu'on n'ait plus besoin de rien même plus d'elle... A force de nous donner de l'argent quand on se plaint, les gens vont finir par nous tromper sur nos propres intentions ! Et nous donner mauvaise conscience ! On a pris le 20 et on est partis voir s'il était buvable.

On est restés au Thalassa Bar le temps d'un pèlerinage et de piquer un cendrier, guise de relique. Ensuite on a été au Café 79 et on est tombés dans le Bloody Mary. On ne le trouvait jamais assez fort. Florence s'est choquée et elle a flanqué la fiole de Tabasco sur le comptoir. Plus ça brûle la gueule plus c'est bon. Brusquement, il nous restait $5. On s'est dit : « Si on continue au Bloody Mary on en a plus pour longtemps. » On s'est raisonnés ; on s'est convertis à la bière. Brusquement, il restait, dans tous les fonds de nos poches, $0.40. Mais ça allait trop bien pour que ça arrête là. Nicole a reconnu le livreur de Chez Rachel dans l'assistance ; elle a été le trouver. Je ne sais pas ce qu'elle a obtenu, je ne le lui ai pas demandé. Mais quand il n'y avait plus de bière dans mon verre il y en avait encore.

Tout ça pour aboutir à écouter Adamo chanter « *J' fais des maths, oui j' compte les oiseaux* ». (La radio, c'est la Toune qui l'a apportée : « Ça traînait sur la tablette en haut de la garde-robe. »)

Hé ! c'est assez les chansons tristes. On ferme Adamo, on se prend par le cou, on laisse éclater notre verve. « *Je roule en* Torino... *dans les rues de Paris... depuis que j'ai compris la vie.* » *Torino,* c'est pour la petite blonde bêcheuse. C'est *Cadillac* que Boris Vian dit.

*

« Ici Mademoiselle Brassard aux Petites Éditions... » Et ainsi Sex-Expel, avec son fort accent parisien de Lavaltrie, nous réveille pour nous dire de passer au bureau à *quatorze heures.*

— Pour quoi faire ?

— Comment pour quoi faire ? Roger Degrandpré daigne vous convoquer et vous n'êtes pas tout fous tout contents ! Enchantés et ravis, vous n'êtes pas foutus de trépigner ! Sous quel signe zodiacal êtes-vous nés pour être si désabusés ?

Ce n'est pas les mots exacts de la malotruse mais ils expriment mieux sa stupéfaction outrée, cavalière, mordante.

— C'est loin Frontenac et Sainte-Catherine ; je sais pas si tu le sais, mais ça se fait pas tout seul la marche à pied. Alors pourquoi que Roger nous dit pas au téléphone ce qu'il nous veut, comme le commun des mortels ?

(Quand on se fait réveiller avant midi on a notre propre façon de penser, et du front tout le tour de la tête.)

— C'est pour faire les commissions de Roger Degrandpré que je suis rémunérée, moi, pas les vôtres ! Cloc !

Là, c'est ses propres paroles, sauf *cloc*, qui est le bruit que ça fait quand ton correspondant raccroche sec.

Nous ! se faire fermer la ligne au nez sec ! par une machiniste à écrire ! fuck ! Si c'était à recommencer, ce n'est pas aux Beaux-Arts qu'on irait, c'est aux Hautes Études, pour devenir millionnaires, pour regarder les fraîches comme elle se fendre en quatre pour nous faire plaisir ! Ça bande rien qu'avec les grosses légumes puis ça te traite comme Ponce Pilate dans le Credo quand tu te mets à genoux merci beaucoup de travailler pour la décolonisation du Québec et le désassujettissement des troudkus comme nous ! Qu'a Roger ? Nous a-t-il trouvé enfin notre job de $250 par semaine à ne rien faire dans la publicité ? Nous avons des natures insécures et immatures. Les énigmes mystérieuses nous rendent impatients et nerveux.

Dix heures et quart ! Quelle heure matutinale fuckante platte !

On a envie d'aller au Whimpy's, en face de la pharmacie Labow, se taper un ordre de bonnes toasts molles avec une bonne tasse de café où nagent des œils de graisse. Le temps a l'habitude de passer vite dans ce snack-bar étroit comme un corridor ; le Journal de Montréal et Montréal-Matin traînent sur le comptoir ; tu peux les lire au complet sans que personne te pousse. On fait des fouilles. Un vieux $0.25 dans un porte-monnaie abandonné, $0.17 dans un coupe-vent, rien sous la carpette, $0.11 derrière le hyde-a-bed, on connaît les bons endroits, on va trouver comme rien les $0.75 que ça nous prend, environ.

Le chauffeur du 51 est en avance sur son horaire. Il pose sa bouteille de rechange de Pepsi à côté de la caisse puis il fait signe à Nikos qu'il n'y a pas de presse, qu'il peut finir de nous servir. Dans l'autobus pendant ce temps tout le monde attend, bande d'abrutis.

Un chauffeur de taxi âgé mange une sorte de flaque de jambon grise et triste comme la figure du premier ministre Bourassa sur Montréal-Matin. Il raconte à Nikos comment l'hiver c'est mieux que l'été. « Prends le mercredi par exemple. L'hiver je serre mon char à six heures. Me lave, me change, me repose, mange un bon steak, j'ai tout fini vers sept heures et demie. M'assis, m'allume une bonne cigarette, puis *Le Ranch à Willie* commence au canal 10. Des bonnes chansons de cowboys, des bonnes farces, j'ai un fonne noir. Après, juste le temps de me lever pour aller tourner le piton : la partie de hockey commence au canal 2. Puis là je suis bon pour jusqu'à dix heures et demie onze heures moins quart, puis là je me couche puis je dors. L'été *Le Ranch à Willie* tombe, le hockey tombe, y a plus rien, c'est mort, pas le goût de revenir à la maison, pas le goût de rien faire, me parke au stand puis j'attends puis je niaise... »

On descend le boulevard Saint-Laurent en faisant des zigzags pour dépasser les petites vieilles sans les jeter à terre. On se creuse la tête pour trouver à la *permanente* un sobriquet plus *incisif* que Sex-Expel. Si on l'appelait *Gaies-Varices ?* « Non, je trouve ça trop facile. » Si on l'appelait *la Castreuse de Parme.* « Non, je trouve ça trop tiré par les cheveux. » Des banques dominent les quatre coins de la plupart des intersections. Elles sont belles. Elles ont un air plus encourageant en tout cas que les files de smoked-meat-bars et de manufactures de couture qui s'intercalent entre elles comme des parenthèses sales, à moitié raturées et gammées.

On a du temps en masse. A Milton, on tourne (je dis : « Silence, on tourne ! » Nicole trouve ça drôle : « Tu me fais rire quand tu fais des farces ») pour passer devant le cinéma Élysée pour regarder les affiches : elles sont verrouillées, comme des reliques, dans des boîtes vitrées plates comme des galettes intitulées *Now Playing Aujourd'hui* et *Coming Soon Bientôt.* C'est beau.

On prend la côte par la rue Clark pour passer devant El Cortijo pour que nos cœurs se serrent en respirant cette ruine de notre bon vieux temps.

— Je sais pas pourquoi ils ont fermé, c'était pas mal situé...

— Si on l'appelait *Mal-Située ?*

— Non, c'est pas assez cochon. Ça y est, je l'ai : *Mal-Struée !*

Mal-Struée nous dit de nous asseoir, que Roger Degrandpré est *en conférence pour le moment.*

— T'en souviens-tu Nicole quand on allait faire jouer *Esperanza* au Cortijo après l'école ? C'était quatre pour trente sous... On le faisait jouer quatre fois de file...

— Oui, on restait plantés devant le juke-box. On s'accotait sur les haut-parleurs pour que ça joue dans nos ventres...

— *Tu t'laisses aller* aussi c'était pas mal bon...

J'ai dit *Tu t'laisses aller* en regardant Mal-Struée pour la provoquer. N'empêche que oui, c'était une hostie de bonne chanson.

On chante « *C'est drôle c'que t'es drôle à r'garder...* » On secoue la cendre de notre seul cigare (on se le passe) sur le tapis d'ozite beige. On arrache des pages complètes dans les Nouvel Observateur mis à la disposition des petits solliciteurs qui peuvent toujours attendre, on les plie, on les fourre sous nos vêtements, on fait semblant de se décrotter le nez puis de s'essuyer sous le siège rehaussé de leatherette de nos chaises à béquilles chromées. J'étire les sangles du Wonder Bra de Nicole pour les faire péter fort dans son dos. Tout ça exprès. Mais ça ne sert à rien. Mal-Struée est trop occupée pour s'occuper de nos singeries. C'est trop heavy, anyway. Mais c'est pas de notre faute si on est nés épais, on n'a pas d'affaire à payer pour.

On en veut aux secrétaires. Ça se comprend. Ça fait cinq ans qu'on cherche une job payante dans la publicité et c'est toujours par elles qu'on se fait revirer. C'est elles qui nous disent, heureuses d'exercer de l'importance, pleines de l'assurance (que leur donne l'atomiseur Sprainet) qu'aucun poil de leurs couettes ne débandera : « Nous verrons ; peut-être ; une autre fois ; nous vous téléphonerons ; don't call us we'll call you... » C'est des chiennes de garde. On n'a pas besoin de se gêner pour les détester ; c'est pour ça qu'elles sont payées, elles aiment ça. Elles sont glorieuses et fraîches parce qu'elles sont les seuls employés à avoir des rapports directs avec Dieu le Patron.

— T'en souviens-tu, chère, y avait une fille au

Cortijo qui se déboutonnait devant tout le monde pour donner le sein à son bébé...

— Oui, ça t'écœurait, tu la traitais d'exhibitionniste... Moi je trouvais ça touchant...

Roger se lève, se porte vers Nicole, embrasse cérémonieusement ses joues : elles s'allument, chacune leur tour. A Maskinongé ça ne se faisait pas. Quand on se voyait on se disait salut le cul et puis c'est tout.

— Comment ça va, mon beau Roger ?...

— Ah débordé débordé débordé !... Notre imprimeur est mort puis il a tout laissé à ses employés. Les gars se sont mis après moi pour que je leur monte une coopérative. J'ai la tête grosse comme ça...

— La renommée c'est rempli d'inconvénients...

— Je peux pas me défiler. Ça m'emmerde. Je passe mon temps à m'occuper de 30 Québécois qui pourraient très bien se débrouiller tout seuls pendant qu'y en a 125 000 qui sont sans job puis 6 000 000 sans pays. C'est aberrant. Ça me frustre. Vous comprenez ?

— Quelle vie remplie !... Nous on a rien que notre derrière à s'occuper puis ça force pour qu'on se le lave...

C'est une allusion à un pamphlet de Roger sur les « déserteurs sociaux »; elle passe tout droit. Porté comme un avion par le souffle de sa pensée, il n'a rien entendu.

— Je voudrais sacrer tout ça là puis faire la tournée de financement du film de Petit Pois... rencontrer les gars dans les petites salles paroissiales... en Mauricie, Beauce, Abitibi... traîner dans leurs tavernes... leur payer une grosse Mol... péter de la brew[1]... parler

1. Prononcer *brou*, anglicisme, sens propre : l'écume (de la bière), sens ici : parler avec passion (en postillonnant).

hockey, chasse, char, millage par gallon de gaz... faire sortir ce qu'ils ont dans le ventre... (? ? ?)

Il a l'air de se plaire dans sa verve de confidences.

— Comment qu'elle va Petit Pois ?

— Petit Pois, pour moi, vous comprenez, c'est le gothique flamboyant de la femme ; elle a pas de *milieu*... La veille, elle négocie un contrat de distribution avec deux requins de Famous Players puis c'est eux qui se font fourrer... Le lendemain, elle passe la journée dans sa chambre avec son nounours de quand elle avait huit ans : elle lui parle, le berce, lui construit une maison dans une caisse en carton... Elle sait tout puis c'est elle qui dit à tout le monde quoi faire ; ou bien c'est elle qui est perdue puis elle arrête les passants dans la rue pour leur demander où elle s'en va...

— Comme ça a l'air beau ! Vous devez vous aimer beaucoup...

— On n'arrête pas de se battre... Là, c'est la guerre du frigidaire. Le vendredi, elle l'emplit à ras bord : rôti de bœuf, rôti de porc, côtelettes de veau, côtelettes d'agneau made in New Zealand, steaks Spencer, Boston, T-bone ; ça me coûte $ 50. Le soir même, elle fait un gros effort : on mange à la maison chéri ! Tu parles : une boîte de soupe Campbell, deux grill-cheese [1] carbonisés, des dill pickles [2], des chips Duchess... Puis le reste du temps c'est : je suis tannée de l'horizon de mes quatre murs chéri ; emmène-moi Chez son Père ou à l'Accrochage. Ou bien elle appelle une copine, puis elles vont manger un smoked-meat [3] dans un petit restaurant de la Plaza Saint-Hubert, pour voir du

1. Sandwich au fromage, grillé avec le fromage dedans.
2. Cornichons marinés à l'aneth.
3. Sandwich à la viande fumée cawchère.

monde ordinaire[1]. La semaine passe, le vendredi revient, la viande sent le curieux, c'est le grand ménage du frigidaire, elle sacre tout dans la poubelle, elle retourne chez Dionne avec sa mère, ça vient de me recoûter cinquante autres tomates. Ah les femmes !

— Ah c'est des numéros !...

Il consulte sa montre, qu'il porte sous le poignet, comme je ne sais plus qui. Il reprend, plus vite que tu mets ton chapeau, son air de young business executive. Ce n'est pas pour potiner qu'il nous a fait venir... Petit Pois a besoin d'un chauffeur pour faire sa tournée de financement, et elle lui a demandé de me dire qu'elle aimerait beaucoup que ce soit moi. On partirait (avec Nicole bien entendu) pour un mois, toutes nos dépenses seraient payées, on reviendrait avec $ 200 dans nos poches.

— Sais-tu conduire ?

Le coup de coude de Nicole n'a rien d'équivoque. Il faut que je réponde oui. Je le réponds.

Il nous offre un chèque de $ 100. Acceptons-nous cet à-valoir ?

— Faites pas les difficiles. Petit Pois se mettrait dans tous ses états de bonne samaritaine, je me ferais engueuler comme du poisson pourri.

Quelle phrase ironique, satirique, sardonique !

*

Les problèmes, c'est une chose qu'on n'est pas capables prendre. En plus de brouiller nos canaux de perception (pas moyen de lire la seule page des Amaranthacées ou de regarder *Une affaire de cœur* de

1. *Cheap people.*

Dusan Makavejev, même si on *adore le cinéma yougoslave*) et de bloquer nos circuits d'écoulement des sensations (mécanismes qui permettent de cesser de penser toujours à la même chose), en plus donc de nous mettre dans un insupportable état de panne, ça nous empêche de dormir.

J'ai accepté de remplir une tâche de chauffeur, je ne sais pas conduire, je n'ai pas l'intention d'apprendre, c'est contre mes principes, je crie depuis que je suis tout petit que je ne toucherai jamais à l'automobile, cet instrument puant, étouffant et asphyxiant d'aliénation qui a tué tous mes chiens et mes chats, ce piège où est tombée la famille, qui l'a désunie, diminuée, déshonorée... ce n'est plus à qui aimera le plus son frère, c'est à quel frère aura le plus beau char... Et puis j'ai peur des accidents... Qu'est-ce qu'on va faire ?

Ça fait depuis minuit qu'on se recouche puis qu'on se relève. Ça fait quatre aspirines, quatre tasses d'eau chaude et quatre douches qu'on prend. On a fait assez de tours d'horizon critiques de nos vies pour donner le vertige au hyde-a-bed. On s'est fait tellement de serments de ne plus jamais se remettre les pieds dans des plats pareils qu'on ne sait plus quoi faire avec.

— Nicole, c'est final : *je vais apprendre à conduire...*

— Bonhomme, je veux rien savoir, *tu n'apprendras pas à conduire*, tu me passeras sur le corps avant, c'est trop primordial pour toi...

On allume encore une fois la lumière, on regarde encore une fois l'heure, il est encore une fois entre quatre et cinq heures.

— Fuck ! On appelle Roger puis on défait tout. Qu'est-ce qu'on a à perdre ? Une place de téteux dans un ramassis de péteux plus haut que le trou ? Un rôle de valets de cœur dans un jeu de prima donnette ?

— T'es fou ! On réveille pas Roger Degrandpré à cinq heures du matin !

— Mon sommeil est aussi précieux que celui de *Roger Degrandpré !*

— Ça a du bon sens mais c'est pas l'avis de *Roger Degrandpré !*

Nicole se lève, décidée : « On va aller prendre un peu d'air ! » Dans les cas désespérés elle a plus d'initiative que moi.

Déambuler à travers le parc Jeanne-Mance, broyer le noir des arbres nus dans la nuit de la première herbe. Traverser, en criant pour l'écho, le petit tunnel verdâtre où des paranoïaques ont dessiné des croix gammées, des bommes ont craché des morceaux de poumons, pissé, chié, des enfants (des stails, des flaux) ont lancé (pitché, garroché) des bouteilles qui ont volé en mille miettes. Continuer, comme sans but, dans l'avenue des Pins, monter la Côte-des-Neiges. Prendre le Boulevard : « Les Anglais disent *ze Boulevarde,* ces hosties-là ! — Ils ont bien le droit, c'est à eux... » Se ramasser, avec des pas comme amollis par la ouateur de l'aube, dans Notre-Dame-de-Grâce. Là, s'apercevoir que nos cœurs nous ont conduits tout le long et qu'ils nous menaient vers Laïnou, la sainte patronne de nos dérélictions.

On sonne ; personne ne vient. Laïnou ne verrouille jamais sa porte. On tourne, on pousse, on entre, on ne fait pas de bruit. Ça ronfle sous la table à cartes, ce doit être l'Idéaliste. « Chut ! »

On va s'asseoir sur la pointe des pieds sur le bord du lit de Laïnou ; on applique nos mains encore froides sur sa figure, encore occupée à absorber la couche quotidienne de cold-cream.

— Pauvres corniauds, qu'est-ce qui vous arrive encore ? Vous avez l'air tout fous tout perdus.

— Si tu savais dans quoi qu'on s'est embarqués!

Marmonnant, bégayant, soupirant, on la met au courant. Ça la fait rire et puis c'est tout. Elle trouve que le pire c'est que le soleil se lève et qu'on n'a pas encore dormi. Elle nous dit de nous déshabiller et de nous coucher. On s'étend de chaque côté d'elle, sans enthousiasme. Elle allonge ses jambes sur les nôtres, elle glisse ses bras sous nos cous, elle nous serre.

— C'est con mais je suis tactile, moi, faut que je touche pour sentir!

On trouve ça suspect mais on est habitués, plus ou moins, relativement.

— Vous me croirez pas, mais j'étais en train de rêver que je vous donnais un coup de fil pour que vous veniez me consoler... C'est tordant, hein?

— Non.

— Y en a marre de Pierre Dogan, j'en peux plus, j'ai pas encore dormi de la nuit. Il m'a rendue suicidaire, moi si légère. Je peux pas fermer les yeux sans me figurer que je tombe d'un gratte-ciel de mille étages.

— Folie des grandeurs.

— Il me sort pas! Il me parle pas! Il me baise pas! C'est un con, un dégueulasse, un maquereau, vous aviez bien raison!

— C'est pas ça qu'on a dit. Délire d'interprétation.

Quand ça ne veut pas dormir, prends un bon coup. Faisca, gin, whisky, vodka, Laïnou déménage dans le lit tous les trésors de sa cachette. C'est triste que le corps de Laïnou nous repousse. Elle nous fait toutes sortes de caresses, comme verser un peu de boisson sur nos ventres et la lécher, qui devraient nous exciter tout court mais qui ne font qu'exciter notre pitié, qui au lieu de nous donner des idées tout court nous donnent des idées noires, hideuses, haineuses. C'est tragique et c'est injuste; sa peau comme du papier sablé, ce n'est-pas elle qui l'a faite, *elle l'a reçue* et puis c'est tout. Mais ce n'est pas nous qui nous sommes faits non plus ; ce n'est pas de notre faute si ce qu'on a *reçu* nous fait prendre des attitudes vexantes, humiliantes, débandantes, qui poussent Laïnou à l'alcoolisme (elle siffle comme de l'eau des grands verres de vodka, whisky, gin, Faisca, sans discrimination). Fuck ! (C'est le cas de le dire, bonhomme !)

Le cas des dives bouteilles réglé, on passe au cas qui nous amène ici. Il va se régler lui aussi comme par enchantement.

— On va aller louer une Citroën chez Tilden ou chez Avis, et puis alors je vais apprendre à Nicole à la conduire, et puis alors voilà...

Je m'écrie : « Nicole ? » Nicole s'écrie : « Moi ? »

— T'as pas de complexes d'autos, toi, que je sache... Alors ?

— C'est vrai au fond. Mais c'est inutile, je pourrai jamais conduire, j'ai pas ça dans le sang. Chez nous, le père voulait que je conduise le tracteur. Il m'a appris autant comme autant. Ça a fini que j'ai fauché cinq pagées de clôture... T'en souviens-tu, cher ? Le permis ? Faut un permis !

— On demande le temporaire. Ils le donnent tout de suite avec l'extrait de baptême.

Les rideaux sont minces, la moitié du soleil passe à travers, on a chaud, on commence à avoir mal à la tête. Ça pue les gitanes ; Laïnou ne fume que ça depuis qu'elle a été en France ; elle fume sans arrêt, une vraie petite machine. C'est dans la fumée que ses paroles naissent, dans la fumée, comme des fusées, qu'elles partent de sa bouche, dans un brouillard aveugle qu'elles voyagent jusqu'à nos oreilles. Elle nous raconte encore que son Idéaliste ne lui touche plus, ajoutant qu'elle croit savoir que c'est depuis qu'il fraternise avec Sylvio Morin, qui a dû bavasser contre elle.

— Qui c'est Sylvio Morin ?

— C'est un petit bomme de l'Accroc que j'ai couché avec une fois par putasserie... Il se vante à tout le monde que je l'ai payé. J'horreur de ça.

— L'as-tu vraiment payé ?

— Je l'ai pas *payé*. Je lui ai donné $ 10 par putasserie... C'était un genre d'expérience, d'exploration...

— Le chemin de l'absolu passe par la marde...

— Comment ça se fait que tu piges ça, toi si soi-disant ignorant heureux... ?

— J'ai dû lire ça dans le même livre que toi. Comme tout le monde. Il comprend pas ça, ton Idéaliste, lui si artiste d'avant-garde ?

— Il couche par terre dans le salon. Il a dit à Claude Coulombe, qui l'a dit à Sophie Casgrain, qui était toute heureuse de me le répéter : « Je la digue bien mais j'aime mieux fourrer le plancher, c'est moins platte. »

— Qui c'est Claude Coulombe, Sophie Casgrain ?

— Des chiens sales. Des spécimens de l'Accroc, ce zoo. Ils me donnent mal aux seins.

— Pourquoi tu les envoies pas chier ?

— Ils aimeraient trop ça !

Nicole s'est endormie. Ça me soulage. Moins elle en entendra mieux ce sera. Les histoires de Laïnou c'est mouillé, ça mine... c'est heavy, ça ébranle.

*

Ça continue. It makes my brains reel, ça fait mes cerveaux tourner.

— Il me trouve moche. Je lui fais l'effet du portrait de Dorian Gray. Chaque fois qu'il me revoit, il trouve mes yeux plus pochés, mes joues plus creuses, ma peau plus blette, mes seins plus bas. Il me le dit. Tel quel. C'est traumatisant. Ça me donne des complexes ahurissants.

— C'est un hostie de chien sale, ki manche da marde !

— C'est con mais j'ai peur que ça me *réassexue,* que je perde la simplicité érotique que j'ai eu tant de mal à conquérir. Et puis alors tous les livres que j'ai lus, tous les psychiatres que j'ai vus, je me vois pas tout recommencer. Quand j'avais vingt ans je pouvais pas me mettre à poil avec les gars ; j'avais trop peur qu'ils changent d'idée, qu'ils me disent rhabille-toi t'es trop moche ! Quand on a été chez les sœurs, c'est dur de se sortir de l'idée que l'amour c'est mon corps et que mon corps c'est dégueulasse.

Quand tu as une conversation suivie avec Laïnou, tu peux t'attendre de la voir fouiller dans ses affaires de couvent... 1947 ! 1948 ! Elle se psychanalyse elle-même tout le temps.

Dix secondes par-ci, dix autres par-là, j'ai bien dû dormir un bon gros cinq minutes. Tilden n'avait pas de Citroën. Laïnou a loué une Renault. Il paraît que ça se conduit de la même façon. Le gars a dit : « It's the same difference[1]. » C'est une drôle d'expression.

Quand on va à Maskinongé avec elle, il faut qu'elle portraiture le père. La peau, les os, plus un cheveu, plus une dent, goitreux... elle trouve ça beau ; elle dit qu'il a de la gueule. Bon, elle a oublié son sketch-book et son fusain. On va arrêter chez Crowley, ça va prendre deux minutes. Nicole profite de la proximité de la boutique Betty pour aller s'acheter des bas ; les siens sont sales, gravis d'échelles, on ne se présente pas

1. C'est la même différence.

comme ça devant le père. C'est un no-parking ; je reste dans la Renault pour guetter la police pour qu'elle ne nous donne pas de ticket.

A mi-chemin entre les deux premiers postes de péage de l'autoroute de la Rive-Nord, Laïnou prend l'accotement, débraie, sort, rentre par l'autre portière, pousse Nicole sous le volant. « Pas déjà ! » Quand et comment cette équipée va-t-elle se terminer ? Partis chercher un extrait de baptême, j'ai comme des prémonitions qu'on va revenir avec trois certificats de décès.

Il y a des gens qui (les Noirs de la brousse devant les caméras dévouées des ethnologues), quand on les observe avec un intérêt excessif, se mettent à rire. C'est le cas de Nicole ; c'est une ricaneuse. Sous nos yeux dilatés, braqués sur elle comme des feux rouges, elle tataouine les leviers, elle zigonne les pédales, elle s'agite, elle s'énerve. Puis elle éclate : son corps contracté en entier se détend au complet, chassant en rires des cascades et des cascades de spasmes. Les larmes coulent, la salive déborde. Et ça n'annonce pas de fin. Laïnou veut prendre sa part de ce fonne noir : elle se jette sur elle pour la chatouiller. C'est des râles d'agonie, des cris de mort, des combles d'hilarité. Ça aboutit à l'inévitable : « J'ai pissé dans mes culottes ! »

Nicole est partie, loin dans la plaine alluviale, s'essuyer comme elle peut avec un paquet de kleenex à $0.05 et se refaire une base confortable avec ses tout récents bas-culottes Shalimar couleur *nude* à talon *illusion*. En attendant on admire le paysage. C'est si plat qu'à droite on peut suivre l'herbe jusqu'à Lavaltrie et prendre, à gauche, sur le bout du doigt, l'église de Saint-Gérard-de-Magella.

Nicole se débrouille bien, mais elle serre si fort le volant que j'ai peur qu'au prochain cahot il lui reste entre les poings. Elle roule si lentement, surtout quand elle voit un gros camion venir dans le rétroviseur, que ça prend tout pour que le sommeil ne nous gagne pas. Si je m'endormais, ce ne serait pas grave « en-soi ». Mais « pour-moi » je ne pourrais plus secouer frénétiquement la torpeur de Laïnou toutes les cinq minutes et il n'y aurait plus personne pour empêcher notre recrue de nous assassiner.

Il y a toujours comme un creux entre trois heures et cinq heures de l'après-midi. Tout le monde ne dit rien. Assis sur le siège d'en arrière, comme tout seul au fond du monde, je rentre mon ventre pour voir comment j'étais bien fait quand je pouvais boucler ma ceinture au dernier trou. C'est triste. Chaque fois qu'on a le malheur d'aller voir le père, j'ai engraissé : « Hé ti-gars ! te v'là rendu rond comme une boule ! » Il pense qu'il me fait un compliment. Fuck ! C'est pour mieux t'écraser, mon vieux hostie.

La terre est vendue ; le père a gardé la maison et puis c'est tout. Toutes les terres sont vendues ; les Belges ont acheté les deux côtés de tout le rang Saint-Louis ; ils cultivent la betterave à sucre, les chiens sales. Les habitants ne servent plus à rien ; après avoir passé l'hiver sur l'assurance-chômage, ils sont contents de monter sur leurs anciens tracteurs pour labourer, à $2 l'heure, leurs anciennes glèbes et leurs anciens pâturages, bande d'abrutis. Le père dit que c'est Ti-Man (Hermann, le père de Roger, officier d'élections, sous Duplessis) qui a organisé toute l'affaire avec les Belges. Mais il ne faut pas croire ce que le père dit du père de Roger : ils n'ont jamais pu se sentir...

Il n'y a pas plus triste et abandonné que le père. Mais personne n'est plus fier. Il faut téléphoner avant d'y aller. Monsieur ne reçoit que sur rendez-vous. Il nous en voudrait pour le petit reste de sa vie de ne pas lui laisser le temps de balayer la cuisine, laver la vaisselle, ramasser les cochonneries dans le parterre, faire sa toilette, remonter la vieille horloge et se donner un air pimpant et content de nous voir.

— Hé ! t'es gras comme un voleur à c't'heure. Les affaires vont bien !

Il est mieux de faire attention. S'il n'arrête pas de m'insulter il n'est pas à la veille de ravoir de la visite. Et puis Nicole qui me regarde avec des grands yeux de vache-qui-regarde-passer-les-trains pour me faire sentir qu'elle me trouve beau. Elle m'écœure assez dans ces temps-là !

Il monte sur une chaise parce qu'il est trop petit pour sortir l'éternelle carafe de vin de cerises de son éternelle cachette (le compartiment des armoires qui enjambe le miroir du lavabo).

— Faut fêter ça, c'est de la grand-visite, de la grand-visite !...

— Nicole apprend à conduire ; on est venus chercher son extrait de baptême.

— T'en souviens-tu quand j'ai conduit le tracteur... que je suis entrée dans la clôture de broche piquante du bonhomme Mongrain ?...

— Parle-moi-z-en pas, fille ! Ah parle-moi-z-en pas ! Ah !...

On vient d'avoir fini de dire tout ce qu'on avait à se dire. Nos sangs ont couru trop longtemps les uns le long des autres pour que les mots puissent ajouter du sens à ce que nos sangs peuvent écouter, sans traverser, les uns dans les autres.

Laïnou bourdonne autour du père avec ses mines de chatte, ses mines de crayons et son sketch-book ; on ne demande pas mieux que de la laisser s'occuper de lui. Il va dans sa chambre ; il revient avec le coffret de thuya où il garde, avec son carnet de la Caisse Populaire et ses polices d'assurance (vie, feu, vol), les dessins de Laïnou. Elle les lui donne à mesure; de toute façon ils sont sans valeur; les critiques l'ont classée *expressionniste abstraite,* ça fait que tout ce qu'elle fait qui ressemble à de quoi ne vaut pas $0.05. Nous, ils nous avaient mis dans le *néo-surréalisme;* tu aurais débandé toi aussi.

— Faut pas les plier, monsieur Perron. Regardez ce que ça fait : ça déteint, ça tache, ça marque. Vous comprenez, *ça barbouille...*

— Ah bon... Cré nom... Ah choquez-vous pas... J'espère que vous allez pas sauter sur moi puis me mordre, là... Je suis trop vieux pour me défendre à c't'heure... Ah cré nom!...

Dans le temps, le père racontait des histoires dans les veillées et les noces. Il avait appris en regardant faire son oncle Elphège. Il dit que là c'est mort, qu'il ne sait plus le tour. Mais Laïnou, à force de le prendre par le cou, de s'asseoir sur ses genoux, de verser du vin dans son verre, réussit parfois à le dégêner. Alors, tout à coup, au rythme du battement de ses pieds, comme une boîte à musique au ressort un peu mou, ça finit par se déclencher; ça se déroule, ça part : « Cric! Crac! Couteau! Cuiller à pot! Sabot à bec! Marche avec! Marche aujourd'hui marche demain! A force de marcher on fait pas mal de chemin! Je passe par une forêt où c'est qu'y a point de bois! Par une rivière où c'est qu'y a point d'eau! Par un village où c'est qu'y a point de maisons! Je frappe à la porte puis tout le monde me répond! Plus je vous en dirai plus je vous mentirai! Je suis point payé pour vous dire la vérité! Y avait une fois... »[1].

1. Arthur Prévost, *La lignée.*

*

La vie est remplie de déceptions, mais on est des capables. On est capables de le prendre ! On est même capables de trouver ça bon !

Toute notre affaire de pilotage de tournée de souscription de film engagé vient de foirer. On vient de se faire dire qu'on a risqué nos vies pour rien pendant trois grosses journées, que la culture automobile que Nicole a acquise de peine et de misère n'est plus applicable aux fins qui l'avait rendue nécessaire.

Ça tombe à l'eau en queue de poisson ! D'abord ça nous a révoltés, fait sacrer, fait maudire encore une fois notre sort... Puis on s'est dit : c'est assez de se laisser briser, de crouler sous les coups, résistons, soyons des optimistes incorrigibles (*The Unsinkable Freaks*), adoptons résolument toutes les attitudes positives possibles ! Ce n'est pas déprimant que la Toune nous exclue de sa tournée ! C'est exaltant ! C'est bon ! Tout est bon ! Depuis tout à l'heure : plus rien de pas bon ; on l'a décidé, puis nous quand qu'on décide de quoi c'est du solide ; c'est final, fatal, brutal.

Quand ça sonne nos cœurs s'écrient : « La Toune ! » Les mains nous partent du corps pour aller décrocher toutes seules le téléphone. Mais la plupart du temps on frappe quelqu'un qui est choqué parce qu'on doit de l'argent aux gens pour qui il travaille (qui travaillent eux-mêmes, sans s'en apercevoir évidemment, pour consolider le régime)... Tantôt c'était elle, oui oui ! Quand elle a dit tristement « Allô, c'est moi », partout, dans nos ventres comme sur les murs, les horloges ont manqué.

— J'ai été voir *Le conformiste* hier. Ça m'a donné un flash effrayant : on a tous une fausse mauvaise conscience ! Moi la première ! Mais moi j'ai mon voyage, man ! Je *veux* débarquer ! Je *vais* débarquer !

Tout le monde va voir des films strordinères puis tout le monde revient stomaké.

Et c'est alors que notre Toune, gênée mais trop sûre d'avoir trouvé quelque chose d'*avançant* pour le sacrifier à nos susceptibilités sentimentales, nous a annoncé sa ferme résolution de ne plus s'*éparpiller,* de faire un *bloc solide* du reste de son aventure existentielle, c'est-à-dire de s'engager toute, *toute seule et tout de suite,* dans une seule poursuite, c'est-à-dire de ne plus agir par *personnes interposées,* surtout pour les petites choses tannantes comme les déplacements en auto.

— Je veux aller toute seule voir le monde. Une fille ordinaire qui va rencontrer son gars dans un motel emmène pas toute sa famille... Je veux partir toute seule dans ma petite Citroën, je veux arriver toute seule à mes rendez-vous, pas avec quarante-deux chaperons, comme Trudeau, Nixon, Mao, puis toutes les agace-pissette. Je suis une vraie p'lote moi, man, une putain qui aime ça, puis c'est ça qui est le plus beau, puis je suis bien contente, puis je veux que ça commence à paraître. Une p'lote c'est l'amour, de tous bords tous côtés ; ça fait assez longtemps que je le dis, faut que je commence à montrer que je suis capable de le faire, TOUTE SEULE. Je suis écœurée de ceux qui disent qu'en votant pour le meilleur candidat on donne aux autres tout l'amour qu'il leur faut ! J'aime Roger, c'est mon Ougi, c'est mon bébé, tout ça, mais je suis écœurée des démocrates de gauche dans son genre ! Ils ont toujours les mots responsabilité, fraternité, dans la bouche, mais ils aimeraient mieux crever que de voir leur femme coucher avec leurs fameux frères. Quand ils disent *partage,* ils pensent *argent.* Ils s'en sacrent de l'argent, eux ; ils savent pas quoi faire avec ; ils aiment pas manger, s'habiller, aller en vacances à Miami, avoir le char de l'année ; ils aiment juste jouer avec leurs idées ; d'abord qu'ils ont une petite chambre où fourrer tranquilles leur petite femme fidèle bien admirative, qu'est-ce que ça peut leur faire l'argent ?... Là, je vous fais des confidences que j'ai jamais faites à personne. C'est pour que vous voyiez bien que c'est pas parce que je vous aime pas que je veux plus vous emmener en tournée... C'est parce que c'est des rendez-vous d'amour... O.K. ?

L'embêtant pour apprécier comme il faut, c'est qu'on ne sait jamais si c'est au propre ou au figuré (calembours) qu'elle parle. On a attendu qu'il fasse noir. On s'est habillés. On est sortis. On a marché dans la rue Mont-Royal en s'imaginant qu'on était petits comme des poux. Les bords des trottoirs étaient des précipices qu'on descendait sans se soucier de leur abrupte verticalité. On se logeait au fond des cannelures des pneus des autos et quand ça tournait à toute vitesse ça ne nous donnait pas le vertige. On sautait sur le soulier d'un gars, on s'agrippait au lacet, le gars se faisait conduire à Dorval, il montait dans un avion, il nous montait avec lui, à l'hôtel Samarkava de Colombo il délaçait ses souliers pour se coucher, alors il fallait qu'on fasse attention pour ne pas se faire écraser. C'était le fonne.

On est entrés dans la tabagie Reynald Perreault. On a regardé les images des derniers Paris-Match, Plexus, Historia, Vie des Arts, Allô Police. La princesse Soraya accouchée par le docteur Barnard, San Antonio est un cosmique, Eva Braun cousait à Berchtesgaden, Jordaens au Musée d'Art contemporain, Étranglée dans sa baignoire. On s'est rincé l'œil sur les jaquettes des paperbacks for adults ; les illustrated étaient scellés sous cellophane ; on a fait tourner leur tourniquet comme une terre heureuse : tout le monde se veut, tout le monde se prend, tout le monde jouit la bouche ouverte comme sainte Thérèse d'Avila. C'était le fonne.

La tabagie Reynald Perreault n'est pas une bibliothèque. Pour montrer au commis qu'on comprenait bien ça, on n'est pas sortis sans avoir acheté un TV-Hebdo et Le Réveil de Montréal-Nord.

Au retour on a vu, sur le fût d'un lampadaire, ces mots terribles, les seuls que n'importe qui peut écrire n'importe où sans se tromper : « I WAS HERE [1] ».

On a le temps, avant que les films commencent, d'explorer Le Réveil de Montréal-Nord, qui sait ne jamais nous décevoir. Justement, en voici une bonne : « *Tony LeSauteur a su insuffler une transfusion de sang nouveau au projet de l'Opération* UN FLEUVE, UN PARC ».

On a déjà vu tous les films de cette nuit : *La Chinoise* le genre *quand je sors avec Hildegarde c'est toujours moi qu'on regarde :* des beaux adolescents intransigeants qui passent leur temps à faire des mines, lire, parler de ce qu'ils lisent et écrire sur les murs des passages de ce qu'ils lisent), *Vive la bonne humeur* avec Eddie Constantine (là, c'est le contraire, personne n'a l'air de savoir quoi faire à part s'agiter; ils méprisent les jouissances du cerveau, l'organe le plus sensible de tous); *Jessica* (c'est fait par des Américains et ça se passe en Sicile; pour faire couleur locale, tout le monde parle son anglais avec un accent italien, sauf Maurice Chevalier, qui a tellement travaillé pour ne pas perdre son accent parigot qu'il ne peut plus le lâcher) et *The Pleasure Slaves* (des femmes toujours consentantes et constamment soumises, qu'ils disent).

1. Je fus ici.

Nous les savourerons en macédoine, en tournant le bouton à mesure que les annonces surviendront.

*

Si tu savais, mon amour, comme... panne !

La journée a commencé... panne !

Quand on s'est levés on ne sav... panne !

Nicole a pleuré et j'ai com... panne !

Je lui disais Nicole, ma tite Colline, arrête ça, arrête ça tout de suite, tu peux... panne !

Quand on s'est levés, les rideaux regorg... panne ! On a été manger un hamburger steak au Laval Bar B-Q pour se payer du luxe, et c'est ça... panne !

Nicole a fait une grosse diarrhée. Elle ne sortait des toilettes que pour y rentrer en courant (c'était un hamburger steak servi dans de la sauce à spaghetti). Et elle pleurait entre-temps. Elle ne pleurait pas seulement entre-temps, elle pleurait aussi assise sur la cuvette des toilettes.

Je laisserai pas... panne !

On ne se laissera pas faire. On va s'entêter, continuer, foncer dans le tas de *ça*, passer à travers. Pour montrer à *ça* comment qu'on... Après la victoire nous défilerons comme des majorettes marinées à l'aneth puis rote puis pète...

Comme des majorettes mais pas propres et nets comme elles... Sales, dans l'uniforme où on se trouvera au sortir de *ça*, tout tachés, beurrés, couverts de *ça*. Pour que ça se voie... Pour ne pas que ça se perde... Les autres lavent tout à mesure. Faut kon slave pour pas kon puse ! ki disent. Faut pas que ça se perde, faut pas laisser la twistesse pourrir dans son zeste ! Kon dit.

Vive la twistesse ! Ce n'est pas ni ci ni ça, c'est twiste

ou mort ! As-tu quelque chose contre ça, donc, épais ? T'imagines-tu qu'à force que tu vas dire que tu ne trouves pas la vie de ton goût, ils vont te rendre ton argent et t'en offrir une toute neuve, tout autre, tout extraspéciale tout exprès pour toi, donc, épais ? Es-tu assez sans bon sens, donc, épais, pour que tu croies que ça suffit que tu sois contre les géraniums (par exemple) pour qu'ils éliminent les géraniums, donc, épais ? Les géraniums et la twistesse ont leur place puisqu'ils sont là... et puis c'est tout. Ce n'est pas : est-ce que je vais accepter ou est-ce que je vais refuser ci ou ça. *Ci et ça sont là.* C'est là, c'est tout ce que c'est, *ça n'a plus de sens que ça.* Prends-les. Dis oui. Force pas pour rien, ça cassera pas.

Quand tu es cocu il faut que tu sois content, sinon ça se perd, tu le perds, tu te perds. SASPER —TULPER, —TUTPER. Guillaume Tell Quell !

*

— Qu'est-ce qu'on va faire, cher ?

On ne peut pas aller dehors. Il fait trop soleil. Tout luit, même la brique de la caserne des Royal Grenadiers. Tout jouit. On sent que des bourgeons s'ouvrent partout, même le long des antennes des Ford Torino. C'est dégoûtant. On n'est pas capables de sentir ces chaleurs, ce rut. Que ça se perde ! Même si ça fait mal !

Les hippies sont trop assis sur le trottoir avec leurs pick-up pour montrer qu'ils n'ont pas peur de salir leurs jeans, ils aiment trop montrer que *Rare Earth, Grateful Death, Led Zeppelin* les font flipper. Les Italiennes prennent trop l'air en regardant jouer leurs enfants, elles sont trop avachies comme dans des baignoires dans leurs balcons, on ne veut pas voir ça.

On n'a pas envie de lire notre *Flore laurentienne.* On a essayé, ça ne sert à rien, les yeux nous brûlent, comme le reste.

On s'est levés avec l'idée de téléphoner à la Toune, on l'a encore, c'est tout ce qu'on a, puis on n'en veut pas. Tout ce qu'on a à dire est grazéviskeux (heavy) ; ça va l'impatienter de sentir qu'on a tant besoin d'elle et puis c'est tout. Après avoir refermé le téléphone on va se sentir un peu grazéviskeux (heavy) et puis c'est tout. Pendouillants, dégoulinants, placentisques.

C'est parce qu'on a fait bien attention de ne pas se montrer aussi collants qu'on l'est tout naturellement qu'elle ne nous a pas encore envoyés chier.

L'*idée* de téléphoner à la Toune ne nous sort pas de la tête. Ce n'est pas nous qui l'avons, c'est elle qui nous a. Douée de sa propre volonté, elle mange nos âmes, elle croît et se renforce à leurs dépens. Ajoutant sans cesse du poids et de l'épaisseur à la masse de sa force indestructible, elle va bientôt nous faire éclater. Nous nous entendons déjà qui nous fissurons.

Si on appelle on va souffrir plus. Si on n'appelle pas on va souffrir plus aussi. C'est fou, c'est cruel, c'est... panne !

Moins on va l'appeler plus on va se sentir seuls. Plus on va l'appeler plus on va avoir besoin d'elle. Plus on va avoir besoin d'elle plus elle va nous trouver collants. C'est... panne !

— Téléphone, cher...

— Non. Téléphone, toi... bonnefemme...

« *Enough of that stuffy stuff !* », s'écriait Janet Margolin dans *David and Lisa* (le seul film qui nous ait fait pleurer) quand elle n'en pouvait plus. (C'est le seul bon film qu'ait fait Frank Perry, tous les autres c'est des navets puis on est bien contents, c'est bien bon pour lui !)

Téléphone, envoie donc ! Non, toi ! Si c'est Roger qui répond ? Raccroche !

— Allô, c'est nous. Nous ça va bien. Toi comment ça va ?

— Qu'est-ce que vous faites de bon ? Ici, on fait un gros meeting, c'est le bordel, je suis à moitié passed-out[1] ! C'est le stade oral-anal ; tout le monde parle pour se faire chier. La salive vole de tous bords tous côtés, ça me siffle aux oreilles ; j'en attrape dans les yeux, où est la tendresse ? Tout le monde nous viole ; on a plus de vie privée ; ça entre, ça sort ; faut qu'on se cache dans les toilettes pour retrouver notre beat[2] ! Ça fait quarante-deux fois que je réponds au téléphone ; j'ai juste le temps de courir me remettre devant Ougi pour le couvrir. Ils sont quarante-deux puis ils essaient tous de le fourrer. Il sait pas se défendre. Il dit : ça me fait rien qu'ils me fourrent si c'est pas sans tendresse. Mais c'est moi qui reste toute seule avec lui après, c'est moi qui est prise pour le ramasser à terre comme une grosse potée de nouilles.

— Il est chanceux que tu le ramasses comme une grosse potée de nouilles...

— Écoutez, voulez-vous me rappeler ? Dans l'état que je suis je peux pas vous donner plus que dix quinze pour cent de mon mind[3], je veux pas vous faire ça. Rappelez-moi dans trois petits quarts d'heure.

— Rappelle, toi...

— J'ai quarante-deux affaires à régler en même temps, je suis pas un computeur IBM. Soyez pas si heavy, man, rappelez...

Rappelez mon cul, ka manche da marde !

1. Évanouie.
2. Tempo.
3. Attention et esprit.

On a rappelé pareil. « Rappelez dans dix petites minutes, il m'en reste rien que deux trois à sacrer dehors... » On a rappelé, encore, mais longtemps après. Là, elle a eu le temps de nous parler, mais seulement du gros down épouvantable que traverse son gros bébé.

— Ougi fait de l'angoisse puis j'ai peur que ce soit à cause que je m'occupe pas assez de lui, puis ça m'angoisse moi-même.

— Ça se transmet, c'est communicatif, c'est comme la bonne humeur, quoi... (Farce platte.)

— C'est pas croyable le nombre d'amis qu'on rencontre ces jours-ci qui nous disent qu'ils font de l'angoisse : Julie Thibault, Rock Clark, Louise Maillotte, Charles Cahier, même Louis Caron, un gars que je trouvais supérieur... C'est déprimant ! Tout le monde fait de l'angoisse puis prend des pilules, moi avec ! Je commence à avoir mon voyage ! Tout le monde débande ! On dirait que la vie c'est fait pour les poteaux ; tout le monde passe son temps à parler de jeter la sienne...

Ça ne nous mettait pas beaucoup à l'aise pour lui dire qu'on faisait de l'angoisse. On n'a rien dit.

Roger a une série de conférences à *prononcer* à l'université de Toronto. Dans l'état qu'il est, elle ne peut pas le laisser aller là tout seul. « Tu t'en vas ? » Le cœur serré, on lui a demandé de nous envoyer une carte postale. « Envoie-nous une carte postale de la tour de l'hôtel de ville. » Elle a cru qu'on voulait plaisanter. Les cartes postales, man, personne ne fait plus ça. On lui a demandé une carte postale parce qu'on n'osait pas lui demander une lettre, parce qu'on est délicats, et puis c'est tout.

Le Lituanien nous enguirlande chaque fois qu'on passe parce qu'on est le 15 puis que le loyer n'est pas payé. On ne lui répond plus, les chiens jappent la caravane passe. Ce qu'il dit puis ce qu'il chie, qu'est-ce que ça peut bien faire à deux grands angoissés ?... D'ailleurs, payer le loyer, personne ne fait plus ça. Quand il en aura assez de nous écorcher les oreilles, il appellera la police. On n'a pas peur de la police. L'amour est plus fort que la police.

*

On n'avance plus. On reste bloqués à l'Amaranthus graecizans, « *mauvaise herbe des Prairies qui pénètre chez nous par les chemins de fer* »... Cette semaine, on a lu l'Amaranthus retroflexus, « *peut produire 12 000 graines qui conservent plusieurs années leur faculté germinative* », et ça nous a tout pris. On n'a plus le goût. C'est comme ça que les carrières foirent.

Les relations humaines blafardes, genre fais-moi pas mal puis je te ferai pas mal, sont inférieures à celles viriles, genre va chier manche da marde, mais préférables à celles genre flatte-moi le dos vingt fois puis après je vais te flatter le dos vingt fois moi aussi (les filles chez nous faisaient des marchés comme ça le soir après s'être agenouillées pour demander au bon Dieu que les corneilles ne mangent pas tout le blé d'Inde ; les gars, on ne faisait ni marchés ni prières : comme les autos qu'on rêvait d'avoir, on ne disait pas un mot), qui sont la forme la plus aliénante du travail. On parlait de ça tout à l'heure, Nicole et moi. On se rappelait des souvenirs. Comme tous ceux qui sont fatigués de regarder le mur, on regardait en arrière.

Tout le monde est obligé de se retenir, de s'empêcher de se donner. Les gens ne veulent que ton plus petit peu. Le moins de mots possible dans une phrase, le moins de phrases dans une lettre, le moins de lettres dans une année... C'est comme Laïnou. Son problème de peintre ce n'est pas de peindre, c'est de trop peindre. Elle peindrait dix toiles par jour si elle se laissait aller. Mais quand elle en peint plus qu'une par semaine, les connaisseurs-avertis-en-vaut-deux prennent des airs dégoûtés et disent à qui veut les entendre qu'elle tombe dans la facilité. Il n'y a pas quarante-deux solutions. Elle met ses tubes sous verrou, avale la clé, va s'écraser à l'Accrochage. Ça a l'air de quoi ? On parlait de ça tout à l'heure, Nicole et moi, on n'en revenait pas.

Nous le savons comment est-ce que ça se passe, ces histoires-là... Du 18 au 30 octobre 1966, Nicole et André Ferron exposaient à la Galerie Début. Le 29, dans le cahier arts et lettres de La Presse, le regretté Claude Jasmin, qui était fort sur les calembours mais pas sur les compliments, se fendait pourtant de celui-ci : « Les deux petits Ferron ne l'ont pas encore mais guettez-les bien, ils vont l'avoir. Ils ont des tripes, des enzymes dans les tripes, ça fermente. » On n'a presque rien vendu mais on ne s'est pas tenus pour battus. On a écrit au Conseil des Arts, on a mis le texticule de Claude Jasmin dans l'enveloppe, on a reçu $ 5 000 par le retour de courrier. Quelle somme ! De quoi as*sommer* un bœuf ! Nous le savons comment est-ce que c'est, ces histoires-là...

Il y a même des gars qui qui qui. Il y a même des gars qu'on allait aux Beaux-Arts avec qui sont rendus professeurs aux Beaux-Arts. On sait un tas d'autres choses, des bien pires encore, mais on aime mieux ne pas les dire, on ne veut pas amocher cette institution, on veut qu'elle reste comme elle est : rien. Plus qu'il n'y a rien plus qu'on est bien. Mange du vide, ça ne te restera jamais sur l'estomac.

Qu'est-ce qu'on a fait de notre temps ? On en a tué le

plus qu'on a pu. On ne peut plus et il nous en reste autant. Puis il nous saute à la gorge puis il nous serre pour se venger.

L'autre nuit, on a marché jusqu'à la porte de la Toune. On a sonné, frappé, appelé. On savait qu'elle était partie à Toronto mais ça ne nous faisait rien, on voulait essayer pareil. Nous avons sonné, frappé et appelé à tour de rôle; il fallait monter la garde; régulièrement, une fois tous les quarts d'heure disons, un de la flotte noire des Chevrolet à bande blanche de la police d'Outremont passait pour nous attraper. En appliquant l'oreille sur la porte, on pouvait entendre nous-mêmes nos coups de sonnette, c'était comme si on avait été des fantômes dans la maison; c'était bien mais c'était triste. Sonne, frappe, appelle. On ne voulait pas arrêter avant que ça aboutisse, ne fût-ce qu'à l'Institut Prévost — oh n'importe quoi, même un hôpital ordinaire. On voulait toucher le fond de quelque chose — n'importe quel abîme. On n'a touché le fond de rien, même pas de notre fatigue. On s'est ramassés sur les marches basses de notre escalier à attendre le facteur. Il n'a pas passé. Il ne passe jamais le dimanche. Ils ne passent que les jours où ils sont payés, les chiens sales. Avec son doigt, qu'elle mouillait sur sa langue, Nicole dessinait un drôle de mot sur le mur, disons FRISU. FRISU séchait, et séchant s'effaçait. Quand FRISU était disparu, elle remouillait son doigt sur sa langue et dessinait un autre mot bizarre, disons BORUL. On se sentait comme en prison.

*

Aussitôt réveillés, on se lève. Aussitôt levés, on se jette en bas de l'escalier pour voir si on a une lettre. Il y a des petits trous dans les petites trappes des boîtes numérotées : c'est pour que tu n'aies pas besoin de les ouvrir pour voir s'il y a de quoi dedans. Dans la boîte 4, c'est tout noir : rien. On retombe dans nos marasmes ; nos os se récroulent, plus mous que nos viandes, nos viandes plus molles que nos morves. Maintenant, il s'agit de ramasser ces masses, de les rattacher à nos sens, de le porter jusqu'au bout d'un autre cycle... hé ! rien ne prouve que ce n'est pas demain que nous attendent les mots qui nous changeront, illumineront. « *Viens, toi fée fille ; viens, toi petit gros ; venez me voir à Toronto ; il est cinq heures moins zéro ; mais mon désir est un galop, à cinq heures moins cinq il ne sera pas trop tôt !* » Something like that.

Nous la suivrons partout, debout si elle y tient, mais c'est par terre que ce serait bien, mais c'est qu'elle nous laisse marcher à quatre pattes, nos ventres râpés par l'asphalte et le ciment, qui serait épatant. Quand c'est trop lourd, que ça t'écrase, c'est ramper qui est la liberté, c'est le seul confort. De toute façon, passé le mur qui empêche nos cœurs de toucher notre Toune, on se sentira mieux, même si elle s'amuse à nous arracher les ongles, les paupières, les oreilles. De toute façon, de ce côté-ci du mur il n'y a plus d'air.

On compose son numéro. On laisse sonner, trois fois, cinq fois. Si on s'était trompés... On recompose en faisant bien attention. Ça grêle dix fois, vingt fois. On va pour raccrocher, on change d'idée, on va laisser la ligne ouverte, on va laisser sonner si longtemps que personne n'aura jamais vu ça, que ça ne pourra pas ne pas avoir des effets, que quelque chose va être obligé de se passer. De temps en temps on va écouter pour vérifier. Si ça fait drelin drelin moins fort, on va crier, comme des contremaîtres : « Hé ça dort là-dedans ! »

Sous la douche, on se couche en chien de fusil,

chacun pour soi. Puis on s'enlace, pour former un tout bien rond, n'offrir aucune prise au rabot. Sous les fouets glacés, on se serre, on se roule. L'étreinte, aveugle, s'exaspère, tourne au combat : les boutonnières craquent, les boutons sautent, ça tire, déchire, un grand coup projette contre la tôle de la cabine la tête de Nicole. Elle rit aux éclats mais ce n'est pas drôle : ses yeux se révulsent, ses mains tremblent, son corps chavire hors de mes bras. Elle a failli s'évanouir.

C'est le signal que c'est fini les folies, que c'est le temps qu'on réagisse. Déshabillons-nous et lavons-nous ; avec le New Ajax, avec la brosse à plancher, oui oui ! Nettoyons-nous, genre *extirper* la saleté de tous les *interstices,* oui oui ! On sent qu'on va se sentir mieux quand on sentira bon. Frotte-moi fort, que ça parte par lambeaux, comme une mue. La peau de mon dos dort ; frotte, frotte-la-moi bien fort. Cours chercher les ciseaux puis coupe mes cheveux. Ras ! Comme un soldat qui a de l'estomac puis qui ne se dégonfle pas ! Donne ton sein, agnus dei pour planter mes poignards, pour éclater mes obus, pour que ma bouche pourrie morde et loge son venin, pour emmitoufler mon cri, l'endormir, le faire rêver. Mange mon nez, mange mes pieds, vorace-moi toute ; que tes dents crèvent les ampoules qui soulèvent ma peau, que tu lèches les gousses éclatées de tout ce mal. L'extrémité des caresses, c'est la mort ; arrêtons-nous en pleine rage, au cœur du geste. Mourir, il ne faut pas être bien intelligent pour se donner la peine de faire ça, car c'est sans conséquences. Le propre de ta mort, c'est de ne rien te faire.

Tout nus, tout mouillés, marcher l'un derrière l'autre de bout en bout de l'appartement. Allumer la radio et marteler nos pas en rythme avec *Dolorès ô toi ma douloureuse,* le hit de Robert Charlebois. S'arrêter sec avec la dernière mesure, rester figés comme des statues, se boucher les oreilles pour traverser l'annonce de Brault et Martineau, rembrayer en plus petite vitesse pour *All I Have To Do Is Dream*, le old-favorite des Everly Brothers. On a un fonne noir. Battant le plancher toujours plus fort, chaussés, fouettés, joués par les musiques, tout cadence, on est complètement partis, on ne sait plus si on peut s'arrêter. Les cerveaux retentissent, les aisselles arrosent les reins. Je chancelle, je m'écroule sur le plancher de la cuisine ; Nicole bute sur mes jambes et s'écrase de travers sur ma dépouille. Le cœur de Nicole bat si fort que je résonne de la tête aux pieds.

On compte ; il nous reste $62. On veut en mettre 50 de côté. En cas. Ça prend une cachette sûre. Pas dans l'appartement, le concierge a la clé, on n'aurait pas l'esprit tranquille quand on serait sortis. Ni dans mes chaussettes ou mes chaussures ; la chaleur et l'humidité (développées par les frottements, c'est scientifique) finiraient par user les bidoux. Je l'ai : plie-les, fais un trou dedans puis enfile-les sur ta chaînette. Ça va pouvoir en même temps nous servir d'amulette. Quelle aubaine !

— Ça va faire une bosse sous mon chandail. Ça va avoir l'air fou.

— Ça fait rien. Faut être au-dessus des apparences.

*

Encore des œillets. Encore apportés par une de ces fourgonnettes noires dont les flancs portent en écusson un dieu grec doré aux pieds ailés. Encore se dépêcher de signer le récépissé parce que la fourgonnette est stationnée en double et que le képi a peur d'attraper un ticket. Qu'est-ce qu'elle veut prouver en nous envoyant à tout bout de champ des fleurs aux pétales frisés ? Que ce n'est pas parce qu'elle nous aime moins que les autres qu'elle aime mieux donner son temps aux autres ?

Et puis il y a ces signes qui, même s'ils ne se laissent pas interpréter, nous font bien sentir les forces mauvaises qu'ils recouvrent. Nous aimons mieux des œufs pourris qu'un bouquet qu'il faut retirer des bras exténués d'une sorte de père de famille nombreuse qui est obligé de porter sur son dos, d'une façon bassement slogante, les mots FLOWER POWER.

Rédigé par une machine anglaise, c'est-à-dire sans accents, sans ponctuation, sans orthographe, le télégramme a des airs suspects lui aussi.

> JE PENSE AU AVIONS QUE J'AI RENCOTRES DANS LE CIEL POUQUOI ALLAIENTILS SI VIT SI LOIN POURQOI POUQUOI DANS LES RUES TANT DAUTOS CRIAINTELLES ET PRESAIENT-ELLES NOTE TAXI POURQUOI POURQUO POURQUOI TOUS CES COURIR CONCOURIR DICOURIR QUAN LE GENS SON TOUT A COTE ET QUILS SONT LE PLUS LOIN QUON PEUT ALLER POURQUOI IL NY A PAS DE DISTANC DE VOUS A MOI VOUS LE VERRIE SI VOUS VOUS ARRETIEZ IL NY A PAS DOBTACLES VOUS LE VERIEZ SI VOUS NE ME FRAPPIZ PUS

On a comme l'impression que c'est un poème et qu'il ne s'adresse pas à nous mais à l'humanité dans son ensemble. Malgré tout (peut-être parce qu'on a tout fait pour trouver l'affaire ridicule et que le ridicule désarme, ça ne nous déprime pas trop. Tout à coup on est fier de ne pas s'être laissé avoir par toute cette complaisance intellectuelle genre peace and love (U.S. patent 4868RT8675). On se trouve intelligents. L'atmosphère se détend, la production reprend : en deux temps trois mouvements on achève les Amaranthacées, famille qu'on traîne désespérément depuis deux trois semaines, tant et si bien que leurs trois pages sont complètement tachées de beurre, lait, café. Ça va bien. Le chat le sent ; il se frôle sur nos pieds en ronronnant ; il mange sa pâtée, une horreur, en savourant, comme s'il jouait dans une annonce de Puss'n Boots. Il est très intelligent. Ça ne nous surprendrait pas qu'il soit complètement surdoué.

Quand ça va bien on se méfie, on se retient, on guette ; c'est toujours signe que ça se prépare à aller mal. Mais savoir que l'inévitable est inévitable ça n'avance pas à grand-chose ; tout ce qu'on peut faire c'est aller au-devant du coup pour en être débarrassé au plus vite.

Soudain Marcella qui appelle : c'est moi le nombril de la Mondiale. Elle est mal prise. Elle a besoin de deux petits correcteurs miteux dans notre genre. Elle ne nous a pas dit bonjour comment ça va. Ce n'est pas un crime de ne pas dire bonjour comment ça va. Mais elle a une façon de ne pas le dire qui nous met le feu quelque part et ça fait cinq ans que ça dure.

— Bonjour, Marcella, comment ça va ?

Je fais un gros bruit de bec dans les petits trous puis je passe le téléphone à Nicole.

— Bonjour, Marcella, ça va bien ?

Smack ! une autre grosse bise dans les petits trous. Je reprends la parole puis vlan ! je lui refais, sans lui laisser le temps de répliquer, la même affaire. On continue comme ça, à tour de rôle. Quand elle aura son voyage, elle raccrochera. Quelle bonne farce platte ! On a un fonne noir ! On rit ! La vengeance est douce au cœur des Maskinongéens réactionnaires honteux. Cloc ! elle a raccroché sec, la cochonne.

La Symphonie n° 8 de Ludwig van Beethoven c'est triste. On se dit que les gens qui peuvent écouter ça sans se lancer tête première contre les murs ont une force morale exceptionnelle. Mais peut-être qu'ils sont juste insensibles. Il ne faut pas mélanger force morale et dureté, comme tout le monde. Qu'est-ce qui a une plus grande force morale qu'une roche ? Rien ne peut déprimer une roche.

De toute façon, on n'est plus capables d'entendre la Huitième de Bétove, comme on dit ; on ferme la belle radio que nous a donnée la belle Toune puis on l'enveloppe comme un fœtus dans un sac à ordures Glad pour aller le vendre. Pour boire pour sortir de l'abîme où nous a descendus la Huitième de Bétove.

C'est Nicole qui porte le paquet. C'est moi qui devrais, mais il est trop laid pour mon amour-propre. Il faut qu'on marche vite les échoppes vont fermer. On ne racolera pas comme l'autre fois. On ne sollicitera pas toute la rue Craig voleur par voleur. On va aller tout droit chez l'immonde épouvantable scélérat qui nous a donné $ 15 pour notre pick-up.

On entre. Il nous regarde tellement bêtement puis nous crie *yes ?* tellement méchamment qu'on a peur de se faire ressortir sur la tête. Jeunes gens, ne vous laissez pas intimider ; ces gens-là, ça fait partie de leur métier d'avoir des dehors rebutants. « *Five !* » décrète-t-il, après avoir regardé si peu dans la polythène qu'on se demande comment il a fait pour voir ce qu'il y avait dedans. On dit O.K. On aurait accepté *four, three, two,* les yeux complètement fermés. A force de te faire fourrer tu deviens comme fataliste, résigné, doux, mou sous les coups.

— Là on s'est fait fourrer correct, hein ? Wow !

Après t'être bien fait fourrer, tu te sens comme mieux. Tu te dis : j'ai eu ma punition, maintenant je suis quitte. (Ceux qui ne se trouvent pas hideux, visqueux, encombrants, salissants, vraiment pas serviables, utilisables, lavables, repassables, portables, ne saisiront pas l'astuce de ce raisonnement... ki manchent da marde !) Donc, on se sent absous, pour le moment, d'être des mauvais êtres humains, des ratés amers, des épais envieux, et voici qu'une occasion se présente, sous forme de cabine téléphonique, de mettre à l'épreuve l'assurance que ça nous donne.

— Penses-tu que la Toune est revenue de Toronto, chère ?

— D'après mes calculs, elle devrait...

Je raccroche après deux coups. « Ça a pas répondu... — T'as pas laissé sonner longtemps... Y a pas personne qui répond avant quatre cinq coups, cher... — Nous on répond tout de suite... — Nous c'est pas pareil... Essaie encore. »

Six coups... sept coups. Si elle est là, elle est occupée, on va la déranger, ça va l'écœurer : « On raccroche ? » Ça y est, le déclic, des montées de vapeurs à la tête. Aïe ! sa voix, dure... « Allô ! » Cinglant, une vraie taloche. Ma gorge serrée, mes dents serrées, impossible d'articuler, ma voix sort par résonance à travers ma boîte crânienne, épouvantable.

— Enfin toi ah tu tu tu on était en train de de de ça nous rendait fous on a pas arrêté d'appeler téléphone téléphone on se réveillait trois fois par nuit pour t'appeler puis après on allait se recoucher comme on mon mon monte à l'échafaud on est épais hein ?

— Qui qui parle ?

La Toune ne me reconnaît pas. Quel énergumène que c'est ça ? Elle croit avoir affaire à un obscène ! Elle me traite de con, de freak et de punk. Elle me mitraille :

« Con freak punk, con freak punk, con freak punk ! » Que ça va mal ! Ça va si mal que ça me stupéfie : je ne pense plus, l'idée de fermer la ligne ne me vient que longtemps après coup.

On marche, mais ça prend tout. On se sent comme si c'était nos visages qui foulaient les mégots aplatis, bout filtre, bout uni, qui jonchent les trottoirs du boulevard Saint-Laurent. On ne pouvait pas savoir qu'elle dormait, quoi ! Ça prend des perdants-nés comme nous pour réveiller, comme des cheveux gras sur la soupe, à une heure pareille, une Toune ayant avalé de travers son valium ou quoi ? Ça prend des chiens dans un jeu de quilles comme nous pour déranger une Toune au milieu du seul après-midi de sa vie où elle devait dormir. On est des superpersécutés mais on est capables de l'assumer ! On est des désespérés mais on ne se découragera jamais. Ce (ou ça) qui veut qu'on se jette à l'eau par twistesse (comme tant d'autres) ne nous a pas regardés deux fois ; on est capables d'en prendre ! Amène-z-en, chien sale ! Viens-y, mon hostie !

On entre dans le smoked-meat bar qui suit la grosse Banque d'Épargne qui a des slogans dans toutes les langues dans ses vitrines. Pendant que tu vas téléphoner à Laïnou, je vais m'asseoir puis je vais commander deux bons cafés, O.K. ? « Ça me gêne. » Pas question c'est toujours moi qui téléphone ; c'est à ton tour ; puis moi là j'ai mon voyage ; je veux plus avoir affaire au téléphone ; c'est fini.

Nicole revient de la cabine en pleurant. Ça coule, ça roule, ça déboule, ça inonde son visage, son nez flotte, c'est comme un petit navire. Deux trois serviettes pour mademoiselle : éponge, frotte, souffle, mouche. Le Grec qui lave la vaisselle pour presque rien à côté du percolateur-citerne s'en mêle : il me dévisage d'une façon méprisante, accusatrice, pleine de reproches. Il ressemble à Ed Giacomin, le goaler des Rangers de New York. Il veut que je me sente coupable. Personne ne perd jamais une occasion de t'embarquer sur le dos.

— Qu'est-ce qui te met dans un état comme ça ?

Elle me raconte son aventure téléphonique avec Laïnou.

— Elle était tout essoufflée quand elle a répondu. Je lui demande : qu'est-ce que tu fais ? L'amour ! qu'elle me dit... Elle a pas l'air contente, je sais pas comment prendre ça, je dis rien, elle dit rien. Je me trouve malchanceuse de la déranger dans un moment pareil. Je la trouve malchanceuse aussi, elle qui aime tant faire l'amour puis qui le fait si peu souvent. Pauvre elle, pauvre moi ; je me mets à pleurer. Elle me demande si je pleure, la voix toute changée, toute gentille. Elle me demande encore si je pleure, je pleure trop pour lui répondre. Elle me demande où on est, complètement affolée ; je lui dis. Elle me dit : bougez pas d'un poil, je remonte mes jeans, je rezippe mon zipper, j'arrive. C'était tellement comique la façon qu'elle a dit ça, t'aurais pas pu t'empêcher de rire. Moi ça m'a fait pleurer plus fort. Cette fille-là est tellement prête à tout pour nous rendre service que ça me déprime. Non ?

— Nous autres aussi on ferait n'importe quoi pour elle...

— C'est pas pareil. Elle, elle nous aime d'amour. Nous autres, notre amour, on le garde pour les beaux yeux d'une grosse séparatiste que que que c'est tellement affairé que que que ça a pas assez de place dans la tête pour se rappeler de quoi ta voix a l'air... Non ?

Là, on raconte nos malheurs à Laïnou. On vase... On n'a pas besoin d'avoir peur avec elle, de se demander à tout bout de champ si on vase trop. On peut y aller avec toute la complaisance malheureuse qu'elle va trouver malgré tout le moyen de nous donner l'impression que notre cas commande ; on sait par expérience qu'on est plus intéressants que tout, même l'accession d'Allende à la présidence de l'Argentine, du Pérou, du Surinam, quoi encore...

— Puis c'est pas tout. La seule chose AU MONDE à quoi on tenait vraiment, tu le sais : c'était notre job. On aimait ça corriger ; plus on trouvait de fautes plus on était contents. Nos seules satisfactions complètes c'était quand on sortait de l'imprimerie après avoir donné tout ce qu'on avait dans le ventre pour donner au public de la copie en vrai bon français. C'était pas la paie qui comptait, c'était le devoir accompli. Eh bien, notre job, on l'a plus, on l'a perdue, on se l'est fait enlever...

— Ça alors ! Dites-moi pas ! Comment ça se fait ?

— La secrétaire aimait pas nos faces...

— C'est un tyran éclairé qu'il faut au Québec. Quelle anarchie !

Les vues politiques de Laïnou ce n'est pas riche.

*

Ce capitaine des légions de Néron se révolte : « Assez versé le sang des chrétiens ! » Néron lui donne rendez-vous à son bureau pour l'interviewer : « Est-ce vrai que tu as dit ce que j'ai entendu dire que tu avais dit ? » Le capitaine n'est pas un sale menteur : « Ce l'est ! — Gardes, en prison ! » L'incarcéré ne reste pas longtemps captif : il s'évade. On le cherche, il est introuvable. Comment le faire sortir de sa cachette sûre ? Néron a une idée sardonique : il va prendre le malotru par les sentiments. Le malotru adore sa vieille mère : on la fait arrêter, on la fait attacher sur une croix, on fait annoncer qu'on va la faire brûler à minuit. Le hors-la-loi est prêt à tout pour sauver sa mère, il accourt à cheval, il ne sait pas que des centaines de centurions l'attendent massés dans l'obscurité... *Puis l'image saute, s'enneige, se chiffonne, disparaît.* La TV est pétée. On ne verra pas la suite dė *Rome en flammes.* On ne verra pas Néron regarder flamber Rome du haut des marches de son palais en jouant, avec un sourire exquis, des airs impossibles sur sa lyre.

On ne peut plus rien faire réparer ; si une lampe est brûlée, ils en remplacent dix : c'est tous des voleurs. On a regardé notre TV les yeux pleins d'eau puis on a dit : « On va la vendre. » Dans une vie platte, il faut des changements, anyway. On a appelé chez TV Bargains Illimited à midi : « On vous envoie un gars tout de suite ! » On l'a attendu tout l'après-midi : Nicole a eu le temps de pincer tous mes points noirs ; je ne sais pas si tu le sais mais j'en avais un lot. Quand le suppôt de TV Bargains est arrivé, il commençait à faire noir. On a eu envie de le sacrer dehors sans lui laisser le temps d'ouvrir la bouche. On était choqués dur ; le chat, qui comprend tout, avait tous les poils debout. Les Admiral des années cinquante sont des pièces de collection ; c'est tellement bien fait, si soigné comme construction, que c'est considéré comme des chefs-d'œuvre par les passionnés de ces choses-là, qu'il n'y a rien qu'ils aiment comme passer leurs week-ends et leurs vacances à en démonter une et à la remonter. Quand le coquin, après avoir peloté notre vieille compagne avec un air dégoûté, s'est mis à lambiner, louvoyer, tergiverser, pour voir si on accepterait moins que les $ 25 que son boss lui avait dit de nous offrir, on n'y est pas allés de main morte par quatre chemins, on lui a fait carrément sentir quel petit minus habens stupide il était : « T'as pas besoin de te forcer le cul, bonhomme ; $10 ça va faire ! »

Ensuite, on a été faire des affaires chez Targa Used Stoves and Ice-Boxes, rue Mont-Royal ; ils vendent et achètent des poêles et des frigidaires usagés. Quand tu viens vendre ils t'aiment moins que quand tu viens acheter. Ils te montrent leur entrepôt avec un air dégoûté : il est plein, il est comble, le toit bombe.

— Combien vous donnez pour un L'Islet Ultramatic en très bonne condition et un Kelvinator onze pieds cubes parfait état ?

— Nous autres, bonhomme, c'est pas ni ci ni ça. C'est $20 chaque s'ils sont comme neufs, puis 10 s'ils marchent pas correct. Ça prend un gros camion puis deux bons déménageurs pour transporter ça, faut pas que t'oublies ça dans tes prières, bonhomme. On est bien prêts à rendre service au monde mais y a des limites à faire des sacrifices.

On a dit O.K.

Nous, quand on décide de faire maison nette, on ne recule devant rien. Mais ça nous a fait mal au cœur d'autant plus qu'ils nous ont demandé $12.95 pour un petit réchaud portatif à un rond pour faire bouillir de l'eau pour se faire du café pour se remonter le moral dix fois par jour.

Ça nous a fait mal au cœur de voir partir d'un coup sec le poêle et le frigidaire. Je ne sais pas si tu le sais mais c'est des choses qui prennent de la place ; ça jette deux froids, deux gros...

On s'est pris la tête dans les mains, on a réfléchi, on a trouvé une explication pour notre comportement : c'est une campagne de diversion, de distraction pascalienne (au sens où André Gide l'a défini, tu sais ?). Pour cesser de souffrir de la Toune, on se blesse le cœur ailleurs. Dans une vie douloureuse il faut changer le mal de place.

La dernière chose qu'on a fait cuire dans le four du L'Islet Ultramatic c'est nos disques des Beatles. On en a fait une belle pile noire, on l'a posée au centre de la grille, on a allumé à 350° F. On s'est assis par terre pour regarder par la lunette Perma-View ce que ça allait faire. Ça a fondu, ça a coulé, ça a fumé, ça a pris feu. C'était triste. Mais on a compris que les choses dépendent de notre volonté, qu'elles existent parce qu'on le veut bien, parce qu'on choisit à chaque seconde de ne pas les détruire. Elles existent si peu qu'on peut dire que rien n'existe.

Minuit ! Toutes les nuits, encore, malgré tout, on attend minuit. Minuit : on regarde le téléphone comme s'il cachait une bombe à retardement. Il sonne ! Le voilà qu'il sonne ! On crie ! Pas vrai ! On rêve !

— Comment ça va ?

Ça va bien ! Hé ! comment veux-tu que ça aille autrement quand tu es là, quand on t'a... même si c'est loin au bout d'un fil ? On exulte, si tu veux le savoir. On ne porte pas à terre. Puis toi ?

— Je peux dire que je suis couchée mais je sais pas trop si je dors, si je suis morte ou si je suis folle. C'est toujours pareil... Aussitôt que je m'appuie le cœur sur quelque chose, ça cède... Chaque fois que j'ai un bon flash, que je crois assez pour lever, décoller de la marche avec tout le monde sous mes ailes, le ciel me tombe sur la tête comme les décors du Vaisseau Fantôme de Richard Wagner...

— C'est beau comment tu dis ça...

(Qu'est-ce que tu veux répondre à une envolée littéraire ?)

— Tout le monde me déçoit. I want to get off[1] ! Ils disent tous qu'ils aiment. Puis t'es mieux de les croire ; parce qu'ils se basent pour te le dire sur ce qu'il y a pour eux de plus pur, de plus sacré au monde : CE QU'ILS SENTENT ! Mon nombril sent que j'aime, donc j'aime ! Wow ! Ils sentent qu'ils sont prêts à virer le monde à l'envers, ready and eager[2], tout-de-suite, tout-de-suite ! Man ! Tu les appelles deux minutes après pour leur demander de signer une petite pétition puis tu te fais répondre qu'ils sont trop occupés ! Occupés à vendre le terrain qui va faire leur fortune ! Occupés à rimer la chanson qui va leur apporter la gloire ! Occupés à lécher le discours qui va leur donner le pouvoir ! C'est tous des crosseurs, des maquereaux puis des agace-pissette ! C'est pas mêlant : c'est à celui qui te fait débander le plus vite ! Puis vous autres, comment ça va ?

(Ça va de plus en plus bien ! Qu'ils envoient fort, qu'ils te déçoivent tous ! C'est quand ils te donnent pleine et entière satisfaction que nos valeurs baissent. Dans un cœur heureux il n'y a pas de place pour des bouche-trous comme nous.)

— Nous on aime puis c'est vrai. Tu es tellement soleil que tu nous a rendus fleurs, qu'à part toi plus rien ne nous nourrit. Que veux-tu que des ancolies fassent d'un poêle, d'un frigidaire, d'une TV ? On s'est débarrassés des nôtres. Deux amarantes parentes n'ont que faire d'une job de correcteurs d'épreuves à temps partiel ; on a laissé tomber la nôtre. Bien vite, on va quitter notre appartement ; c'est plantés sous les fenêtres de ta chambre qu'on va pousser le mieux.

1. Arrêtez la terre, je veux descendre.
2. Prêt et pressé.

— Vous avez pas peur de me décevoir, moi qui suis toujours déçue par tout le monde... ?

Elle ne met dans cette réflexion un peu surprenante aucune suffisance, aucune arrogance. La cruauté qu'elle contient s'y est glissée malgré elle. Le petit sourire triste qui se devine dans sa voix ne laisse aucun doute sur ses intentions : elle a tout simplement voulu dire qu'elle trouve que l'infortune de celle qui est déçue est plus déchirante que l'infortune de ceux qui la déçoivent. Elle ne veut pas nous insulter ; elle veut juste se plaindre.

Quoi qu'il en soit, on s'est avancés, on a mis cartes sur table. Là, elle sait jusqu'où vont nos sentiments. Elle connaît les excès auxquels ils nous ont fait recourir et la misère où ça nous a mis. Après tout ce qu'elle nous a dit sur le manque de désintéressement des sentiments de ses pairs, elle ne peut pas ne pas faire de quoi...

LE FONNE C'EST PLATTE (LA CHAIR EST TRISTE ET J'AI VU TOUS LES FILMS DE JERRY LEWIS)

On a marché toute la journée. Ça nous a wendus twistes mais ça nous a fait pwendwe des bonnes décisions.

On va la prendre d'assaut, la Toune. On va la forcer, l'hostie ! Elle ne viendra pas nous chercher : plus d'affaire de s'écraser par terre puis d'attendre que la poussière nous enterre. On va s'imposer, plus d'affaire de s'offrir au bout d'une perche longue. On va déranger, ennuyer, solliciter. On va l'achaler jusqu'à tant qu'elle abandonne et s'abandonne. On va l'user. On va la suivre partout, occuper tout le temps toute la place à côté d'elle ; on va jouir d'elle malgré elle. Quand elle va dire : « Allez-vous-en, man ! » on ne fera plus les susceptibles, les chiens battus, on va lui répondre du tic au tac : « Fuck you, man, on reste ! » Et on va rester !

On en a marché un coup. Il faisait beau. On respirait le soleil comme des nageurs épuisés avalent de l'eau. On est revenus gonflés, bouffis, bleus, tout étranglés en dedans. Avoir, comme une effervescence, dans toutes tes tripes, envie qu'elles zé, qu'elles zécla, qu'elles zéclatent, que toute la marde gicle !

On a presque tout vendu. Il nous reste le matelas, le

réchaud, le toaster. Dans l'appartement déserté, où le moindre bruit soulève des échos montagnards, on crie. On veut se vomir, se vider. C'est comme un concours : c'est à qui criera le plus longtemps d'un seul coup. Mais on est *intarissables ;* on s'essouffle, fatigue, et puis c'est tout. Aussitôt le cri lancé, nos ventres se remplissent. On se dit que vivre c'est être *intarissable,* inépuisable. (On la trouve bien bonne !) On se dit que c'est une affaire de temps : tu tues une heure, qu'est-ce que ça donne ? tu es pris avec une autre tout de suite après.

C'est griffer, mordre, déchirer qu'il faudrait, qu'on se dit. Descendre dans la rue avec chacun un fusil, tirer dans les pneus des autos, les jambes des petits vieux de l'Hospice, les barbes des socialistes, des séparatistes, des fellinistes. On enrage, on est amers à gros bouillons. Mais nous ne pouvons pas nous en vouloir, car nous ne voulons pas ça, nous ne l'avons pas cherché, c'est un mauvais tour que nous nous sommes fait jouer. Nicole, tout ce qu'elle peut faire, c'est me dire : « Prends sur toi, mon beau André, prends sur toi, cher. »

Et moi tout ce que je peux faire c'est dire à Nicole : « Laisse-toi pas faire, ma Colline, laisse-toi pas avoir, chère ; sursum corda ; hosanna ; roffe and toffe ! »

Le fruit de toutes nos ventes est $95. Avec les 50 d'entre les seins de Nicole ça fait 145. Les $50, on ne veut pas y toucher, on veut se faire enterrer avec, comme Néfertiti et Aménophis IV. On va écrire dans notre testament : « On n'a pas dépensé nos $50 parce qu'on n'a rien trouvé dans vos hosties de rues qui valaient $50. » Ça ne veut pas dire grand-chose mais c'est mieux comme ça. On ne tient pas tellement à se faire comprendre. Il n'y a personne qui vaut la peine que tu te creuses la tête pour te faire comprendre, bonhomme, anyway [1]. C'est divisé en deux : femmes et hommes. Les femmes pensent que ce qu'elles ont de plus précieux à te donner c'est leur cul, les hommes que c'est leurs bidoux [2]. Wow ! Quant aux $ 95, on va les boire (mais petit à petit, de façon qu'ils durent longtemps, vois-tu un peu ce que je veux dire ?).

On est trop twistes ! Ça n'a plus de bon sens ! On est au bout de nos forces ! Hé ! ça rime à quoi ?

C'est le sens de l'humour qui nous tient. On va leur montrer, qu'on se dit. Au lieu de se ruiner la santé à combattre l'angoisse, l'anxiété, la nervosité, on va les cultiver, qu'on se dit, on va les rendre dix fois plus pires qu'elles sont là puis on va les toffer, puis on ne craquera pas, puis on va vivre pour la seule gloire de les supporter. On va leur en boucher un coin, qu'on se dit. De quel bois qu'on se chauffe ! Tu pourras te vanter de nous avoir déprimés, mais pas de nous avoir tués, O.K. là ?

*

Les mercenaires de Graham Bell nous téléphonent pour nous annoncer que ça y est, que leur patience est à bout, qu'ils vont nous couper le téléphone. On crâne : « Coupez toujours, papillons ! » On leur fait des calembours, cette fiente de l'esprit : « Plus de téléphone, plus de fonne mais le fonne c'est platte ! »

— Plus de téléphone... Bah !... Ça fait quelque chose à dire à la Toune ! Quelque chose à dire à la Toune c'est pas rien. D'autant plus que comme on a plus le téléphone on va pouvoir aller lui dire en personne...

1. Ennéoué.
2. Dollars, contraction populaire de billets doux.

On marche vite sur la Côte Sainte-Catherine, on se dépêche, on a hâte d'annoncer à notre Toune qu'ils nous ont coupé le téléphone, les hosties de chiens sales. Mais on a un peu peur. Les gens n'aiment pas que tu les achales avec tes problèmes.

— Quel air qu'on va prendre pour lui dire ça ?

— Un air... *guilleret,* chère !

— O.K. !

Ne pas oublier de prendre, aussitôt qu'elle va ouvrir la porte, *un air guilleret.* Avec les gens, il ne faut jamais avoir l'air misérable et piteux : ils détestent ça, ça les déprime, ça leur gâte le reste de la journée. Ils t'en veulent puis tu n'es pas plus avancé, au contraire.

Ça et tout un tas d'autres bonnes résolutions pour aboutir à ce que la femme de ménage nous dise que Mame Degrandpré est partie magasiner avec sa mère puis qu'elle sait pas quand est-ce qu'elles vont revenir. « Voulez-vous que je prenne le message ? »

On se rembarque sur le trottoir. Mais on n'est plus pressés. Si on n'arrive pas aujourd'hui à Notre-Dame-de-Grâce, on arrivera en 1997.

— Traîne pas tes pieds, chère, ça me démoralise.

— Qu'est-ce que t'as, ça va pas bien ?

— Comment *ça va pas bien ?* C'est *toi* qui te traînes les pieds, c'est *moi* qui devrais te demander ça...

Salopette, gants, casque de bain, on frappe Laïnou en pleine inspiration (mais c'est de l'expiration, bonhomme, si tu veux le savoir). On la dérange mais elle est contente. Il n'y a rien qu'elle aime comme se faire interrompre quand elle peint. Moins elle peint plus ses tableaux sont rares. Plus ils sont rares plus les gens trouvent qu'elle a du talent. Prolifique, ça fait vil.

— Ça y est : on a plus le téléphone. La Cie Bell nous l'a coupé, cette hostie de chienne sale-là !

Elle est estomaquée. Quelle anarchie ! « On peut-u

donner ton numéro de téléphone à Petit Pois ? » Oui. Bon ; alors on lui expose d'une manière tragique les détails de notre statégie ou vice versa (d'une manière stratégique notre tragédie...)

— Comme ça, quand elle voudra nous atteindre, elle pourra téléphoner ici. Alors toi tu réponds puis tu prends le message. Il y a un téléphone public au coin de Rachel puis Saint-Urbain ; alors nous on t'appelle régulièrement de là puis on te demande si tu as un message. On peut pas l'appeler, elle, toutes les cinq minutes, pour lui demander si elle a eu affaire à nous parler, tu comprends ?

— Énervez-vous pas ! J'horreur de ça ! Vous l'aimez pas pour rire votre Petit Pois, hein ?... C'est con mais je la trouve chouette moi aussi. Elle fait un peu trop sa Jane Fonda pour mon goût... mais ça part des tripes, c'est sincère. En tout cas, elle mâche pas ses mots quand elle a de quoi à dire : ça pète, ôtez-vous de là ! Je l'ai vue une couple de fois à l'Accroc, j'ai pas osé l'emmerder. Chacun dans son petit trou dans son petit monde, hein ?... C'est vrai ce qu'on dit qu'elle a un faible pour les motards, les Hell's Angels ?...

Et puis alors, comme elle dit, elle nous chante ironiquement : « Il avait des bottes, des bottes de moto, un blouson de cuir noir avec un aigle sur le dos... » Le hit d'Édith Piaf, tu sais ? On n'aime pas ça. On dit bye-bye, on s'en va. On la laisse à sa trop facile expiration, pour la punir.

On retourne à Outremont. On s'assoit dans le parc Lyndon-Johnson ; là même où notre Toune faisait de la bicyclette avant de faire la suffragette. On est gênés pour le moment d'aller refaire sonner la sonnette de sa grosse maisonnette ; on attend que notre timidité tombe. On s'encourage en se disant que l'avenir est aux audacieux. On se lève, on traverse en tremblant la rue

Pratte. On manque se faire écraser par une de ces voitures-sport qui ont deux silencieux (un de chaque bord) qui pètent fort.

— Grosse Corvette tite quéquette !

La même femme de ménage que tout à l'heure nous donne la même déception que tout à l'heure. « Voulez-vous que je prenne le message ? »

D'après la position du soleil, les trois quarts de l'après-midi sont passés. Plus qu'on marche plus qu'on va bien. On va passer à travers. Pour ne pas perdre le tempo, on va continuer jusqu'aux Petites Éditions. Ça va nous faire plaisir de sentir que ça ennuie Roger qu'on n'ait plus rien, même plus le téléphone, qu'on est rendus trop heavy pour qu'il nous porte. Ça va faire notre affaire aussi de sentir que ça fait chier Sex-Expel que Roger reçoive sans rendez-vous, comme des *familiers,* deux téteux comme nous, du même bas étage qu'elle (notre diplôme des Beaux-Arts vaut bien son certificat de business college).

En descendant l'escalier, en pleine forme, prêts à tout pour ne pas se laisser déprimer, on se fait accrocher par notre Lituanien.

— Pay ! Please !

— Sorry ! No money !

La chicane prend, les menaces se heurtent aux insultes, les gros méchants mots bruns sont lâchés, ah ! puis va donc chier puis manche donc un char de marde. Une fois sortis, on se regarde pour voir dans quel état cette épreuve nous a mis. Le sang nous a monté un peu aux oreilles mais le moral n'est pas abîmé.

— Gros Jean par-devant comme par-derrière...

— Arrête, cher ; tu me fais rire quand tu fais des farces.

On passe par l'avenue du Parc et la rue Bernard, où que c'est juif et que ça bouge. Sur la Côte-Sainte-Catherine, c'est mort, c'est des maisons élevées sur des carrés de gazon clôturés, une double file de tombeaux. On s'arrête dans une pharmacie pour se munir de crayons et de sketch-books. On s'arrête dans une épicerie pour s'armer d'une douzaine de Heidelberg en canettes. En canettes parce que la caisse a une poignée bien pratique pour le transport individuel à pied. On s'en va assiéger notre Toune ! On s'est arrêtés dans un restaurant pour téléphoner chez elle pour savoir si elle y est. Elle y est.

C'est tranquille dans le parc Lyndon-Johnson. Une petite vieille s'amène de temps en temps, qui vient faire faire à son toutou tout fou, parmi les couteaux tendre des iris, sa petite crotte. On est assis sur un de ces bancs publics périphériques coulés dans le béton pour que tu ne te sauves pas avec, parce qu'on est méfiant à Outremont. On a la tête dans les jeux des moineaux et dans les frémissements des feuilles fraîches-dépliées, encore cirées, d'un grand érable. On tourne le dos à la grosse maisonnette. On est tout à côté de notre Toune; si on n'avait pas peur de se faire remarquer en observant les fenêtres, on pourrait voir bouger son ombre. Peut-être qu'elle viendra, tout à l'heure, étendre sa solitude oisive juste là, sur ce coin de pelouse, pour repenser son rôle dans notre société de consommation guettée par l'acculturation.

Comme c'est bon, tout à coup, après si longtemps, dessiner, copier, ou imaginer des invraisemblances et trouver les lignes qui les font voir... Nicole fait passer des voiliers sales et déchirés entre les lampadaires de la rue Dunlop, si chic. Je fais tournoyer flammes et fumées dans le bassin où Cupidon, juché sur une vasque, se fait arroser par cent canards. Nicole se dépêche de terminer ses croquis pour me les montrer. Je me hâte de compléter les miens pour qu'elle me dise comment quelle les trouve. On se complimente : c'est beau, magnifique, superbe (à quoi ça nous avancerait de nous déprécier, dénigrer, désenthousiasmer). Pour avaler mieux toutes nos louanges, on débouche deux autres canettes en tirant la languette (un autre grand avantage des canettes c'est qu'on peut les ouvrir sans ouvre-bouteille, sans machin, sans rien).

On guette. Nos oreilles sont prêtes : si la Toune ouvre la porte, on va entendre grincer les gonds, claquer le pêne. Mais ce n'est pas nécessaire qu'elle sorte, qu'on la suive comme des détectives de films ou — suivant ce qu'on a imaginé — qu'on courre la rejoindre, qu'on l'accompagne dans ses courses en la tenant par la main. Ce n'est même pas désirable, au fond. La sentir là, derrière nous, de l'autre côté de cette rue chic, c'est bon. Quand c'est bon c'est assez.

On l'a guettée jusqu'à la fin de la bière, qui a coïncidé avec la tombée du jour. Il n'est rien arrivé de spécial. Vers le milieu de l'après-midi, un livreur de chez Simpsons s'est présenté, les bras chargés de paquets. Quand la Toune a ouvert on a détourné la tête par prudence comme des détectives de films. Le gars est ressorti presque tout de suite, soulevant son képi d'une main, essuyant son front de l'autre. Quand l'incident a été clos, on en a dessiné les étapes, dans le style cartoons : avec des dialogues en bulles et tout. « Me voici, votre aimable livreur de chez Simpsons ! — Ils vous exploitent, je gage, ils vous obligent à parler en anglais, leur sale langue, je gage ; donnez-moi un bon french kiss pour vous remonter le moral ! — GLURRP ! GLURRRRRP ! — Squel sbon spourboire ! Stabarnak ! Je suis content d'être venu ! Allez-vous me faire venir encore ? »

On a regardé le soleil se coucher, reposer ses ailes rouges d'un bout à l'autre de l'horizon, colorer les érables en arbres de Noël. Si on avait eu un kodak on aurait pris des photos, comme des touristes. C'est con (comme dirait Laïnou) mais c'était beau. On a assisté au retour de Roger. La porte du garage doit être munie d'un œil électronique car elle s'est ouverte toute seule à l'approche de la Citroën.

On est revenus lentement à la maison. L'obscurité de la Côte Sainte-Catherine nous caressait le visage, comme du vent. Le ciment des trottoirs feutrait nos pas, comme un tapis de Turquie.

Monte l'escalier en douceur pour ne pas se faire accrocher comme ce matin. Sort la clé : elle n'entre plus dans le trou. Zigonne, zigonne : c'est clair : la serrure a été remplacée. Fuck !

Le Lituanien, en pantoufles, les bretelles sur la croupe, n'a pas l'air d'avoir envie de faire des farces. Je braque la clé sous son nez : « Voulez-vous bien me dire ce que c'est que ça veut dire ? — You pay you stay ! You no pay you go[1] ! » Quel jargon ! Il monte nous débarrer la porte. Il bougonne : « Last time ! » Fuck you ! qu'on se dit. Mais c'est un bon gars, ce n'est pas de sa faute. C'est la petite blonde bêcheuse qui l'a monté contre nous. Puis on s'en sacre.

C'est notre dernière nuit ici : last time. On emportera rien. Le chat, si Nicole y tient à tout prix, mais moi ça ne me fait rien. Maintenant que notre coquille est détruite, qu'on est à un pas d'être partis des lieux et des objets où les jeux de l'habitude avaient tissé des toiles où faire courir des *idées* et des *sentiments*, maintenant qu'il ne reste plus rien de ça, on peut le dire sans se tromper : il n'y avait rien, IL N'Y A RIEN tout court. En vidant l'appartement, on s'est vidés. Et là on voit, on sait, avec force, comme tout nus dans la neige, que ce qu'on est vraiment c'est un vide (un vrai vide, un qui aspire, un vacuum), que ce vide garde tout le temps sa force de vide, sa faim douloureuse, que ça dévore tout à mesure, nous avec, que pour qu'il marche

1. Tu paies tu restes. Tu paies pas tu t'en vas.

bien (et qu'on marche bien nous aussi) il ne faut pas qu'il soit *obstrué*... comme quand tu essaies de te cramponner à l'ouverture pour te garder (ta vertu, ta jeunesse, ton idéal, ta réputation, ta personnalité). On a trouvé qu'on est *un vide qui se refait,* que c'est ça notre sens, et on est contents.

Ce dernier paragraphe est très pédant et, qui pis est, n'a rien à voir ou presque avec ce qui a vraiment eu lieu. On était en train de déchirer nos fascicules d'Alpha, si tendrement acquis, lus, conservés, reliés. Nicole était au bord des larmes :

— Là, ça y est, il nous reste plus rien...

J'ai répondu, à tout hasard, pour la rassurer :

— Voyons voyons, il nous reste... ce qu'on va faire.

— Qu'est-ce qui va rester après *ce qu'on va faire...?*

— Si on le jette encore, si on s'accroche pas, si on s'en souvient même plus, il va encore rester rien. C'est-à-dire qu'il va rester encore *toute la place,* c'est-à-dire notre pleine liberté...

Mais il nous reste encore notre *Flore laurentienne,* ses 642 genres et 1 568 espèces.

*

Le chat a compris tout seul que son règne de l'avenue de l'Esplanade était fini. Avant, aussitôt qu'il mettait les pieds dehors il se déchaînait, il disparaissait dans un soulèvement de poussières, comme le Road-Runner (mip! mip! tu sais?), on le perdait. Il fallait faire la tournée complète des poubelles des cours, des galeries et des ruelles avant de tomber sur celle qu'il était en train de détrousser; ça prenait toute la nuit; c'était immanquable. Là, pas de furie, aucune galipette : il a reniflé le temps, il a pris un air songeur, ses narines ont palpité, comme pour analyser, décoder, et il a attendu qu'on passe devant. Il nous a suivis tout le long, tout droit, la queue en l'air, touffue comme un panache, épique. Aux intersections dangereuses, on l'a pris dans nos bras ; on ne tient pas à lui plus que ça, mais on n'est pas des cruels. A la fontaine Rubenstein, réservée au genre humain, on l'a fait boire ; il était temps, sa langue traînait par terre. Il a trouvé le voyage long. Quand tu tombes couché sur le flanc après chaque chaîne de trottoir et qu'il faut que tu halètes à grosses gouttes pour retrouver ton souffle c'est signe que tu as hâte d'arriver. On l'aurait bien porté vers la fin, mais c'est un chat fier, il ne supporte pas ça. Il s'est traîné jusqu'au nid frais que lui faisait un coin chauve de la pelouse ; et là il dort, enroulé, blotti dans son propre ventre ; les jappements des chiens qui considèrent le parc comme leur cabinet d'aisances personnel, il ne les entend même pas. Pourtant, lui, la bagarre !... On le regarde, comme pour la première fois. Nous le dessinons, émus. On se dit : notre chat cet inconnu !... Ce doit être l'effet du départ.

En fouillant dans le sac de Nicole pour trouver des allumettes, je rencontre la fameuse enveloppe des CP-CN Télécommunications où elle a enfermé des pelures d'orange. « T'as gardé ça ? — Oui, cher ! — T'es drôle... — Oui, cher. » (Nicole avait raison : *ça a fini par faire quelque chose :* le papier, gris, a beaucoup pâli ; les pelures ont séché, on sent qu'elles se pulvériseraient sous la moindre pression.)

J'ai terminé *Chat se reposant après une longue marche.* Je m'attaque à *Jeune Femme dessinant sa lime à ongles en buvant sa bière.* Assis par terre devant mon sujet, je fais face à la grosse maisonnette, ce qui me permet une plus grande vigilance. Aujourd'hui, la Toune est sortie. On a téléphoné, ça n'a pas répondu...

On l'attend. Pour s'encourager on s'est dit : tout ce qui sort finit par rentrer. On s'est dit : si elle est assez grande pour partir elle est assez grande pour revenir. On s'est dit : qu'elle ait laissé son cottage là c'est signe qu'elle n'est pas allée bien loin... Toutes sortes d'affaires comme ça.

Nicole dessine vraiment sa lime à ongles. Elle essaie de représenter fidèlement le côté (on ne peut pas rendre dans un seul dessin les deux faces d'un objet, tu sais) qui porte la marque (PEDRAS), l'emblème (un dragon appuyé sur la base d'un grand D comme pour se donner un élan pour sauter à travers) et le nom du lieu de fabrication (Solingen-Germany). Elle entend pousser l'exactitude jusqu'à reproduire ligne par ligne les trois couches de sillons, une centaine chacune, qui se croisent pour donner la surface abrasive. Nicole a trouvé le titre de son œuvre *(Le printemps regardé de très près)*, avant de commencer. C'est sa façon de procéder. Elle aime les titres et ceux qu'elle trouve ont un genre bien à eux qui force l'admiration ; comme quoi c'est en suivant la pente de ses goûts qu'on peut le plus s'affirmer, se distinguer, réussir. En 1966, quand on a exposé, elle a trouvé tous les titres toute seule. Si elle ne se retenait pas, elle ferait carrière d'intituler. Comme d'autres font des œuvres sans titres, elle ne ferait que des titres, des titres sans œuvres. Ça aurait l'air de quoi ? Elle serait trop en avance sur son siècle ; le monde n'est pas prêt.

— Ça fait dix ans aujourd'hui que la mère est morte... C'est pas d'hier.

— On pourra plus la réchapper, je pense, là, hein ?

— Grand niaiseux !

Nicole connaît par cœur toutes les dates historiques de la famille : un père, une mère, quatre frères, trois sœurs... Mais celle d'aujourd'hui est facile à retenir ;

elle coïncide avec sa propre date de naissance. Je fais semblant de ne pas voir le rapport ; je suis contre la célébration des anniversaires ; je trouve ça déprimant. Moi, c'est vieillis tant que tu veux mais mets-moi-le pas sous le nez. Je suis strict et sévère là-dessus.

Soudain, tout à coup, brusquement, de nulle part, comme portée par sa robe longue, qui roule des vagues blanches à ses pieds, notre belle amie traverse la rue. C'est beaucoup trop, c'est trop magique, ça coupe le souffle, ça brouille la vue : avec des ailes, noires, en désordre sur son dos, c'est un ange qui fait le paradis buissonnier. On n'a pas vu stopper le taxi, trop de par ici ; on n'a pas vu le chauffeur trop ordinaire, lui ouvrir la portière. Elle nous voit, elle vient, quel bonheur ! Elle court vers nous, court, avec des rires plein le vent qui agacent ses cheveux, elle court pour nous donner, vite, plus vite, au plus vite, son visage à embrasser.

— Ah mes trésors ! Quelle bonne apparition vous êtes ! J'étais heureuse puis j'allais me retrouver toute seule dans mon coin ; c'est si triste d'être seule quand on est heureuse ! Ah il m'arrive monts et merveilles !

— Ah raconte, parle, dis-nous tout ! Tout tout tout !

— Tout à l'heure ! J'appelle Roger, je dételle puis je reviens ! Stand by ! Elle est trop too much ma robe, hein ?

— Elle est très belle mais tu es mieux qu'elle.

Elle s'est mis des jeans et une veste de cowboy. En la voyant revenir, changée ainsi en Hell's Angel, on se dit qu'on aimerait mieux être de ceux pour qui elle s'était déguisée en Pauline Bonaparte. Elle se roule par terre avec le chat dans les bras ; toutes sortes de brins d'herbe et de poussières se mêlent à sa crinière, si soignée, si lustrée. Elle m'attrape par un pied pour me faire tomber ; je me dégage ; je suis trop gauche pour me chamailler ; j'aurais l'air complètement ridicule.

Et puis n'est pas enjoué qui veut. Elle scrute nos sketch-books, découvre nos talents, pousse des fan-tas-tik ! de connaisseur-averti-en-vaut-deux : « Si vous faites des huiles dans ce bag-là, je suis prête à en acheter ! Sans farce ! C'est vraiment trop too much ! » On fait les pas-intéressés, les au-dessus-de-ça. On se doit bien ça, nous que tant d'agences de publicité ont virés de bord, offensés et humiliés.

— C'est quoi donc, tes *monts et merveilles ?*

Son dernier film, *As-tu fou ou froid ?* (« Quel beau titre ! » s'écrie Nicole, experte), a été choisi, tout à l'heure même, pour être présenté à la Quinzaine des Réalisateurs du Festival de Cannes... Il a été *sélectionné,* man ! « Ils vont le savoir, ces cons-là, comment qu'on s'appelle ! » Couchée de tout son long, elle pointe un index menaçant en regardant le ciel avec des yeux écarquillés tout habités de tonnerres et d'éclairs. « On va leur montrer, aux Français, où qu'on se la met, leur petite culture bourgeoise florissante au Père-Lachaise ! On va leur en faire des *colons,* de la *neige,* des *Maria-Chapdelaine* ! Dans dix ans, c'est eux qui vont se mettre à nos genoux pour qu'on les civilise ! Leurs enfants vont apprendre la grammaire joual puis c'est les pièces de Michel Tremblay qui vont les faire flipper à la Comédie-Française ! Ils sont pas dedans, man ! » Puis elle éclate de rire, comme si elle avait voulu faire une farce. « Je vous ai fait peur, hein ? » Ça nous a fait drôle en tout cas, man...

La conversation est tombée. Si ça continue la Toune va s'impatienter et décamper. Je me creuse la tête pour trouver de quoi la retenir.

— Je voulais pas te le dire mais l'occasion est trop belle : c'est l'anniversaire de Nicole !

Ça prend. Aussitôt donnés les 29 coups de bascule (29 ans ! déjà ! pauvre Colline ! quelle cruauté ! fuck !), tout le monde est embarqué dans le taxi, le chat avec, et le diable de rire et de chanter nous emporte à l'Accroc (pour dire comme les habitués), la place correcte pour fêter ça. La Toune dit qu'elle ne trouve pas le homard Thermidor si frais que ça, qu'elle croit qu'il a marché tout le long depuis le Maine. Nous on le trouve excellent. On a faim. Puis c'est gratuit. Puis décortiquer des pinces, des pattes, des antennes à moitié pétrifiées avec des casse-noisettes qui dérapent tout le temps, c'est du labeur, ça creuse l'appétit.

Reinette DuHamel, gloire nationale, en passant pour aller aux toilettes, nous a aperçus. Elle a fait un stop pour embrasser son « beau Petit Pois » et faire des caresses au chat. Elle nous a dit allô, mais avec une façon de nous regarder un peu à côté qui laisse croire qu'elle était jalouse. En ressortant des toilettes, elle est passée par la table de Pascale Lafond (une pasionaria professionnelle) et Claude Gervais (une vieille connaissance) pour leur signaler la présence de la Toune. Par la suite, chacun leur tour, sur le chemin des toilettes eux aussi, ils sont arrêtés prendre de ses nouvelles et faire des petites manières au chat. Pascale Lafond a marmonné « Plaisir », expression exagérément euphémique, quand on lui a été présentés. On lui a répondu « Vous êtes très ressemblante » ; a-t-elle saisi l'astuce ? Claude Gervais s'est inscrit le même jour que Laïnou et nous aux Beaux-Arts. En classe, on s'assoyait ensemble ; on s'entendait bien. Il a abandonné après quelques mois ; il trouvait les profs trop cons, les cours trop dégueulasses, comme il y en avait tant. Il passe pour le premier contestataire de la deuxième vague de contestation artistique québécoise, la première vague remontant au *Manifeste global des Automartyrs*[1] (on s'est

1. Automatistes.

assez fait rebattre les oreilles avec leurs histoires pour avoir le privilège de déformer leur nom). On s'est presque jetés dans ses bras : « Claude Gervais ! O toi ! Vieux bomme ! Copain ! Camarade ! » Lui, du bout des dents : « Qu'est-ce que c'est ? » Ce n'est pas nous qu'une grosse barbe noire rendait méconnaissables, c'est lui ! La Toune tenait parole : elle n'avait encore dit à personne que *As-tu fou ou froid ?* avait été *sélectionné.* En entrant, elle avait jeté un coup d'œil goguenard sur la clientèle et nous avait glissé à l'oreille : « Je leur dirai pas que j'ai été *sélectionnée...* ils salissent trop tout... ça va être le secret de la fête de Nicole... mais j'aimerais ça être là pour les voir halluciner quand ils vont l'apprendre. » Tout le monde regardait, goguenard, en allant aux toilettes, les téteux qui mangeaient à la table de Petit Pois ; tout allait bien. C'est quand elle a aperçu le directeur de la revue Caméra Améra que ça s'est morpionné. « Lui, je peux lui dire, c'est un gars correct. »

— Psssst !... Plateau !... Plateau !... Ici ! J'ai un bon scoop pour toi : je viens d'être *sélectionnée* pour Cannes !...

La Toune alors nous a tourné le dos, s'est pâmée, s'est jetée avec Plateau (Nicole a compris *Pluto*) dans une folle jasette d'admiration cinématographique mutuelle qui est venue à bout de notre patience spectatrice béate peu après minuit, et qui ne doit pas encore avoir dérougi. Elle ne s'est plus occupée de nous, sauf une regrettable fois. Elle a poussé son homard Thermidor à peine entamé de notre côté pour qu'on fasse des bouchées pour le chat pour qu'il cesse de miauler pour qu'ils s'entendent jaser.

Dehors, après deux pas d'un côté puis deux pas de l'autre, on s'est arrêtés sec. Quand on se souvient qu'on n'a plus de domicile après avoir passé la journée sans y repenser, quand le flash te prend, ça donne un coup, les jambes te manquent. Puis on s'est dit qu'au fond c'est bien qu'on n'ait plus notre petit lit dans notre petite chambre, comme tout le monde... PAS NOUS : c'est notre cri du cœur. On a enclenché notre pilote automatique et on a laissé aller. On s'est ramassés chez Laïnou.

Laïnou a l'air contente de nous héberger « en attendant ». Pas son Idéaliste. Il fait tout pour nous écœurer. Cherchant à nous rassurer, Laïnou nous a glissé à l'oreille, pendant qu'il pissait en blasphémant tout son joual, la porte des toilettes laissée grande ouverte exprès : « Laissez-vous pas intimider ; s'il continue à déconner, il va avoir affaire à moi ! »

Là, mamoureuse, baveuse, toute mouillée : « Pourquoi t'es pas content, mon pilou ? Pourquoi t'es pas gentil avec mes copains, mon guili ? »

Non satisfait de ne pas pouvoir nous sentir, Monsieur est allergique aux chats. Il se plaint que ça le fait renifler, éternuer, tousser, que ça lui donne des démangeaisons, l'asthme, qu'enfin ça l'empêche de dormir. J'ai beau dire, on s'en sacre, ça nous est catégoriquement égal. C'est ici qu'on couche, nous. Lui, si ça ne fait pas son affaire, qu'il qu'il qu'il !

De toute façon, on descend trop vite vers où on va : on n'est plus arrêtables. De toute façon on n'a plus de fierté, de timidité, d'amour-propre : on a tout débranché ça, ça ne joue plus, ça n'existe plus. On est ni effrontés ni délicats : on est là ; c'est tout ce qu'on est. Maintenant, on se prend où on se trouve, et puis c'est tout. O.K., P.D. ?

*

Même les sièges des cuvettes des toilettes ont des noms et des auteurs. Celui de chez Laïnou s'appelle TUFFY et est signé *Beneke.* Mon idée c'est que c'est ceux qui ne deviennent pas paranoïaques qui sont malades.

Ça a mal dormi. Nicole avait peur que l'Idéaliste fasse une job au chat, qu'il le passe tout vif dans le moulin à viande par exemple. Elle se levait aux demi-heures pour aller vérifier.

Laïnou est matinale (six heures et demie sept heures) et ça la frustre de voir des gens manquer ce qu'elle considère comme la meilleure partie de la journée. « C'est con mais c'est stimulant de sentir tout *recommencer* ! » Tout quoi ? Pour se faire pardonner de nous réveiller à onze heures, elle l'a fait avec un plateau où fumait du café, tremblaient des œufs, se tordait du bacon. A un petit repas par jour j'engraisse ; si je me mets à en prendre deux j'éclate. Si j'avais dit : « J'ai pas faim, j'en veux pas », Laïnou aurait été vexée. Je me suis dit « Bah une fois n'est pas coutume » puis j'ai tout englouti. Nicole vacillait ; son petit déjeuner terminé, elle est retombée comme une masse au fond des draps. Pendant que Laïnou lui flattait les cheveux sous prétexte de favoriser la détente, je me suis levé, désarmé jusqu'aux dents, pour aller faire la paix avec l'Idéaliste. J'étais prêt à m'abaisser jusqu'à être élogieux sur sa façon de revendre $100 des bagues hongkongnaises à $1 la douzaine ; mais c'est le meilleur moyen de vaincre un arrogant que de le rendre ridicule en le faisant mordre à des compliments exagérés ; fais toujours beaucoup plus de louanges que le gars en mérite, bonhomme. J'ai trouvé le tabac que l'Idéaliste sème partout en roulant lui-même, ostensiblement, ses cigarettes, mais je n'ai pas trouvé lui. « Où est-ce qu'il est, ton rastaquouère ? — Il a téléphoné à une certaine Ginette et puis alors il est parti. Que le diable l'emporte ! — Là tu parles ! »

On n'est plus peureux, anxieux, niaiseux ; on n'a plus d'âge, d'usages, de visage ; on a tout jeté ça. On a envie de voir notre Toune... puis c'est tout ce qu'on est... puis c'est tout ce qu'on a... puis c'est correct.

On fait donc sonner la sonnette de la grosse maisonnette. On a entre les mains un bon prétexte : Le Devoir, qui lui consacre la haute moitié de la première page de son supplément artistique hebdomadaire. « *Petit Pois et la femme fœtale* » ! Si avec ça elle n'enfonce pas Germaine Greer et sa *femme eunuque,* le public montréalais n'a pas de talent, ou il n'est pas patriote, ce qui dans le contexte actuel revient au même, c'est-à-dire à rien. En attendant, personne ne vient répondre ; sous les coups répétés de nos poings réunis toute la rue Dunlop semble sonner le creux. Debout sur ma courte échelle, le nez sur la vitre, les mains en œillères, Nicole scrute les ombrages du salon style canadien décapé : rien, pas plus de femme fœtale que de femme eunuque. Pour avoir le cœur net, allons voir si la petite Citroën est tapie dans son petit garage. Pas de DS et plus de freins à notre détresse. Ça allait si bien quand on était en chemin ! Ah qu'on n'aurait donc pas dû arriver !

On fait le tour de la grosse maisonnette en regardant dans tous les coins, angles, anfractuosités ; on regarde entre les pieds de la haie de chèvrefeuille rasée platte. Pour se donner le temps de se remettre de l'étourdissement de la déception, nos cœurs nous ont mis dans la tête que notre Toune n'a pas pu s'absenter sans nous laisser une lettre, un rendez-vous, un numéro de téléphone ; c'est ce qu'on cherche. Où es-tu ? On retourne les cailloux, on rampe sous la galerie. Ça aide, oui oui !

— Je te gage, chère, qu'ils passent leurs ouiquennes

dans le Nord, les cochons. Je te gage qu'ils possèdent un petit chalet à flanc de petite montagne, les cochons, qu'un petit escalier abrupt descend jusqu'au sable fin d'un petit lac que les hors-bord n'ont pas le droit de sillonner à cause qu'on ne monte pas dans le Nord pour entendre du bruit mais bien pour avoir la paix. Comme les Anglais, les cochons !

On disait du mal de l'Accroc sans savoir, poussés par une sorte de jalousie préventive. On n'y avait jamais mis les pieds. Ce n'est pas le cénacle qu'on imaginait méchamment. Les vedettes y sont plus nombreuses en photos dédicacées au patron accrochées au-dessus du bar, en phrases de feu lapidaires opaques (« *Vis plus souvent tu mourras moins longtemps* ») gravées dans le crépi des murs... qu'en personne. C'est plutôt une montre, une vitrine où viennent prendre des airs les pauvres aspirants artistes téteux d'artistes et haineux d'artistes, les ombres brillantes et les médiocres sublimes dans notre genre. Sur la terrasse, on n'a qu'à tendre la jambe pour mettre le pied dans le courant tumultueux du boulevard Maisonneuve. Sur la terrasse, on est bien placé pour passer des remarques désobligeantes politiques engagées sur les passants, des étudiants de chez Sir George pour la plupart, des adolescents longs et pâles de Pointe-Claire et Baie-d'Urfé qui viennent sous nos nez apprendre à nous polytechniaiser, sciencessocialiéner, hautesétuliser et marketyriser dans la langue des hot dogs et des milk shakes. Mais nous, ce n'est pas pour ça qu'on est venus. On est venus pour voir si on ne rencontrerait pas quelqu'un qui pourrait nous dire où notre Toune (nous) est partie.

— Tiens ! Là ! Lui ! On le connaît !

C'est Louis Caron, l'être joual supérieur. Il était du voyage à l'aéroport. C'est lui qui ne passe inaperçu nulle part. Depuis qu'il a vu (quarante-deux fois) le film *Little Big John,* il porte un bandeau à plumes, se fait appeler Raton Rêveur et répand la théorie que le joual est une langue sauvage, donc indienne. Nous crions hé à Louis Caron. Il n'a pas compris. C'est peut-être parce qu'il n'a pas aimé le hé. On n'est pas pour lui crier Louis tout de même. On lui crie man, même si ça nous gêne parce qu'on trouve ça complètement acculturel. Ça marche ; il nous a vus. Il nous demande qu'est-ce qu'on est venus faire ici, une indigestion de Petit Pois ?...

— Justement, vous ne sauriez pas par hasard où elle est partie ?

— Justement, moi itou je suis parti. Puis je sais rien où je suis. Vous devriez venir, man, on est tellement bien !

Bon ! Bon ! bon ! Si c'est comme ça, bon ! Et puis ça ne nous humilie pas du tout même si ça fait glousser les tables voisines. *Humilie,* ça n'existe pas. Ça n'existe tellement pas que quand on a aperçu Sex-Expel on n'a pas hésité à traverser toute la salle pour déposer à ses pieds l'expression souriante de tout ce qu'elle voulait. On a interprété les couplets exercés de notre déchirante infortune et de notre urgent besoin de trouver une job payante dans la publicité, on l'a flattée, complimentée, traitée de VOUS, on lui a fait tout. On a bien fait : « J'en toucherai mot à Monsieur Degrandpré lundi, quand il sera de retour de son lac de villégiature privé niché dans les Laurentides, du côté de Sainte-Adèle. » (Je grossis ici délibérément les effets de son affectation. Farce platte.)

Avenue Draper, il n'y avait personne quand on est rentrés. Quand l'Idéaliste est arrivé, il a fait semblant de ne pas nous voir. Mais avec quelle force il a claqué la porte en se retirant dans la chambre de Laïnou ! Puis comment rouge comme une tomate qu'il est ressorti tout de suite pour nous crier de baisser le son de la TV. On l'a fermé complètement, pas parce qu'on a eu peur de lui mais parce que c'est plus beau sans son. La peur, ça n'existe pas.

*

Elle joue avec le deuxième bouton de sa blouse ; elle ne le lâche pas. Le bouton du haut, elle le laisse tranquille, détaché. Quand la nervosité augmente le bouton suivant saute et l'échancrure s'échancre assez pour qu'on voie, loin du monde et du bruit comme on dit, ses seins dormir ou couver ; mais la gêne de déranger nous prend et on rattrape vite nos regards ; peut-être qu'un jour nous serons amis avec eux aussi.

Elle digère mal son LSD, si on comprend bien, et c'est pour ça que ses dix ongles roses, groupés comme une corolle folle autour du bouton, ne cessent de le détacher et de le rattacher.

Elle ne termine pas ses phrases. Elle passe les derniers mots sous un silence oppressé puis elle en commence une autre. On ne comprend pas trop. Ça ne nous dérange pas. On n'est pas catégoriquement intéressés. On n'est pas assez des usagers de la Contre-Culture de Consommation, la CCC. De toute façon, c'est toujours la même chose ces histoires-là.

Qu'elle a passé la fin de semaine stone. Qu'elle a pris trois caps d'acide, que c'était du mauvais stock, qu'elle a fait des bad trips. Que c'est sur le hasch qu'elle a les meilleurs flashes. Qu'il n'y a rien pour la mettre dans le groove comme quelques bonnes sniffées de hasch. Que l'acide, man, c'est pas son bag, que ça fucke son cosmos, que là son cosmos est aussi fucké qu'il peut.

Qu'elle s'excuse mais qu'elle est encore toute shakée par les mauvaises vibrations. (Ma grammaire underground fait dur.) Puis boutonne puis déboutonne, comme une petite machine.

Elle ne nous dit pas de nous en aller mais on sent qu'elle nous a assez vus. Mais on vient d'arriver ; on veut rester plus longtemps que ça.

— Y a rien qu'on pourrait faire pour te rendre service ?

— Voulez-vous faire une commission à la pharmacie ? Ils font la livraison mais je veux pas voir le livreur. C'est un freak, speedy, les yeux pleins de courts-circuits. Avec mes synapses survoltées je pourrais pas le prendre, la tête m'éclaterait.

Bon, fantastique, on est prêts, on y va, on part... Elle trouve le moyen de faire converger au bon endroit l'idée, la force et le geste de nous embrasser. Et pendant que sa bouche donne à nos joues des petits coups de brosse fatiguée, ses doigts, célères, véloces, continuent de boutonner puis de déboutonner. C'est fou ! Quel tic !

« Une minute ! » Elle a oublié de nous donner l'ordonnance. Elle cherche l'ordonnance. Elle ne trouve pas l'ordonnance. Un tiroir s'est bloqué ; elle donne un grand coup, un si grand que tout le tiroir sort ; ça verse, elle se retrouve avec un tiroir vide au bout des bras. Elle sacre, elle s'écrie : « Maudite ordonnance conne de calice ! » Elle passe dans sa chambre. « Je l'ai ! » Elle l'a. C'était enroulé à l'intérieur de la fiole vide et la fiole vide était enfouie sous l'oreiller. Bon, fantastique. Prenez un taxi. On va marcher, pour faire des économies.

— Tu trouves pas qu'elle est pas toute là aujourd'hui, la Toune, cher ?

Court jusqu'à la pharmacie de l'angle Bernard et

Outremont. On n'est pas plus avancés. Le gars en blouse blanche regarde l'ordonnance puis nous déclare, ahuri : « Vous vous trompez de pharmacie. » La bonne pharmacie se trouve dans le quartier Saint-Henri, à l'autre bout tout à fait de la ville, plus loin que chez le diable. Marcher jusque-là, ça prendrait l'après-midi. On comprend ce que la Toune a voulu dire quand elle nous a dit de prendre un taxi. Adieu les économies !

On dit au képi du taxi de peser. « C'est urgent ! » On veut faire notre commission vite, pour que la Toune soit satisfaite, pour qu'elle nous en fasse faire d'autres ; quand tu sers à quelque chose tu ne te sens pas inutile. $3.70 aller, $3.30 retour, $6.50 pilules ; $13.50 en tout. Elle nous en avait donné 15. On veut lui rendre le reste. Elle ne veut rien savoir. Gardez-le. Quel gaspillage !

— Pourquoi t'achètes tes pilules si loin ?

Pendant que Nicole va chercher un verre d'eau, la Toune m'explique que le pharmacien de la fameuse pharmacie est un ami à elle et qu'il lui accorde un rabais de 20 % sur tout, même les choses comme le Lavoris, le Cutex, les lames de rasoir. Bon, fantastique. Mais ce n'est pas clair. Quelque chose cloche là-dedans et ça m'agace. J'ai calculé mentalement que $15 c'est dans les 200 % par rapport à $6.50 et je n'en sors pas.

Voulant bien faire, Nicole s'est trop dépêchée. Elle n'a pas laissé couler l'eau assez longtemps ; celle qu'elle apporte avec un large sourire est tiède et jaunâtre, si peu ragoûtante que la Toune a peur que sa pilule elle-même attrape une maladie. C'est un cœur brisé, décidé à laisser couler l'eau jusqu'à ce qu'il n'en reste plus dans le robinet, qui retourne dans la cuisine.

Elle pose la capsule sur sa langue, boutonne déboutonne ; elle porte le verre à sa bouche, boutonne déboutonne. Elle donne un coup de gosier, appuyé par un bon serrement de paupières. L'instrument a passé.

Opération couronnée de succès. Elle se sent un peu mieux déjà, boutonne déboutonne, éclair d'étoile noire dans l'échancrure : un gain de beauté qu'elle a là.

— Vous auriez pas dû venir. Je suis trop fuckée. Ça m'humilie que vous me voyiez comme ça. Puis des fois j'aime ça être toute seule. La maison est toujours pleine de monde. Entre puis sort, entre puis sort, pas de jour, pas d'heure, ça arrête pas.

Elle nous a assez vus. Là, c'est clair. Bon, fantastique. Je fais à Nicole un clin d'œil qui signifie qu'il est temps qu'on sacre notre camp. Mais les *mauvaises vibrations* de la Toune saturent l'atmosphère, et j'ai peur que ça ait empêché Nicole de comprendre mon clin d'œil. Je lui en fais un autre. Trop tard : ce deuxième signe arrête le pas qu'elle faisait pour prendre congé. Pourquoi qu'il me fait tant de clins d'œil ? Elle est toute troublée. Elle ne sait plus quoi faire, elle fige. Je recule vers la porte pour confirmer son interprétation de mon premier clin d'œil, je bute contre le bord de l'épais tapis du corridor, je tombe sur le porte-journaux hérissé de fers de lance (création Michel Colbach), je manque de me perforer le dos à plusieurs endroits.

Qu'est-ce que tu peux faire après une visite manquée pareille, après une telle rencontre frustrante ? Où veux-tu aller après une si forte illustration de la difficulté de communiquer ? On a été boire à l'Accroc. On n'a pas reconnu tout de suite Louis Chartrand. Il était caché derrière une barbe, lui aussi. On lui a fait une place entre nous puis on lui a fait prendre une bière à notre santé. On s'est rappelé des vieux souvenirs, il essayait de peloter Nicole. C'est un gars dans notre genre, un raté total plus ou moins volontaire, qui se dit tous les après-midi en se levant qu'il ne faut pas s'en faire avec la vie (la mort est tellement plus importante) mais qui ne peut empêcher le fiel qu'il ravale à mesure de mousser un peu aux coins de sa bouche.

On est arrivés à l'Accroc vers le milieu de l'après-midi. Quand on est ressortis après le last-call[1], vers le milieu de la nuit, il fallait qu'on se tienne l'un après l'autre pour ne pas qu'on tombe, frappe les poteaux, s'égare, tout ça, mais ça avait commencé à aller mieux. Quand on a vomi derrière le Christian Science Temple, au milieu de la Côte des Neiges, on y a mis tout notre cœur. On s'est essuyé la bouche et le menton avec nos mains et nos manches, puis on s'est mis à genoux pour s'essuyer les mains et les manches sur l'herbe, comme des dieux. Quand on a eu fini, il ne restait plus rien. Et c'est vides et propres comme deux neufs et deux nouveaux qu'on est entrés sur la pointe des pieds dans la chambre de Laïnou pour voir ce qu'elle faisait sans bruit dans le noir. Elle dormait. Toute seule. Quelle tristesse ! C'est macabre, la solitude des femmes refusées. On s'est dit : faut faire de quoi, nous si bien, si deux. On s'est couchés de chaque côté d'elle, tout chaussés, tout habillés, toute l'haleine fétide. Laïnou nous aime comme qu'on est. Elle n'est pas difficile comme qu'on en connaît...

*

Elle est partie, comme on dit. « Je fais un saut à Cannes puis je vous reviens. Si j'étais riche je vous emmènerais. Quelle hallucination, les jumbo jets ! Avec Ougi qui dort tout le temps ! Huit heures assise au milieu de l'air à rien faire comme une grosse conne ! Ah !... »

1. Dernière tournée.

Elle est partie hier soir. Quand le temps est long, on téléphone pour voir si elle est chez elle ; c'est contre le bon sens. Mais on ne sait jamais, peut-être qu'elle a été saisie en apercevant tout en bas la Tour Eiffel et qu'au lieu de prendre sa correspondance pour Nice elle a viré de bord. La tour Eiffel, quelle manie ! Les manies, quel bordel !

Les premiers pissenlits s'ouvrent dans le parc Lyndon-Johnson. Avec notre grosse cuiller on a déterré le plus beau plant, une petite forêt en forme de parapluie, puis on l'a mis dans notre vieille boîte de conserve, à moitié remplie dans le bassin du Cupidon. Ils sont beaux, nos pissenlits, sur la galerie de la grosse maisonnette, à côté de la porte ; ils brillent comme des ampoules de marquise de cinéma. On est contents. On va aller les voir tous les jours. On va les remplacer aussitôt qu'ils vont commencer à ne plus être en pleine forme.

Ça ne répond pas. Elle est montée dans un gros avion gris (gros ou petits, ils sont gris) avec son Ougi. C'est loufoque. On a beau faire, ça ne nous entre pas dans la tête. Ça n'existe pas !

Ici, sur la terre, dans la vie, le chat est disparu, et l'Idéaliste aussi, par-dessus le marché. Quand ce n'est pas Nicole qui pleure c'est Laïnou. Quand ce n'est pas une à la fois c'est les deux ensemble. Quelle anarchie !

C'est la première fois qu'on laissait le chat sortir tout seul. Ça faisait des jours qu'il hurlait en regardant fixement la poignée de la porte avec des yeux tout exorbités ; ça lui avait rendu la voix rauque vif ; ça brisait mon cœur. « Je te l'avais bien dit qu'il reviendrait pas si on le laissait partir ! » Nicole veut absolument que je me sente coupable.

— C'est un chat surdoué, s'il s'est pas fait écraser y a pas de raison qu'il retrouve pas son chemin !

Elle ignore tout le bon sens de ce raisonnement pour ne retenir que le mot *écraser*. Le mot suscitant l'image, elle voit le chat en mille miettes, elle voit le pneu ensanglanté du gros camion qui l'a repassé ; et ça devient un fait accompli appréhendé grâce aux menstruations. « Les intuitions féminines c'est toujours vrai ! » Et là ce n'est plus des larmes, c'est du deuil.

A cause que c'est à cause du chat que Pierre Dogan est parti, il y en a qui font peser sur Pierre Dogan de lourds soupçons. J'essaie de les dissiper.

— Hé ! c'est pas Pierre qui a fait disparaître le chat, c'est le chat qui a fait disparaître Pierre !

Ça aussi c'est plein de bon sens.

— Il est revenu, il s'est posté sur le trottoir à côté de la porte, il a attendu que le chat sorte, puis il l'a attrapé, puis il lui a tordu le cou. Il est méchant, ce gars-là ; je le sens, moi !

— Tu prends ta haine pour des réalités, chère.

Les efforts que faisait Pierre pour s'accommoder des troubles respiratoires que lui donnait le chat l'avaient exténué. Quand le chat s'est mis à miauler comme un fou en regardant la poignée de la porte, Pierre n'a plus pu. Menacé par les sommets de l'hystérie et les abîmes de la dépression, il a placé Laïnou devant un ultimatum. « C'est le chat ou moi ! » Laïnou, dont c'est la règle d'or de mettre l'amitié au-dessus de tout, n'a pas hésité une seconde. « C'est le chat ! » Pierre a crié ce qu'il a trouvé de plus guttural dans sa langue indienne et il a fait sa valise.

Ce n'est pas la première fois qu'il part en claquant les portes comme si c'était pour toujours. Mais sa valise, il ne l'avait jamais faite encore. « Ce coup-ci c'est pour toujours, je le sens ! C'est con mais ça m'a fait de quoi ! »

Quelque chose comme des faiblesses si violentes

qu'elle tombe et qu'elle ne peut plus se relever par ses propres moyens. Sur le divan, sur son lit, sur le plancher, dans l'escalier, partout, on passe notre temps à ramasser à la petite cuiller son cœur, si robuste pourtant, si habitué.

On est au Chat Noir ; on est venus pour voir si Pierre y est ; c'est sa discothèque préférée. « Regardez-moi ça ! C'est ça ses prix : dix-sept, dix-huit ans, des petites filles ! » Laïnou les examine comme un grouillement de vermine. Ça prend tout pour qu'elle ne se bouche pas le nez.

Cherche l'Idéaliste au bar. Cherche l'Idéaliste de table en table. Cherche l'Idéaliste dans les toilettes. Pas de Sauvage nulle part. Ça sent la bière. Ça donne le goût. On va s'asseoir puis on va en prendre une avant d'aller voir à la Petite Hutte, O.K. ? Laïnou dit O.K. C'est la chanson *What it is* qui joue, à tue-tête. C'est beau. Le chanteur noir crie « *What it is !* », le chœur noir répond « *What it is what it is what it is !* » Ça continue comme ça, sans fin. Les Noirs ont la voix noire, on n'a pas besoin de les voir pour savoir qu'ils sont noirs. Devant le juke-box aérodynamique truffé d'ampoules roses et bleues, ça danse : des gars aussi jolis que des filles et des filles aux cuisses emmaillotées comme des jambons ; on a envie de sauter prendre une bonne mordée quand la jupette vole. Fuck !

Après trois bières, Laïnou ne veut plus entendre parler d'aller voir à la Petite Hutte si Chose y est. Elle trouve qu'elle a assez couru après lui comme c'est là. Nicole et moi, ça fait bien notre affaire. « Là tu parles ! » La bière est bonne quand la musique joue fort. Et puis c'est Laïnou qui paie : « Je veux pas voir sortir $0.01 de vos poches ! »

On parle de l'âge qu'on a. Moi je dis que je trouve que ça n'a pas de bon sens qu'on soit si vieux. Laïnou, qui a bien onze ans de plus que nous, lève ça de haut : « On a l'âge des pensées qu'on a avant de s'endormir. Moi, c'est les mêmes que quand j'avais dix ans ! T'es con, André Ferron ! T'es supercon ! »

— Je suis content d'être con ! C'est pas difficile d'être intelligent, tout le monde l'est ! Je suis prêt à tout pour pas être comme les autres, moi, même être con !

« Moi aussi ! » s'écrie Nicole. Je ne sais pas si tu le sais mais ça bardait. Le principal c'était que Laïnou ne pense plus à son Pierre, qu'elle ne recommence pas à nous écœurer avec ce profiteur, ce super-pique-assiette de la plus piètre espèce.

— Y a des vieillards de quinze ans !

— Puis des bébés de soixante-quinze ans ! Je sais, j'ai déjà entendu ça quelque part. As-tu déjà entendu ça quelque part, toi, chère ?

— Oui Oui ! rétorque Nicole, fidèle.

On parlait trop fort, tout le monde nous regardait, on est partis.

Il n'y a rien de plus déprimant que Doris Day et Cary Grant dans *To Catch a Thief*. C'est ce qu'on est en train de se taper. On fait exprès, on veut se rendre malades. On fait une expérience, une exploration. C'est peut-être les films comme ça qui sont à l'origine du cancer. On n'en revient pas. On dit : « C'est pas vrai ; c'est pas possible que ça soit pour aboutir à ça que ça fait presque trente ans qu'on surnage, qu'on se cramponne pour pas s'étouffer ! » On dit : « Hé ! c'est comme faire trois mille milles en autobus pour aller regarder un mégot de cigarette ! »

Maintenant, on ne s'en fait plus. Maintenant, on jette à mesure ce qu'on sent. Notre bag, man, c'est le bag vide !

*

La politique, on trouvait ça cheap and heavy, grazéviskeux. On a vu notre (absence d') opinion se confirmer ce soir encore en assistant sans rien dire à une chicane qui a pris à l'Accroc entre Laïnou et deux jeunes intellectuels antipathiques admirateurs de notre Toune.

— Si t'es pas pour le mieux-être de la collectivité, Laïnou, t'es contre. Y a pas personne d'anar, y a pas personne de libre, on est tous dans la marde, pour ou contre !

— Moi je suis pour moi, comme les autres, comme tout le monde ! Moi je trouve les autres cons, et vous me faites chier tous les deux, comme tout le monde !

— Ce que tu fais pas pour nous aider à ériger une société meilleure, ça nuit, pas moyen de sortir de là, pas de paradoxe qui tienne !

— C'est le péché par omission. Je le sais, je l'ai appris dans mon manuel de catéchisme, quand j'étais petite !

— Tu pathétises ! Tu fuis dans l'émotion l'évidence de ta responsabilité ! Tu te laves les mains dans des larmes de crocodile !

— Vous puez le dogme rassis ! Vous flattez des consciences contentes de jésuites gras sous vos airs casseurs et de défonceurs ! Vous croyez ce que vous dites comme si vous étiez inspirés par l'Esprit-Saint ! Vous me faites marrer ! Curés ! Curés ! Curés ! Tout ce que me donnent vos sermons, c'est l'envie de faire le contraire ! Votre paradis rempli d'intellectuels engagés, de lécheurs d'intellectuels engagés, de Chinois tous habillés pareil, de forcenés de la pollution, je veux pas y aller, je crèverais d'ennui ! Vos saints me dégoûtent tellement de votre bien qu'ils me donnent envie de faire votre mal ! Dites-moi ce qu'il faut faire pour être damné par les petits cons pontifiants de votre espèce... que je le fasse... tout de suite !

Et pendant que les bavasseux bavassent les vivants vivent la vie que les bavasseux leur ont bavassée en attendant qu'ils leur en bavassent une autre : communiste, fasciste, nudiste...

Laïnou ne sait pas boire. On n'a jamais pu aller prendre un verre avec elle sans la voir faire un esclandre. On l'a prise chacun par un bras, on l'a tirée de sa chaise, on l'a sortie des lieux sous les regards malotrus : « Laisse faire ces deux petits cons pontifiants, va ; laisse-les niaiser tout seuls ! » C'est elle qui avait niaisé le plus — relativement parlant — mais elle n'était pas dans un état pour s'entendre dire ça. Elle tremblait de colère ; privée de notre support moral elle se serait sentie complètement persécutée, elle se serait mise à lancer les chaises, renverser les tables. La vérité n'est pas toujours constructive. Il faut toujours tenir compte du contexte et des circonstances. « Y a trop de cons ici, allons-nous-en. — C'est ça, Laïnou, allons-nous-en ! » On va attendre que ça aille mieux pour lui dire qu'elle est réactionnaire, nazi, tout ça. Le chat n'est pas revenu mais Nicole prend bien ça. L'Idéaliste n'est pas revenu non plus. Pendant une heure Laïnou pense comment il était beau quand il souriait puis comment il était gentil quand il passait son bras autour de son cou, elle l'aime : elle prend sa tête dans ses mains et elle part à pleurer. Pendant l'heure suivante, elle pense à tout l'argent qu'il lui a flambé, toutes les claques qu'il lui a fait manger, toutes les fois qu'il ne l'a pas baisée, elle voudrait avoir sa petite face de tapette sous son poing pour la lui péter, elle le hait : elle prend sa tête dans ses mains et elle part à pleurer.

Laïnou souffre trop pour dormir toute seule. On se relaie dans son lit. Une nuit c'est moi, l'autre c'est Nicole. On fait les infirmières diplômées et les Schéhérazade (« Sésame, ferme-toi puis dors »). C'est toute une job : platte puis pas payante. Elle ne dort pas plus que cinq minutes par fois. Dans son sommeil, ce raisonnement la saisit : « S'il m'aime il va revenir, il revient, je l'entends ! » Elle se dresse, tend l'oreille, voit bien qu'il n'y a personne qui monte l'escalier. Puis elle met une éternité à se résigner, à comprendre qu'il peut l'aimer sans revenir tout de suite, une heure où il faut la serrer dans nos bras, la flatter, la bourrer d'aspirines, de valiums et de mensonges, lui allumer des cigarettes, l'écouter répéter ce qu'elle a déjà dit des lots de fois, lui dire que nous on l'aime en tout cas, répondre à des questions niaiseuses : « Si vous m'aimez tant pourquoi vous voulez pas faire l'amour avec moi ? »

*

Depuis que la Toune est partie on passe nos nuits à l'Accroc. Mais on ne l'appelle plus *la Toune;* nos tendresses de plus en plus vives s'écorchaient à s'exercer sur des surfaces de dérision. On a appris son vrai nom ; c'est Catherine. Nicole l'a demandé à Reinette DuHamel dans les toilettes de l'Accroc et Reinette DuHamel le lui a dit. C'est beau, Catherine. C'est comme Joséphine, Ernestine, Églantine, Angéline... You know... Maybe you don't know... Maybe you're just another continuous flow of unconsciousness...

On a retrouvé notre hommage floral en bas de la galerie ; un enfant blasé, comme il y en a tant à Outremont, a dû s'amuser à lui sacrer un coup de pied.

Nos pissenlits, les tiges molles comme des spaghetti, les fleurs fermées comme des yeux tout en cils, gisaient tristement devant l'ouverture de leur boîte de conserve, qui gisait tristement elle-même. En fouillant dans le parc Lyndon-Johnson pour en trouver un autre plant, un aussi idéal, un en dôme bien rond, aux fleurs dodues cachant entre leurs jambes nues des boutons suant d'impatience leur lait... nos regards sont tombés — quel étonnement ! c'était comme une coupe à boire vivante ! — sur un crocus, tout pâle, tout seul, tout bas, tout recueilli dans ses voiles transparents autour de ses sexes plus délicats que des antennes de papillon...

— Comme il est beau ! s'est écriée Nicole. Quel crocus ! Comme j'aimerais que Catherine apparaisse puis qu'elle le prenne goulûment dans ses belles mains !

Les fleurs, ça nous émeut. Si le monde nous avait vus faire, il aurait pensé qu'on hallucinait.

On a hésité longtemps avant de cueillir le seul crocus du parc Lyndon-Johnson. On s'est adonné à des pensées d'un ordre métaphysique suspect. Fallait-il aimer le crocus, et se comporter possessivement à son égard, ou fallait-il le laisser libre ? Mais être libre c'est être seul. Tout être normal n'aime-t-il pas mieux se faire prendre, que se faire laisser libre et seul... ? On a décidé qu'on aimerait mieux en tout cas ne pas risquer de se faire pisser dessus par un toutou tout fou du bout d'Outremont...

Le crocus attend Catherine dans une boîte de conserve devant sa porte. Nous avec. On s'est mis dedans. C'est un phénomène d'identification schizophrénique doublé d'un transfert d'affection. Avec des idées semblables ce n'est pas étonnant qu'on ne se sente pas, mais pas du tout, solidaires du reste de l'humanité. Quelle manie, l'humanité ! Quel *product !*

Soudain, sous la longue enveloppe brune à fenêtre blanche de la note de téléphone de Laïnou, il y avait Catherine, oblitérée à Biarritz.

J'ai vu quatorze films en trois jours mais ; j'ai mangé à côté de Claude Lelouch dans un petit bistrot mais ; j'ai vu Claude Chabrol passer avec la fille qui joue dans Que la bête meure *et qui est si bonne mais ; j'ai flirté avec un beach-bum qui m'a dit qu'un jour il a gagné une médaille aux Jeux olympiques mais ; le vin est tellement meilleur qu'à Montréal que j'en bois un litre à tous les repas mais ; j'ai déchiré ma belle robe blanche en descendant d'un taxi comme on en voit dans tous les films français mais ; j'ai acheté une montre suisse à Ougi qui n'a jamais le temps de s'occuper de moi mais ; j'ai oublié ma bourse dans le petit bistrot, il y avait 400 NF dedans, je me suis fait engueuler par Ougi* MAIS *le plus important c'est vous. C'est voue que je prie pour que ça aille bien demain quand mon fameux film va passer. J'ai mis mon sort entre vos mains généreuses. Je suis votre Petit Pois vert de peur.*

*

Laïnou fait pitié. Toutes les choses qu'elle fait pour se remonter le moral finissent par produire l'effet opposé. Aujourd'hui, par exemple, elle s'est fait teindre en blonde, chez *J'en Loue,* le *beauty-parlour* qui peut s'enorgueillir des meilleurs *hairdressers* qu'on peut imaginer. On l'a accompagnée, pour passer le temps. En revenant, on lui a chanté la chanson d'Édith Piaf si connue, si fredonnée : « *Je ferais le tour du monde, je me ferais teindre en blonde, si tu me le demandais.* » Ils l'ont tondue et frisée comme une caniche, ces hosties-là ; on les regardait faire sans rien dire ; on était trop surpris pour intervenir. Quels artistes ! Ils l'encourageaient en lui disant : « Tout fou tout beau, et puis c'est dans le Vogue Magazine ! » Elle les croyait. Elle se regardait dans la glace avec une complaisance qu'elle croyait justifiée. « Ça fait ressortir tout un côté caché de ma personnalité ! » Dehors, son attitude a complètement changé, car tout le monde se retournait pour lui faire des grimaces sans équivoque.

— C'est si moche que ça ?

— C'est plus laid que ça. Je t'emmènerais pas à la campagne, j'aurais trop peur que tu fasses peur aux animaux.

Avenue Draper, elle était trop déprimée pour monter l'escalier : « Je l'ai trop monté, ce con-là ; j'en ai marre ! » Elle ne voulait même pas essayer : « Toutes mes initiatives se soldent par des échecs, moi ! Je veux plus rien essayer ! » Recroquevillée au pied de l'escalier, elle s'est fermé les yeux pour nous donner à penser qu'elle dormait. Il a fallu la hisser. On s'est demandé ce qu'on pourrait bien trouver pour qu'elle se retrouve. On a trouvé la nourriture.

— Ce qui te remonterait le moral, ma belle Laïnou d'amour, c'est un steak.

— Y a rien qui me remonterait le moral !

— Essaie un bon T-bone ! Ça se digère facilement, c'est plein de protéines, puis ça facilite le sommeil !

— Je veux pas dormir, moi ! Je veux aimer ! Et être aimée ! Tout le temps ! Je demande pas la lune, moi, bordel de bon Dieu de merde ! Je veux juste ce que tous les cons ont : aimer et être aimée !

— On t'aime pas, nous autres ? On compte pas... ?

Ça a abouti qu'elle nous a emmenés chez Moishe et qu'avec les quatre bouteilles de Chateauneuf-du-Pape ça lui a coûté dans les $75...

Juste en face de chez Moishe se dressent, sales, gris,

pleins de carreaux brisés, ces espèces de camps de concentration de couture où des Grecques, des Espagnoles, des Italiennes, toutes noires, comme brûlées jusqu'au charbon, importées pour les mêmes raisons que les tissus qu'elles façonnent, peinent tous les jours pour gagner en une semaine ce qu'on venait de manger tristement en une heure. On a regardé ostensiblement les façades macabres, on a pris un air dégoûté et on a demandé à Laïnou si elle n'avait pas honte.

— C'est elles qui devraient avoir honte ! C'est pas un exemple à donner à leurs enfants ! C'est à cause des connes comme elles que des conneries comme ça peuvent se perpétuer ! Moi je les ferais toutes coffrer ! En prison tous les soumis ! Moi je laisserais en liberté rien que les gens comme moi, qui aimeraient mieux mourir que se faire traiter comme ça ! A la génération suivante, plus de problèmes, tout le monde irait manger chez Moishe quand ça lui tenterait !

On boude. Il y a des bornes au-delà desquelles l'indigence intellectuelle arrogante d'une grande amie fait mal, blesse, déçoit, choque.

*

Malgré son piètre état, Laïnou nous réveille avec un sourire maternel sur toute sa figure et des petits baisers partout. Elle nous traite comme des princes. Elle ne ménage aucun effort pour qu'on se sente chaleureusement accueillis. Ça peut avoir l'air pathétique et touchant mais c'est banal et stupide : les gens qu'on peut avoir, on les snobe ; ceux qu'on ne peut pas avoir, on se fend en quatre pour leur plaire. Les gens sont tellement tous pareils et c'est tellement toujours la même chose qu'on se demande tout le temps comment ça se fait qu'on a pu durer si longtemps.

Laïnou nous sert toujours nos œufs au bacon avec une surprise, qu'elle court chercher dans une charcuterie (DELICATESSEN) de l'avenue Monkland. Ce matin, c'est des olives farcies. « Vous êtes si gentils pour moi ! » On voudrait se plaindre mais on ne peut pas, on aurait l'air bien trop ingrats.

— Hmmm ! elles sont bonnes. Quelle sorte que c'est ?

— C'est des olives cueillies exprès pour vous par des chauves-souris châtrées dans l'oliveraie engraissée au caca d'ange d'un monastère olivétain hanté par le souvenir de la Religieuse Portugaise. Qu'est-ce que ça vous rappelle ?

— Les langues d'alouette marinées de Blaise Cendrars, bien entendu.

Là on se met à parler de Blaise Cendrars, notre Blaise Cendrars. On a revêtu nos airs d'intellectuels dégagés (bien conscients de ne pas se prendre au sérieux comme il y en a tant) et on procède à des études comparées de nos diverses opinions originales uniques bien personnelles.

— C'est après *Bourlinguer* (des nuits entières avec une lampe de poche sous nos couvertures) qu'on est partis de Maskinongé. Tous ces trains, bateaux, routes, ils étaient à la porte, ils se pressaient là, tout de suite, dehors, ils nous pressaient de sortir pour les prendre ! Cendrars c'est la tentation. Elle a été trop forte.

— Tous les mecs ont lu Cendrars après Miller. Moi, j'ai fait le contraire. Quelle chance ! Cendrars après Miller c'est de la moutarde après dîner !

— Cendrars a tout appris à Miller. Miller est le premier à le reconnaître. Il l'a mis au monde, il l'a fait, il l'a créé de toutes pièces !

— Comme une allumette allume un incendie...

— Hé hé hé ! pousse mais pousse égal ! Le cul c'est pas un incendie !

Ça fait quarante-deux fois qu'on interprète, presque mot pour mot — la moutarde après dîner, l'allumette qui allume l'incendie — cette scène. C'est blasant. On devient gagas tous les trois ou quoi ?

A l'Accroc, l'après-midi, c'est plein d'hommes d'affaires. Ils trouvent l'ambiance artisse propisse. Ils se tapent le dîner d'affaires (business lunch) en parlant d'affaires (business) puis ils continuent à parler d'affaires jusqu'à ce que l'affaire foire ou soit dans le sac. C'est irrespirable. On ne retournera plus jamais à l'Accroc l'après-midi. De toute façon, on n'aime pas les après-midi. On trouve que c'est une période de la journée catégoriquement inutile et superflue. Si on faisait nous-mêmes les jours, on les ferait noirs d'un bout à l'autre. Tous en chemise de nuit sous un parapluie !

On n'avait le goût à rien. On ne savait pas quoi faire. On a été voir le crocus, à pied, en s'arrêtant souvent. Il a l'air de bien tenir le coup. Le bord de la boîte de conserve a laissé une marque, une sorte de trait sombre, sur le pétale d'appui. On a changé l'eau. On lui a dit : « Sacré crocus va ! » Pour s'encourager, lui, nous, tout le monde. Ce n'était pas assez vigoureux pour que ce soit significatif. On est revenus, à pied, en s'arrêtant partout où on pouvait.

On retrouve Laïnou en train de faire le ménage dans son atelier. Elle met pêle-mêle dans un sac Glad le reste des affaires de son sauvage : deux chaussettes sales dépareillées, un slip bleu ciel genre bikini... C'est triste. On s'assoit par terre au milieu de la pièce et on la regarde faire en écoutant la radio, quand c'est bon. Janis Joplin chante *Me and Bobby MacGee*. « *Feeling good was good enough for me and Bobby MacGee*[1]... » C'est ironique.

— Qu'est-ce que vous comptez faire ce soir, tizenfants tannants ?

— Ah on va aller s'écraser à l'Accroc, je pense bien. Vas-tu venir avec nous autres ?

— Ah je sais pas trop. Ah j'aurais envie d'aller me taper un bon film...

— Ah on s'en tape tout le temps à la TV, des bons films. Ah on a notre voyage...

— Tout le monde parle de l'*Orange Mécanique.* Tout le monde dit que c'est d'une violence époustouflante.

— *Tout le monde,* c'est trop, je peux pas le prendre, ça me démoralise.

— Le fameux film de Petit Pois sort ces jours-ci, il paraît. J'ai parlé au mec qui a fait le montage. Il dit que c'est con.

— Fais pas manger le cochon, il va venir chier sur ton perron...

Quel dicton !

Quelle journée plate complètement dénuée de sens et d'intérêt ! C'est trop injuste qu'on s'ennuie tant ; si ça continue on ne pourra plus les toffer, on va se révolter, il n'y aura plus rien pour nous arrêter, the shit s'gonna hit the fan[2]. Ce n'est pas étonnant la quantité de gens qui sont méchants puis qui se bourrent de pilules. Le problème c'est qu'on se lève trop tôt. Avant le soir, il y a trop de monde qui travaille, c'est suffocant ; on se sent comme exclus, comme à part, comme dans un ghetto.

Voici que Richard Anthony chante une chansonnette triste pleine de quelque chose. « *Quelque chose en moi*

1. Se sentir bien c'était bien assez pour moi et pour Bobby MacGee
2. Trop vulgaire pour souffrir la traduction.

se brise, quelque chose en moi s'éteint, quelque chose en mon cœur... » Quelque chose encore et encore. Arrêtez-le, ôtez-la-lui, ça va devenir catégoriquement ridicule. Fuck !

Les vieux habitués arrivent à l'Accroc après dix heures. Jusqu'à dix heures, ça dîne. Tous ces malotrus qui mangent c'est dégoûtant. On attend dix heures en supportant Laïnou tant bien que mal. Elle pense qu'elle peut nous décourager d'aimer Catherine en disant des énormités renversantes sur les différences de classe et de culture qui nous guettent.

— Qu'est-ce que vous allez foutre dans son living-room ? Vous avez pas peur de jurer avec les meubles ? De vous brûler la gueule avec la fourchette à fondue suisse ? De froisser ses amis chic en demandant comment ça se fait que le fromage pue ? De pas savoir quoi penser du structuralisme ?

— Ça te mortifie d'être moins belle, moins riche puis moins connue qu'elle, hein ? T'es pas capable de le prendre, hein ? Ça t'écœure de pas pouvoir te taper des Hell's Angels, hein ?

(Tel quel ! Vlan, le fond de notre façon de penser en pleine face.)

— A la ville, il va falloir trottiner tranquille derrière madame. Comme les petits chiens. A la maison, il va falloir manger toute la pâtée, se coucher à ses pieds, et puis alors retenir la langue pour pas faire trop de lèche parce que trop de lèche ça la dégoûte un peu. Capito ?

— On est prêts ! On a hâte ! O.K. là ?

— Vous me décevez amèrement. Mon cœur saigne.

— Tu dis ça parce que t'es jalouse ! Tu voudrais que ce soit toi qu'on suive comme des petits chiens !

(Encore vlan ! Quand on s'ennuie on crache le feu. Les oisifs se rebiffent.)

Huit heures. Rien à la TV. Laïnou boude. Ça passe le

temps. Elle n'a pas fait à manger, pour se venger. Ça ne me fait rien ; ce n'est peut-être pas bon pour ma santé mais c'est sacrement bon pour ma ligne. Et puis on sait trop qu'on n'aurait qu'à lui donner une petite tape douce sur les fesses pour qu'elle fasse content-content. Haletante et trépignante. Comme un petit chien.

Encore huit heures ! Même pas huit heures et cinq, bonhomme ! Quel lent, quel flou, quel pâle !

Soudain, tout ce lent, tout ce flou, tout ce pâle, ils sautent, ils éclatent, ils explosent ! Un câblogramme ! D'Orly ! Catherine ! Oui ! Oui ! Oui ! Oui ! Oui !

LINEN FINISH WRITING PAD (TABLETTE À ÉCRIRE FINI TOILE)

S.O.S. URGENT. SUPERURGENT. VITAL. DÉSESPOIR. TOUT S'ÉCROULE. COUREZ A DORVAL. JE PRENDS L'AVION. J'ARRIVE. SEULE. SUPER-SEULE. IMPORTANT : VENEZ SEULS. IMPORTANT : NE DITES A PERSONNE PERSONNE PERSONNE. P. P.

Une joie, une vraie, qui monte, qui monte, qu'on est étourdis, que la terre entière escalade l'air comme un ascenseur rapide, qu'on est seuls dessus, même pas avec Catherine. Qu'on est tendus autour de notre joie comme des peaux de ballons, qu'il faut peser pour qu'on ne lève pas, que le taxi ne lève pas avec, que cette route vers un aéroport ne se mette pas debout comme un chemin de fusée.

On ne bouge pas, de toutes nos forces. On serre, il le faut pour garder ça tel que c'est, il le faut pour que ça ne nous lâche pas. Tout figer, empêcher, taire ; un geste, un mot, une idée, et l'équilibre se rompt, on le sent, on ne sent que ça, on ne sent même pas la joie à côté de ça. Serre, serre les poings, serre les paupières, les mâchoires, le ventre, les jambes ; à cette vitesse du manège la rampe peut voler en éclats au moindre déplacement de poids. Oui, chère, serre !

Entre les portières, vers le haut du montant, la photo de notre chauffeur luit dans sa pochette de mica. Avec son nom tout au long et son numéro grand comme un million, ça fait comme s'il était recherché par la police. Regarde, chère, il s'appelle Groleau. On se répète comme un fétiche ce nom complètement loufoque. On veut donner à ce voyage, le voyage le plus au-bout-du-monde de notre vie, le nom de Groleau. On veut que, dans dix ans, en disant Groleau, l'odeur de cendres froides de cigarettes que renferme ce gros Chevrolet fatigué remonte dans nos nez, pénètre encore nos cœurs. On se répète aussi le cerne d'humidité qui fait un halo à la lumière du plafond.

— Comme c'est beau !...

Oui c'est beau ; c'est la poignée du taximètre ; Groleau a remplacé l'habituelle, celle toute faite en métal gris, par un bouton de porte en verre massif ; c'est taillé comme une pierre précieuse ; c'est un lustre en un seul morceau. Sacré Groleau ! Le gros avions gris où les autres passagers sont assis comme des œufs dans une boîte d'une douzaine et où elle pense peut-être à nous comme un cœur bat dans un oiseau, comment s'appelle-t-il ? Il s'appelle Groleau.

L'occasion est trop belle, on va se déshériter. Plus de serment qui tienne, on va régler cette course en brisant l'amulette des $ 50 qu'on s'était juré de se faire enterrer avec, comme Aménophis IV et Néfertiti (tu sais ?). Groleau regarde dans son rétroviseur avec un air dégoûté Nicole puiser dans son chandail pour dégager sa chaînette, la défaire, dégager la liasse bien pliée en quatre. Groleau saisit avec un autre air dégoûté le bidoux tout percé, dont un en plein dans l'œil de la reine d'Angleterre, Élisabeth II.

— Gardez le change !

Puis on se sauve ; on a trop peur que Groleau se mette en Christ à cause des trous. Même si ça fait un pourboire de $ 5.95.

On ne veut pas déranger les beautés fatales de derrière les comptoirs d'*information*. On aimerait mieux mourir. Elles ont trop l'air de dire que c'est nous qui devrions être à leur service. Il y a des gens qu'on aime sans les connaître ; les filles dans leur genre c'est le contraire : on ne les aime pas sans les connaître. On va leur montrer, ces hosties-là, combien on est parfaitement capables de se débrouiller tout seuls. Derrière chacune, une TV diffuse un tableau divisé en deux parties : DEPARTURES et ARRIVALS ; c'est bien facile : on n'a qu'à chercher *Paris* dans la deuxième colonne. Soudain la peur nous prend. Tout d'un coup qu'elle est arrivée ? Tout d'un coup qu'elle nous attend depuis trop longtemps ? Tout d'un coup qu'elle perd patience, qu'elle se lève, qu'elle sort, qu'elle hèle un taxi, qu'elle se fait déposer devant la porte d'un de ces Ragoul Pratte, Louis Caron, qui se disputent sa possession ? Le câblogramme a pu, comme rien, nous parvenir des heures trop tard !

On cherche l'Igloo Bar et c'est marqué pressé. C'est à l'Igloo Bar qu'on a été boire quand elle est revenue du lac Saint-Jean ; c'est là qu'elle a dû se dire qu'on irait voir d'abord. On court, pattes aux fesses, cœur dans la bouche. La beauté fatale du comptoir de Swissair nous regarde passer comme si elle trouvait qu'il n'y a rien de plus déplacé que se déplacer si vite. Si tu ne marches pas pas à pas, tu passes pour un crotté. Mais quel pays, la Suisse ! Fuck ! Hôpital pour millionnaires malades à l'idée de payer des impôts !

On entre en trombe dans l'Igloo Bar. Elle est là ; ça se sent ; comme deux chiens, les ailes du nez nous frémissent. Les secondes d'avant l'*apparition* nous nimbent, auréolent, imbibent d'électricité... la transfiguration commence.

Sous ces grosses lunettes de plage, c'est elle ! C'est Catherine ! C'est, les cheveux attachés comme l'herbe fauchée, la bouche renversée comme la barque noyée, tout le corps tombé sur la table, c'est, pour la première fois, pour cette seule seconde peut-être, *notre* Toune. Devant les deux chaises qui la flanquent, immobiles et sinistres escortes : un verre de cognac pour moi, un verre de cognac pour Nicole. C'est nous qui sommes attendus, c'est elle qui est mal prise ; on est les petits vautours ravis et confus, les joyeux charognards au bec trop dur pour embrasser et pas assez pour déchiqueter. On est trop excités, c'est indécent, il faut qu'on se calme, qu'on se tranquillise, qu'on saute sur l'occasion avec un minimum de retenue.

On s'avance doucement, en tuant dans les œufs qui nous montent dans la gorge nos baisers de fous d'aimer, de prendre, d'avoir. Elle se lève, elle chancelle, elle se laisse pencher jusque sur nous, elle glisse ses bras lourds autour de nos cous, elle flatte nos cheveux, c'est trop, ça tombe dans l'irréparable.

Elle serre nos têtes sur les os de son visage. Faiblement. Puis plus fort. Puis avec une force d'homme. Puis spasmodiquement. Comme si la mort montait dans ses bras. Elle pleure, Nicole pleure ; tout le monde se serre ; fronts, joues, nez, bouches se frottent, roulent dans les larmes.

— Ça va pas bien... Je suis toute fuckée...

— Oui Catherine ça va pas bien... Oui Catherine tu es toute fuckée...

— Allez-vous prendre bien soin de moi... ?

— Oui Catherine bien soin de toi... oui Catherine... oui oui...

Sur la galerie de la grosse maisonnette, Catherine se met à genoux pour sentir notre fameux crocus. Ce qui en reste. Il est mort. Il flotte comme n'importe quel vieux kleenex dans l'eau sûrie de la boîte de tomates pelées *Rodina.* C'est sinistre. Quel mauvais signe ! Ça nous donne la chair de poule.

— Il avait pas l'air si bête que ça quand on est venus hier... On s'excuse ! C'est épouvantable ! C'est infect ! Un si beau jour ! On s'excuse !

— You don't have to rub it in[1]... C'est pas important ! C'est l'intention qui compte !

Dans la limousine Murray Hill, dans nos bras comblés, elle a retrouvé un peu de son assurance et de son sens des valeurs. On a voulu payer : « Laisse-nous prendre soin de toi comme tu nous l'a fait promettre. » Elle n'a rien voulu savoir : « C'est moi qui est riche, c'est moi qui paie. »

Elle n'a rapporté de son mauvais voyage (bad trip) que cette mallette qu'elle a ouverte sur son lit et où elle est en train de ranger des papiers qu'elle choisit dans un tas qu'elle a fait en vidant une foule de tiroirs. Les papiers qu'elle ne garde pas, elle les déchire ou elle les froisse, avec fureur ou négligemment. Son air sérieux a l'air drôle à travers les taches de ramoneur de son rimmel dégouliné. On la regarde faire en se demandant si ce serait déplacé de lui demander ce qui lui a fait tant de peine à Cannes. On ne voudrait pas tourner le fer dans la plaie mais on ne voudrait pas non plus manquer d'intérêt, de sollicitude.

— Aimes-tu mieux pas nous le dire ce qui t'a fait de la peine ?...

— C'est rien... Juste tannée de tout... Plus capable... No can do... Fuckée. Plein le cul de la vie puis des

1. Pas besoin de frotter pour que ça pénètre.

hommes, physiquement puis moralement... Toutes sortes d'affaires comme ça... bien plattes...

Physiquement puis moralement... On se regarde, Nicole et moi, correcteurs étonnés. Elle ne se rend sûrement pas compte de ce qu'elle dit. Elle emploie des termes qui font image sans faire attention à ce que ça donne. Mais c'est nous qui sommes déplacés ; il n'y a aucune vulgarité dans les intentions de ses yeux blessés, saignés, brûlés, ou dans les éclairs d'orgueil qui traversent les réflexions où ils sont plongés. « J'ai tout perdu, comme on dit... Tout !... Toutes sortes d'affaires qui valaient pas de la marde... J'ai eu comme un gros accident puis j'étais comme pas assurée... J'ai scrappé ma Mustang puis là je suis à pied, comme du monde. Il y a vraiment pas de quoi halluciner... C'est bien correct... »

Le téléphone sonne, sonne, sonne. Elle sursaute à chaque coup. Elle grimace comme si elle allait félir. Elle nous crie qu'elle va faire une crise (nervous breakdown) si on ne fait rien pour arrêter cette sonnerie (connerie). On ne fait rien ; ses cris nous ont complètement figés.

Son ménage dans ses papiers terminé, son calme retrouvé, elle se retire dans la salle de bains en nous disant de prendre un verre à sa santé.

Les crépitements de la douche, assourdis, de plus en plus lointains, nous emportent avec eux, puis ça monte, puis ça ne ressemble à rien, on n'est plus nulle part. On a fermé les yeux et on se laisse voyager. On se propage dans notre rêve, porté à sa plus grande expansion, devenu sans limites, sans obstacles. On peut chavirer en tous sens et aux plus folles vitesses. Nos sens, serrés comme un soleil au centre de nos nouveaux espaces, sont, comme le soleil, trop loin pour nous signaler que nous sommes assis sur ce divan et que nous nous passons une bouteille où nous puisons à pleine gorge.

Les quarante onces touchent à leur fin et on ne s'est aperçus de rien.

— Ça fait du bien de prendre un bon bain !

Catherine rafraîchie, reposée, passe en semant comme des gouttes de rosée.

On s'excuse encore pour le crocus. « On a honte, on se sent mal. » Elle nous répond de lâcher ça, que c'est trop heavy. Rien à faire, le drôle d'effet que ça nous a tous fait est fait, le cadavre de la fleur a pourri, la graine germe déjà.

Catherine est fière des vieux jeans javelisés qu'elle a mis. On lui dit qu'ils lui font bien. Parce que les soirs sont encore froids, elle a passé, par-dessus son T-shirt favori (où se débat Lucky Luke), un bon gros chandail de laine. Il est du genre même que celui de Nicole (en *mohair,* si ça s'écrit comme ça se prononce). Elles tendent leurs bras pour juxtaposer deux manches pour comparer les couleurs, les points de tricot. Je les regarde faire, ému. Elles me font l'effet de comprendre des choses qui m'échappent.

— Je suis écœurée de me conduire comme une grosse conne chiante de Cannes. Je veux qu'on prenne l'autobus, comme du monde.

On sort. Nicole va pour refermer la porte.

— Laisse-là ouverte, mon trésor.

— Tu veux dire *pas barrée... ?*

— Je veux dire ouverte, ma Colline, grande ouverte. C'est ma maison... j'ai bien le droit de la donner...

On hèle un taxi rue Bernard. Sur le trottoir, au flanc du Terminus de l'Est, Catherine s'aperçoit qu'elle a oublié ses verres fumés. Elle dit qu'elle ne veut pas que les gens reconnaissent sa face de grosse conne chiante de Cannes. Je cours acheter d'autres verres fumés à la pharmacie Montréal. J'espère qu'ils vont lui faire.

Elle est contente de mes verres fumés. Ils couvrent beaucoup de surface et la monture n'a pas tendance à glisser sur l'arête droite de son petit nez. Les lunettes qu'il faut passer son temps à remonter, ça la fait halluciner...

Accoudée devant un des nombreux guichets, Catherine demande elle-même trois tickets pour Notre-Dame-du-Bord-de-Lac de l'île Bizard : « En tout cas c'est comme ça que ça s'appelait quand j'étais petite. » Le monsieur lui répond avec un sourire (parce que c'est un beau brin de fille ; autrement, bonhomme, ils sont le moins gentils qu'ils peuvent) que c'est encore comme ça que ça s'appelle mais qu'il va falloir qu'on se dépêche : le dernier autobus pour Notre-Dame-du-Bord-du-Lac de l'île Bizard part « dans la minute ».

*

Catherine a mis sa mère, qu'elle appelle affectueusement Poulette, au courant de tout. Poulette a été porter la clé du chalet Sam-Su-Fi à la caisse du bar de l'hôtel. Poulette ne dira rien à personne. Poulette et Catherine s'entendent comme deux larrons en foire. Catherine ne lâche pas de parler de Poulette. Ça nous écœure un peu, c'est comme si on n'était plus bons qu'à écouter parler de Poulette.

— Ma mère c'est pas une mère, c'est ma petite sœur, c'est moi qui l'élève. Je suis sa poule, elle est ma poulette. Quand elle a les bleus, je la sors. On va au Café de l'Est, on fait de l'œil à deux gars qui ont l'air comiques, on se fait payer la boisson, on se fait dire comment tu t'appelles puis qu'est-ce tu manges pour être belle de même, à qui le ti-cœur après neuf heures. On danse des vites, on danse des slows, puis on regarde le show. On rit des farces cochonnes de Roméo Pérusse (« Ah les femmes ! tu leur donnes un pouce elles prennent une verge »), puis on rit parce que nos deux tarzans sont partis aux toilettes pour se creuser la tête pour savoir si on est le genre de p'lotes qu'ils peuvent emmener dans un motel. On a un fonne noir, c'est bien flippant. Autant que ma mère est cool autant que mon père est con. Con élitiste fédéraste dégoûtant. Quand Pierre Laporte a été exécuté, ça a tout pris pour qu'il étrangle pas d'une seule main, écrasé dans son lazy-boy, tous les membres des quarante-deux cellules du F.L.Q. Scandalisé. Mais au fond il était content ; il jouissait, le puant ; pas un poil de sec ! Il calculait qu' « après un meurtre crapuleux pareil bien exploité par la presse fasciste, personne oserait plus voter séparatiste » ! Il se disait : « Plus de danger pour mon cul, pour mon Trudeau puis pour mon Royal Canadian Trust ! » Je sais pas comment Poulette a fait pour se laisser fourrer par ça.

— Continue, c'est si bon quand tu parles ! Y a tellement longtemps qu'on a hâte que tu nous ouvres ton cœur.

(C'est vrai qu'on est heureux qu'elle nous fasse des confidences. Seulement, ça nous agace qu'elle soit si copine avec sa mère. On a des poussées de jalousie où on s'écrie, en pensée : « Nous seuls amis ou nous pas amis du tout ! »)

— Vous êtes trop too much avec vos effusions ! Arrêtez, calmez-vous, je me sens comme sur un piédestal, je suis plus capable de le prendre.

— Qu'est-ce qu'il fait dans la vie ton père ?

— Il ramasse des dividences... puis il me téléphone une fois par semaine pour me faire halluciner.

— Pourquoi que tu lui en veux tant ?

— Voyez-vous, docteur, je me le demandais justement... Mais c'est pas parce qu'il est né dans un milieu con ; on peut naître dans un milieu con pourvu qu'on s'en aperçoive puis qu'on débarque...

Puis elle repart sur Poulette :

— Poulette aussi est née dans un milieu con. Quand elle était fille, la famille lui défendait de prendre l'autobus. Quand elle s'est mariée, c'est devenu sa marotte d'émancipation. Les beaux dimanches d'été, mon père jouait au golf, c'était sacré. Poulette restait tout seule. Mais ça faisait son affaire. Elle s'habillait le plus beatnik qu'elle pouvait puis elle sautait dans un taxi pour aller prendre l'autobus au Terminus de l'Est. Elle prenait le premier qui partait, elle débarquait où ça lui tentait : Sorel, Belœil, Saint-Hyacinthe, Saint-Gabriel-de-Brandon, Saint-Jean-de-Matha, Lanoraie, L'Assomption... Quand on a été assez grands, moi puis mon frère, elle nous a emmenés. Un dimanche, on a débarqué à l'île Bizard. Il faisait beau, ça sentait bon, on s'est promenés, on s'est assis au bord de l'eau, on s'est dit comment on trouvait ça sharp. On était si bien que Poulette a tout de suite acheté le chalet, qu'il y avait là, pas loin. Elle a écrit « Sam-Su-Fi » avec son tube de rouge sur un contrevent... puis on s'est mis à aller passer là nos dimanches, tous nos dimanches, golf pas golf, sauf l'hiver. J'aimais ça. Quand c'était moi qui achetais les tickets pour Notre-Dame-du-Bord-du-Lac de l'île Bizard, au lieu de demander des *aller-retour* je demandais des *pour-toujours*. C'était cute[1], hein ?

— C'est une si belle histoire ! Pourquoi que tu l'écris pas... ?

1. Quioute : charmant, mignon, joli, poétique, trop too much.

— J'ai le goût mais j'ai pas le temps... On est bien en autobus, vous trouvez pas ? C'est comme un avion avec les ailes coupées, non ?

Autobus, ça n'existe pas. Tout est autobus et on est tous des autobus. C'est en autobus que tes paroles partent de ta bouche et c'est dans tous ces autobus qu'on est embarqués et qu'on va mourir comme les mouches, si légères.

Ça n'a jamais été aussi vrai que la vie n'existe pas, que les signaux qu'on a l'habitude de croire qu'elle diffuse ne sont que... des bruits de fond (comme ce que tu entends au téléphone quand personne ne parle, devant la TV après la fin des émissions, devant un magnétophone qui lit une bande vierge), ne sont que les bruits de friture de nos sens quand ils ne sentent rien, que la petite plainte stridente et égale de quand nos sens demandent, ont besoin...

Pour qu'on soit assis ensemble tous les trois, j'ai pris Nicole sur mes genoux. Ce n'est pas trop confortable mais on est bien parce qu'on se sent très unis et que ça développe une grande chaleur dans nos corps. Ses fesses brûlent mes cuisses et sous mes mains qui suintent, croisées sous son chandail, son ventre est moite. Pour que les gens ne reconnaissent pas sa voix de grosse conne chiante de Cannes. Catherine parle tout bas :

— Va demander au chauffeur d'arrêter au Manoir du Bord-du-Lac, mon trésor.

— Qu'est-ce que je dis s'il me demande où c'est ?

— Il demandera pas, mon trésor.

Nicole enfile le corridor étourdissant qui mène au trône du képi en empoignant d'une main puis de l'autre les tuyaux chromés qui couronnent les sièges à moitié vides. « Je suis jalouse de Nicole, elle est trop sereine. — Elle est très tourmentée mais elle le cache, par délicatesse : c'est une drôle de petite bonne femme... » Si Nicole m'entendait ! Elle m'en ferait des petites bonnes femmes !

On descend le petit escalier auquel il manque la dernière marche (WATCH YOUR STEP) et la porte en accordéon se referme en lâchant son gros soupir pneumatique ou hydraulique méprisant. On attend, avant de traverser la route, que l'autobus nous ait dépassés en lâchant ses vesses de sépia qui donnent mal à la tête.

Catherine ne veut pas entrer. Dans l'état qu'elle est, elle préfère ne pas avoir affaire aux gens de l'hôtel, qui la connaissent et qui pourraient l'achaler.

— Vas-y toi, mon trésor.

— Qu'est-ce tu veux que je fasse ?

— Tu demandes l'enveloppe qu'a laissée Mme Marchand pour sa fille. Puis demande un taxi. Dépêche-toi, ma Colline ; je suis fatiguée-morte. Avec le décalage, c'est comme si j'avais pas dormi de la semaine...

Elle dort là. Sa chambre est au grenier, sous les combles de poupée, si bas qu'on ne peut pas marcher debout. Elle est montée presque aussitôt arrivée. Avec le décalage, elle ne tenait plus debout.

Pour que cette journée ne finisse pas on reste assis à cette table à cinq pattes, en tiges de thuya non écorchées. « C'est ça le style colonial ? » Quand le soleil va se lever, on ne le saura pas ; les contrevents sont cloués.

*

On ne veut pas dormir. C'est trop risqué. On ne veut pas se coucher ; nos joies étoufferaient sous nos couvertures ; elles brûlent si faiblement déjà qu'on peut entendre, à travers les cloisons, les froufrous et pépiements des arbres de quand ils se lèvent et qu'ils s'habillent. On a trop peur; on va mettre des cure-dents sous nos paupières pour garder nos yeux ouverts.

On a trop peur ; on va quitter cette table, on va aller dehors, on va marcher sur l'asphalte luisant et parfumé comme s'il venait d'être lavé.

On voit au loin, sous le feu rouge clignotant qui garde comme un sanctuaire l'entrée du village, l'arête courbée du toit de l'épicerie et sa façade rapiécée en placards de publicité. Les slogans formulés par des savants des breuvages Coca-Cola et Seven-Up envahissent la figure rose du gros garçonnet des ice-cream JJJoubert ou Sealtest. La tête de l'Écossaise des cigarettes Export bouche la vue du chat des Black Cat disparues, emportées avec notre enfance. La dernière Black Cat, c'est nous qui l'avons fumée, derrière la maison, cachés dans l'embrasure de la porte de la cave, t'en souviens-tu chère ? On pense à cette fois-là, tout troublés, amoureux fous des enfants qu'on a été.

On s'assoit sur la galerie de l'épicerie J.-G. Marchessault, les mains sous les fesses pour ne pas se salir, les jambes pendantes pour se les balancer. On attend que ça ouvre. Ça doit ouvrir à neuf heures.

Un des objectifs à court terme de Catherine c'est de maigrir. Elle nous a demandé de l'aider. Elle a ouvert plusieurs parenthèses dans l'autobus pour insister, pour nous pénétrer de l'importance du rôle qu'on a à jouer dans son aventure de perdre du poids. Qu'il faut l'empêcher (par la force, par tous les moyens et à tout prix) de manger autre chose que du yogourt, du cottage cheese et des fruits. « Ah les pamplemousses ! »

J.-G. Marchessault n'a qu'un bras. Il a été se faire arracher l'autre par un obus en Europe en 1943. « J'ai gardé mon meilleur. » Il est très gentil, très familier, très drôle mais il ne tient pas de yogourt. Il va falloir continuer, avec nos deux pleins sacs, jusqu'au marché Steinberg du East Bizard Shopping Centre. Si on avait su on n'aurait jamais acheté autant de bière.

— Salut les amoureux ! Revenez nous voir !

Et J.-G. Marchessault nous lance un petit clin d'œil qui nous porte à croire qu'il croit qu'on a passé la nuit à faire des cochonneries, et que c'est pour ça qu'on a si faim.

Pendant que, de peur de se tromper, on prend de tous les yogourts possibles (à l'ananas, à l'orange, aux fraises, aux framboises, au café, au citron), Catherine repose, cachée dans un sommeil qu'on est les seuls à connaître, dont on est les gardiens, les anges, qui est nôtre autant que si on avait fait tout ça tout seuls, toute elle avec. C'est bon. On ferme les yeux et on s'imagine qu'on prend sur sa figure son souffle, frais et léger comme si elle était redevenue petite.

On se dépêche. On a hâte d'arriver ; on est contents d'avoir eu l'idée d'aller acheter de quoi déjeuner. On entre doucement. Catherine est là, en petite tenue, en train de battre la mesure sur la table avec un couteau. Elle s'est réveillée dans un de ses fameux *états*... ça se sent tout de suite. Ses yeux violets d'Élizabeth Taylor posent sur nos paquets un regard de poisson mort d'écœurement. Elle nous engueule.

— Qu'est-ce qui vous a pris ?... J'étais en train d'halluciner, moi ! J'ai trop de problèmes pour me casser la tête à analyser vos réactions ! Je suis pas dans un état pour jouer à branchy-branch[1], moi ! J'étais pour aller au poste de police, de quoi j'aurais eu l'air ? Faites-moi plus jamais ça !

— On a été faire des commissions. On a pensé que

1. Cache-cache.

t'aurais faim en te levant. Non ? Regarde la marque du pain ; c'est du pain Fascination ; c'est drôle. Non ? Veux-tu qu'on te laisse tranquille, qu'on aille ouvrir les volets, par exemple ?...

Elle procède au dépouillement de nos sacs. Elle sort la nombreuse famille de nos petits pots de yogourt sans faire de commentaires, avec aucun signe de surprise ou de reconnaissance. Les pamplemousses, qui sont si vachement amaigrissants, qui absorbent en corps gras le double de leur poids, ça n'a pas l'air de l'exciter non plus. C'est difficile de faire plaisir aux gens.

C'est le café qu'elle cherchait. Elle le trouve. Elle demande à Nicole de faire bouillir de l'eau, mon trésor. Nicole, qui ne se tenait plus de gêne, qui ne savait plus quoi faire avec ses mains et les autres parties de son corps, ne demande pas mieux.

— Vous me direz combien ça vous a coûté ; c'est moi qui paie ! Faites-moi penser d'appeler la Cie Bell pour qu'ils viennent rebrancher le téléphone. Je peux pas vivre sans téléphone.

Elle veut des toasts : « Je peux pas déjeuner sans mes deux toasts. » Je m'empresse de lui faire ses deux toasts. Même si le pain et le beurre développent des lots de calories, on ne proteste pas, elle n'est visiblement pas dans un état pour tolérer qu'on se mêle de tout ce qu'elle nous a dit qui nous regardait.

— Qu'est-ce qu'y a qui va pas ?

— J'osais pas vous en parler pour pas vous décourager mais je suis fuckée. Fuckée fuckée fuckée ! J'étais stone hier. Je sais plus où je suis rendue. Je suis toute perdue. Je me sens abattue, arrachée, comme si j'avais toutes les racines à l'air. J'étais tellement down quand je me suis réveillée... (mets-en du beurre, mon trésor, aie pas peur, c'est bon quand ça coule sur le menton !)... tellement down que je sais pas ce qui m'a retenue de courir jusqu'au village en queue de chemise pour prendre un taxi pour Montréal... Faut pas... Faut que je toffe... Faut que je reste ici... Faut que je passe à travers... Quand ça crie dans notre ventre comme si on allait mourir, faut pas qu'on se sauve, faut qu'on reste, faut qu'on s'assoie puis qu'on écoute les gargouillis jusqu'au bout... Je peux pas paniquer, je peux pas hurler comme une chienne, je peux pas m'effoirer comme une grosse nouille conne ! Je peux pas ! Je veux pas !...

C'est fort comme langage et comme détermination. On est impressionnés.

— Qu'est-ce que vous en pensez ?...

— C'est bien...

Tout à l'heure, elle était affolée de ne pas nous trouver là. Là, c'est le contraire. C'est notre présence qui l'affole. Que dans *tous les états* qu'elle est elle apprécierait qu'on la laisse un peu toute seule. Qu'il lui faut un peu d'isolement pour se mettre un minimum d'ordre dans la tête. Que les volets, elle va s'en charger elle-même ; que ce travail manuel et violent va contribuer à *décarboniser ses synapses*.

Elle sort un billet de 100 de sa mallette. Elle nous le donne avec ses instructions.

— Allez acheter trois bicycles. Y a un ramasseur de scrap qui en vend passé le village. Les vieux bicycles tout déboîtés c'est bien plus flippant ! Donnez-moi chacun un bon gros bec sur le fouillon puis jurez-moi que vous me laisserez pas tomber, jamais, pas une minute, même quand je crie comme une harpie puis que je me fais servir comme une grosse conne chiante de Cannes.

— On est au-dessus de ça...

Elle trouve ma réflexion drôle, elle rit, ça change tout. N'empêche que c'est vrai qu'on est au-dessus de ça. Et ce n'est rien : si on s'en donnait la peine on serait au-dessus de bien d'autres choses encore.

*

Il faisait beau mais ça ne nous a pas fait mal. Avec tout ce soleil, comme par-dessus le marché, on était peut-être trop heureux, et ça nous a peut-être inquiétés et mis sur la défensive à deux ou trois reprises au cours de la randonnée, mais le reste du temps on s'est laissés aller bien, presque aussi bien que ça allait...

On a exploré et pris possession, sur trois montures aux os craquants et aux pneus mous, aux broches cassées et aux cris perçants. On en a pédalé un coup : au moins quinze milles. Il faut dire qu'on se reposait à tout bout de champ : on est pas mal rouillés nous aussi. C'est une grande île mais pas assez pour qu'on s'égare. Elle peut tenir tout entière dans un après-midi (comme un objet dans la main). Elle est juste un peu plus grande qu'un visage. On peut déjà retracer dans nos têtes tous ces traits, angles, expressions et retrouver dans nos cœurs tout ce qu'ils nous ont fait. Déjà, on se sent bien dedans. Déjà, c'est autant notre île que celle de Catherine, qui dit toujours « mon île ». Mais on n'est pas pour aller lui dire ça.

Il y a un chemin qui fait le tour : on longe la rive presque tout le long. C'est beau. Quand on traverse Sainte-Geneviève, où Montréal lance un pont pour faire passer l'excès de bungalows de sa banlieue nord, on est, nous a dit Catherine, diamétralement opposés à Sam-Su-Fi : la route qui continue le pont, et qui fend l'île en deux, débouche presque à côté. Plus loin, en allant vers l'est, le chemin coupe la pointe, profilée en cap, sur laquelle est blotti Notre-Dame, notre village. C'est tout, c'est aussi simple que ça.

— C'est ça un lieu de l'homme! s'est écriée Catherine. C'est ça de la géographie habitable! A Montréal, les gens se retournent puis ils savent plus où ils sont rendus ni comment qu'ils s'appellent. Montréal, c'est l'homme jeté en bas du nid!...

Elle est très versée dans ce sujet, de même que dans l'écologie. Elle nous a appris des choses passionnantes. Elle nous a montré un champ où un jour quand elle était petite 42 000 outardes étaient descendues des nuages pour picorer des restes d'avoine.

— Ça jappe des outardes... Comme des chiens mal pris...

*

Profitant à vue d'œil, les branches et les feuilles des lilas et des chèvrefeuilles sont en train d'engloutir notre petit chalet blanc. Sam-Su-Fi porte comme une casquette les pentes rouges de son toit pointu. Sous la visière, c'est la véranda, drapée de moustiquaires, malpropres; certaines sont crevées et Nicole s'affaire à les réparer. En cousant d'un peu trop près, elle s'est sali le nez; ça lui a donné un air comique. On a bien ri, Catherine et moi, qui nous berçons tranquillement dans nos fauteuils de rotin et qui ne lui ménageons pas nos encouragements : « Fais ça vite, les maringouins sont arrivés! » On fait des farces mais ce n'est pas drôle. En tout cas, les moustiques n'entendent pas rire, eux. Celui que j'ai claqué tout à l'heure sur le bras de Catherine a pété comme un ballon, le sang m'a giclé jusque dans l'œil. Et il y en a plus que 42 000 (assez en nombre de personnes pour emplir trois fois le Forum), qui zézaient devant la porte, organisés en masses mouvantes pour mieux revendiquer leur droit de se désaltérer. « Il paraît que pour pas qu'ils nous piquent il faut qu'on fasse semblant que ça nous ferait rien. »

C'est beau. Derrière, à perte de vue, le lac des Deux-Montagnes. « Faut qu'on se loue une barque ! » Devant, les champs s'étirent dans leur fourrure : l'herbe neuve qui descend, petite et folle, la colline longue et lente où une petite troupe éparse d'ormes s'est arrêtée pour mourir. Je ne sais pas si c'est vrai mais Catherine dit que tous les ormes du monde ont attrapé le *Dutch Elm Disease* (un champignon microscopique) et que personne ne peut rien faire pour les réchapper.

On aime beaucoup le compteur d'électricité ; il est logé derrière le miroir d'une ancienne armoire à pharmacie ; le képi de l'Hydro-Québec peut se regarder avant de relever les chiffres indiqués par les petits cadrans à aiguilles noires qu'entraîne la roue dentée mince comme une hostie. On l'a trouvé caché derrière le réservoir d'huile à chauffage. C'est un beau réservoir ovale que son support porte debout ; on a récupéré à temps le manche à balai qui lui sert de jauge ; le chiendent l'aurait englouti rapidement. Revêtu de plusieurs couches de peinture d'aluminium en train de s'écailler, le réservoir d'huile à chauffage réveille dans nos mémoires celui de chez nous, à Maskinongé. « On va le gratter comme il faut puis on va le peinturer psychédélique... »

Catherine trouve que c'est bien tout ça : se bercer, regarder Nicole ravauder tranquillement les moustiquaires avec le bout du nez noir comme une lapine, savoir que rien ne va se passer, et sentir que tout ce qui s'est passé dans les siècles des siècles est en train de s'effacer, s'exhale avec les derniers souffles du vent et les derniers rayons du soleil. « Je me sens romantique. » Tout ce qui va arriver c'est que, quand il va faire noir, on va voir scintiller, par-dessus la colline, comme les pierres d'un collier, les plus hautes lumières de Sainte-Geneviève. Catherine n'en revient pas. Rien n'est plus excitant qu'un grand calme.

— Y a rien de plus bon que le soleil couché, le vent tombé, la journée finie... On se sent fermé, arrêté, plus utilisable, plus exploitable. Je suis contente d'être ici ! Je me sens toute dénouée ! C'est à cause de vous autres !

Quelle joie que l'entendre dire que c'est *à cause de nous autres* qu'elle est *toute dénouée*... Et elle le sait... Elle sait ce qu'on aime... Quand elle nous le donne elle sait qu'elle nous le donne : elle pourrait coller dessus une étiquette et chiffrer le prix.

*

On a fait encore une fois le tour de l'île sur nos bicycles. On s'est arrêtés partout.

A la Patate Dorée, on s'est tapé des frites et des hot dogs. J'ai bu un Diet Pepsi, Nicole un Nesbitt et Catherine, à qui ni les calories ni les poussées d'acné ne semblent plus faire peur, un Coke. C'est bon manger quand on a faim ; les coups de pédale creusent l'appétit. On s'est installés, au flanc de la fausse isba en faux rondins, à une table à pique-nique (le genre de table que les bancs sont pris après, tu sais ?). Il ventait ; l'haleine du lac relevait l'un après l'autre les larges bords du chapeau de Catherine, ce qui lui donnait un air de haute-couture puis un air de charrette-à-foin, l'air de Jennifer Jones dans *Portrait of Jennie* puis l'air de Jane Russel dans *The French Line*. Les déformations de sa coiffure modifiaient sans cesse son apparence ;

c'était beau. Quand Catherine a eu fini de se bourrer, elle nous a montré avec un air dégoûté ses mains tachées et poisseuses. Les frites et les hot dogs c'est délicieux, mais on se barbouille. J'ai été demander des serviettes à la bonne femme. « Pas de napkins ! » J'ai regardé Catherine avec toute l'audace virile que j'ai apprise en observant Paul Newman dans *La chatte sur le toit brûlant* et je me suis avancé en bombant le torse : « Essuie-toi sur moi, man ! » Elle a murmuré O.K. et alors, avec une gravité bien à elles, imitée d'aucunes autres, ses mains, à l'endroit, à l'envers, ont monté et descendu sur ma chemise jusqu'à ce qu'elles ne laissent plus de marques, et qu'il ne reste plus sur ma peau de cellules qui chôment. Nicole a crié : « Hé hé hé ! c'est moi qui le lave, cet enfant-là. » Et alors la bagarre a pris. Les restes de Diet Pepsi, de Nesbitt et de Coke ont volé ; les fioles de vinaigre et de ketchup ont giclé ; c'était à qui cochonnerait le plus les vêtements des autres. On a eu un fonne noir.

On s'est arrêtés partout. On s'est arrêtés sur les remblais pour souffler sur les houppes des pissenlits, comme la fille du dictionnaire Larousse. A plusieurs endroits, on a marché jusqu'à l'eau pour voir comment elle est... pour quand le lac sera assez chaud pour qu'on se baigne. Il y a des coins tranquilles partout mais la plage n'est engageante nulle part... et c'est le moins qu'on puisse dire : à chaque pas, il faut arracher son pied de ça d'épais de boue ; les cailloux portent des chevelures de mousses où béent comme des bouches de sangsues, il ne leur manque que des yeux ; les algues prospèrent, visqueuses, tentaculaires, telles qu'on n'a pas osé les regarder de travers de peur qu'elles se mettent à courir après nous. Catherine en a profité pour tirer des leçons sur la pollution et signaler l'apostolat de Ralph Nader, jeune Américain en colère.

On rit mais ce n'est pas drôle, car quand Catherine était petite ce même lac des Deux-Montagnes était si limpide que les poissons devaient porter des verres fumés quand il faisait soleil, que le sable était fin et dru comme du sel de table.

La Si Belle n'a pas encore eu le temps de venir rebrancher le téléphone. A Sainte-Geneviève, on s'est arrêtés à une cabine téléphonique pour que Catherine téléphone à sa mère. On l'a regardée s'enfermer derrière la porte (en accordéon comme celles des autobus) de la grande boîte vitrée en ayant de la peine qu'elle agisse comme si elle avait des choses à nous cacher. Quand elle se penchait, le bord de son T-shirt détrempé montait et on regardait tristement la bande de peau que ça découvrait au-dessus de la ceinture de ses vieux jeans... ça ne nous appartenait plus. Quand elle élevait la voix, on pouvait surprendre un mot par-ci par-là. Tout seuls dehors, on se sentait lésés, trahis, abandonnés. A un moment donné, elle s'est retournée pour nous faire le signe mexicain *momentito*... et elle a vu notre air bête et maussade. Alors, elle a rouvert la porte puis elle nous a crié : « Venez, embarquez : il faut chaud ça pue on est bien ! » Quand on s'est serrés contre elle pour permettre aux angles de l'accordéon de se déplier, on s'est tous sentis très fort.

— Dites bonjour à Poulette : elle vous aime sans vous connaître.

On a dit bonjour à Poulette, comme deux abrutis. Alors elles ont renoué le fil tordu de leur conversation palpitante, et Catherine s'est accotée sur nous, relâchant tout son poids tiède. Pour se faire pardonner de ne pas pouvoir être présente autrement, elle nous donnait toute son attention corporelle ; en tout cas c'est comme ça qu'on l'a compris ; elle, elle est sûre d'elle ; elle ne fournit pas quarante-deux explications sur chaque geste qu'elle pose.

— *Portée disparue ?...* Dans Échos-Vedettes ? De quoi qu'ils se mêlent, ces hosties-là ? Lis-moi donc ça pour voir... tranquillement pas vite.

Le combiné calé au creux de son épaule, Catherine était venue chercher mes bras le long de mon corps et elle était en train de les nouer sur son ventre, comme une seconde ceinture : « *Prostré dans une attitude accablée, Roger Degrandpré, l'éditeur controversé de La bombe Q a déclaré* quoi... ? » D'une main elle a rempoigné le combiné, de l'autre elle pressait la tête de Nicole contre la sienne. On cuisait, on suait, on nageait, on était comme des poissons dans l'eau.

— Qu'est-ce que tu penses de ça, toi, Poulette, un Robespierre qui se plaint aux journaux à potins... un éventreur des requins du capital qui pleure puis qui bave puis qui se soûle puis qui fonce à quatre-vingts milles à l'heure sous les lumières rouges parce qu'une p'lote l'a décollé de sous ses jupes... ?

Elle a écouté la réponse de Poulette, qui ne faisait visiblement pas son affaire. Elle a repris la main qui jouait dans les cheveux de Nicole, l'a contractée, a frappé un grand coup de poing désapprobateur sur la tablette de l'annuaire.

— Poulette ! lâche-moi la paix avec tes réflexions moralisantes grotesques ! Je suis une p'lote, c'est mon rôle, je l'assume, on peut pas tous être des éditeurs controversés !... Je suis une p'lote puis guette bien quand je vais me débarrer ; y a pas personne dans l'État du Québec qui pourra dire qu'il a pas passé sur moi !... Toi aussi, Poulette, t'es une p'lote, mais tu te retiens ! Pourquoi ? Viens, on va se mettre ensemble puis on va tous les déniaiser ! Y a plus d'amour, Poulette ! Les gens ont tellement gardé leur amour, pour le dépenser en famille, comme la paie, puis c'est tellement débandant la famille, que l'amour sert plus, qu'il moisit, qu'il sent mauvais, qu'ils le jettent. Sors dehors, regarde dans les rues puis montre-moi la vie si t'es capable !... Marche sur le trottoir puis regarde les maisons : les gens éteignent leurs lumières à neuf heures, c'est tellement lugubre que les fenêtres pleurent...

On s'est présentés à la succursale de la Si Belle pour les prier pour la quarante-deuxième fois de venir rebrancher le téléphone. Le préposé du comptoir des questions idiotes a eu le malheur de s'exprimer en anglais : « What do you want ? » Catherine a cramoisi puis elle lui en a fait voir de toutes les couleurs. « Je vais t'en faire des what-do-you-want, mon hostie de chien sale, moi ! » Quelle colère ! On s'est rencoignés et on a tout fait pour ne pas se faire remarquer. Ça a été si loin qu'on a craint qu'ils appellent la police. « C'est pas votre petit gérant de cul que je veux engueuler, c'est le président de la compagnie ! Téléphonez-lui, puis passez-moi-le ! Tout de suite ! Je veux lui expliquer comment qu'on peut nationaliser ça, une petite compagnie de téléphone ! » Si on avait pas eu la bonne idée de lui rappeler qu'elle risquait de se faire reconnaître sans ses lunettes fumées, on aurait fini par se ramasser devant la Cour du Banc de la Reine.

*

Poulette vient nous voir demain. « On va lui faire un show ! » s'est écriée Catherine. On est allés acheter au Shopping Centre trois pinceaux larges pour que ça prenne moins de temps, trois chopines de térébenthine pour nettoyer les pinceaux un paquet de journaux pour étendre sur les planchers, et trois gallons de peinture blanche. Catherine peinture la cuisine, Nicole la chambre à coucher et moi, comme un homme, la pièce la plus grande : le salon, aussi appelé vivoir et living. « Je suis dans ma période blanche ! » s'est écriée Catherine. « Je vois tout en blanc : l'eau, le ciel, l'herbe, la route... C'est cute, hein ? » A part un vieux poster à quoi elle tient comme à un fétiche, pour des raisons compliquées qu'elle nous a dit qu'elle nous a fait enlever et jeter tout ce qui décorait les murs, dont un crucifix en bois du milieu du XXe siècle où le Christ était sculpté à même sa croix. Son fameux poster montre en couleurs deux rhinocéros à deux cornes, un adulte et un petit ; en bas, dans la marge blanche, on peut lire : « *White or square-lipped rhinos, Matopos Game Park — Photo : H. M. Moesli.* » « C'est ta mère puis la petite fille ! » nous a assuré Catherine avec l'air de faire une bonne vacherie à quelqu'un. On a répondu ah sans chercher plus loin.

Catherine dit monts et merveilles du travail manuel et violent, mais ça ne va pas loin, c'est plutôt une vue de l'esprit. Grande parleuse petite faiseuse, comme on dit. Tout le temps qu'ont duré les préliminaires (concevoir un plan, dresser une liste d'achats, répartir les tâches, choisir au magasin la couleur des manches des brosses, dépouiller les paquets sur la table de la cuisine), elle n'a pas tari d'enthousiasmes sur l'aventure de peinturer, elle a brûlé d'impatience, elle était comme un chien fou. Depuis que ça y est, qu'elle est dedans, elle n'arrête pas de pester.

— Ça m'hallucine ! Quand il fait beau comme ça, faut aller jouer dehors ! Tous ces maringouins qui font bzzzzzzzzz au grand soleil puis nous qu'on est pas là comme des lézards pour les attraper en déroulant d'un coup sec nos langues à ressort !

— J'avais oublié que ça m'a toujours rendue malade l'odeur de la peinture ! Ça me fait lever le cœur, ça m'étourdit, ça me pique les yeux, ça m'angoisse, ma claustrophobie ressort.

— Qu'est-ce qu'on fait quand c'est plein de poussière ? Est-ce qu'on balaie ou qu'on peinture par-dessus ? Bah ! on peinture par-dessus.

— Vous êtes sûrs que c'est de la peinture qui sèche vite qu'on a achetée ? Ça fait une demi-heure que j'ai fini mon plafond puis il est encore collant ! Ça m'écœure !

Elle voulait un fini émail qui sèche vite. Ni moi ni le brave détaillant Sico n'avons réussi à lui faire comprendre qu'un fini émail qui sèche vite ça n'existe pas.

Elle vient voir de temps en temps (toutes les cinq minutes) si nous sommes plus avancés qu'elle. Elle appelle ça *peaker*. « Je peux-t-u peaker ? » Peake toujours. Elle trouve qu'on va trop vite pour elle, qu'on donne un trop beaucoup de pinceau, qu'on ne fait pas assez de coulures. Elle s'en retourne découragée : « Vous êtes trop bons, je veux plus jouer avec vous autres... » Et elle fait une de ces moues d'enfant que les femmes aiment tant faire quand elles se sentent particulièrement féminines.

Ne perdant jamais de vue ses objectifs révolutionnaires, elle a réfléchi et elle a trouvé que la façon idéale de peinturer c'est habillé en petites culottes et en s'en fourrant partout. Ses hanches sont fortes mais continuent sans bris la courbe de sa taille, ses seins généreux mais solides, ses jambes longues ; ce n'est pas un paquet d'os mais elle n'est pas grasse comme les robes claires qu'elle affectionne la font paraître ; elle est superbe ; c'est une vraie Madone. On lui a dit : « Mets-toi au moins quelque chose sur la tête ; quand ça prend dans les cheveux c'est plus partable. » Elle nous a répondu par l'absurde : « A quoi ça sert de pas avoir les cheveux pleins de peinture, mes trésors ? Qu'est-ce que ça donne ? Lâchez-moi la paix. avec vos conseils pratiques de pages féminines de Montréal-Matin ! »

Tout à coup Catherine s'amène, serrant un bocal de tabac Player's sur son cœur. Elle me fait un sourire grivois qui me trouble : « Viens, on va s'en rouler une bonne ! » Je la suis... On pénètre dans la chambre à coucher ; elle fait à Nicole, en lui donnant sur la tête un petit coup de bocal, un sourire grivois semblable à celui qui me trouble encore : « Viens, mon trésor, on va se faire du fonne... » Elle s'assoit en tailleur sur le lit. On s'assoit en tailleur nous aussi : on a plaisir à imiter ses gestes et attitudes; mais cette fois-ci, le sentiment de plein abandon et l'effet de transmigration que ça produit, se mêlant à l'équivoque de la situation, rendent intolérable notre gêne. « Tu roules toi-même tes cigarettes ! » s'écrie Nicole avec admiration, pour faire diversion. « Tu devrais voir faire Poulette : en un clin d'œil puis d'une seule main ! » Qu'est-ce qu'a son visage à rester figé dans ce drôle d'air ? Je suis inquiet. Je regarde Nicole : elle est inquiète. Qu'est-ce qu'on fait si le goût la prend de faire des choses ? Qu'est-ce qu'on va faire si elle est vraiment la polissonne, l'impure, la lubrique, la chaude lapine qu'elle se vante tant d'être ? Je regarde Nicole ; réponse : on se lève, on court, on se sauve... Ce n'est pas le désir de caresser notre Catherine qu'on n'a pas, c'est les mains ; nos mains ne fonctionnent pas ; les mains qu'on a c'est juste pour sauver les apparences. L'érotique c'est comme la politique pour nous ; on n'est pas capables ; c'est au-dessus de nos moyens ; on n'a pas les facultés qu'il faut. Mais en même temps que nos cœurs fuient ce danger avec des battements de grandes ailes blanches, la honte et la colère nous harcèlent : on est écœurés d'être si épais, introvertis, si peu enjoués, sportifs. Je sors de ma boîte de Muriel mon dernier coronella ; je le romps pour en donner la moitié à Nicole. On va pour s'allumer : « Qu'est-ce que vous faites là ? ? ? » Scandale !

— On fume le cigare, nous. On trouve que ça goûte rien, vos cigarettes...

Catherine est sursaisie, superstupéfaite : « Arrêtez votre char, man ! Vous allez pas me laisser partir toute seule... ! Sentez-moi ça : du stock parfait, pure Mexican Gold... ! » De la marijuana !... On tombe des nues la bouche grande ouverte. On ne se ressaisit que pour se jeter en arrière sous la menace de la cigarette qu'elle nous tend, braquée comme un revolver. Ces réactions énormes amusent trop Catherine. Dilemme encore : refuser en tremblant ce léger paradis artificiel et avoir l'air aussi épais qu'on l'est réellement ? ou se montrer à la hauteur et risquer de s'obscurcir le cerveau pour le reste de notre vie ? Grosser Lärm : Catherine, qui suit dans nos yeux le déroulement du drame, est complètement esclaffée, elle se tord, elle se tient le ventre, elle étouffe. Fuck ! Elle ne reprend son souffle que pour se taper la pinte de bon sang que lui renouvellent les mimiques de Nicole, qu'elle continue de tenter.

— Envoie donc, fée-fille... Rien qu'une touche, une petite touchette de rien... Si tu m'aimes tu peux pas me refuser ça...

— Non bon ! J'ai peur de ça, bon ! Si tu me crois pas, mets ta main sur mon cœur ! J'ai pas envie : c'est de mes affaires, non ?

Les spasmes d'hilarité de Catherine la secouent si fort qu'ils lui coupent la parole. Elle doit se reprendre dix fois pour finir de dire qu'il n'y a rien de plus inoffensif que la mari, que c'est prouvé scientifiquement, que les fédérastes à Trudeau n'auraient pas sorti un rapport favorisant sa législation si c'était dangereux, eux qui ont interdit les annonces de tabac à la TV, que tout le monde en fume et que personne ne meurt. (Toutes des affaires qu'on a entendues tellement de fois que les oreilles nous tintent. Là, dans le feu de l'action, on ne sait plus ce qu'on pense, qui est justement qu'on ne veut pas faire comme tout le monde, qui est qu'aussitôt que tout le monde — surtout ce genre de monde — fait une chose nous écœure, qu'on s'écrie PAS NOUS.)

— Je m'en fous que ce soit pas dangereux, moi ! Ça me fait peur et puis c'est tout ! Prends-moi comme ça ou laisse-moi tranquille !

Nicole saisit la main de Catherine et la presse sur son cœur pour qu'elle sente : « Es-tu contente, là ? » Catherine tombe à plat ventre et rit de plus belle. Fâché noir, j'ai envie de prendre le bocal de Player's et de tout le manger. Fâchée noir, Nicole se tourne et m'attaque.

— Dis-lui, toi, grand niaiseux, comment qu'on est peureux ! Lui, il est encore plus peureux que moi ; il est tellement peureux qu'il a peur d'avouer qu'il est peureux !

L'énormité de ce dernier gag terrasse Catherine : elle perd son mégot, le feu manque de prendre dans les pages de La Presse que Nicole a mises sur le lit pour que la peinture ne dégoutte pas sur la courtepointe.

— Depuis qu'on est ça de hauts qu'on craint, qu'on fuit, qu'on redoute, qu'on se cache partout, qu'on se serre l'un contre l'autre dans les petits coins pour pas que personne nous voie ! Demande à André si tu me crois pas ! Dis-lui, grand niaiseux ! Dis-lui ! Envoie !

C'est ridicule et c'est tragique. Plus Catherine rit plus les joues de Nicole se colorent. Là, l'humiliation devenue outrage, la couleur épaissit, toute sa figure enfle. Elle n'en peut plus ; elle se lève, en deux coups de pied féroces : « C'est pas donné à tout le monde d'être entreprenante, sûre de soi, cinéaste, vedette ! C'est pas de ma faute si j'ai pas une forte personnalité, moi !... T'es trop méchante, m'en vais ! »

Assise sous une auréole de maringouins, Nicole pleure en lançant des cailloux. Elle vise d'une façon si découragée que la plupart tombent à côté du lac, dont l'eau est si proche pourtant que les vagues d'un yacht mouilleraient nos pieds. Je ne sais pas quoi dire pour la consoler. Pour lui montrer ma compassion j'essaie de lancer mes cailloux aux mêmes endroits qu'elle.

— Laïnou avait raison : c'est pas notre genre de monde. Ça sert à rien d'aimer une émancipée pareille, montée sur ses grands chevaux, pédante !...

— C'est pas pour se moquer de toi qu'elle riait, voyons ! Elle riait à cause qu'elle était stone. Quand on est stone on trouve tout drôle...

— Stone ! Stone ! Qu'est-ce que tu connais là-dedans, André Ferron ? Je t'en veux ! C'est toi le gars, c'est à toi le gars, c'est à toi de faire quelque chose pour qu'on se déniaise... J'en ai assez de rester plantée là pendant que tout le monde part en orbite, moi... !

*

Poulette est arrivée vers onze heures dans sa Triumph au silencieux crevé et au bas des portières rouillé jusqu'à travers. Chapeau de léopard, lunettes fumées, cigarette au bec, elle est entrée bras en l'air, tout éployée, comme si elle sortait d'un de ces films italiens montrant avec complaisance la déchéance qui s'est emparée du sang bleu : les comtesses passé mûres qui couchent avec des bommes encore verts, and all that drag... Elle nous a embrassés sur la bouche avant même de nous avoir regardés, le groin tout mou et tout entrouvert. Quelle haleine fétide ! Qu'est-ce ka mange ? Da marde ? Fuck ! Elle ôta ses verres, la blancheur de nos travaux de restauration la saisit, l'éblouit, ses yeux papillotèrent comme deux protozoaires ciliés mal pris, elle prit dans ses mains gantées sa face craquelée, elle s'écria, fellinienne :

— Ah j'horreur de cette couleur, ah c'est cruel, ah ça agrandit trop la lumière, ah ça fait ressortir des ans l'irréparable outrage, ah je sens mon make-up qui cuit et qui forme des grumeaux comme une mayonnaise ratée ! Je suis pas trop laide ? Pas trop maganée, ravagée, marquée, pokée ?

— T'es belle à croquer ! Elle est belle, hein, mes trésors ?

On a dit oh oui. Il a bien fallu, hein ? Alors Catherine, qui ne supporte pas que traînent les dettes de cœur, a dit à Poulette de dire à Nicole quelle jolie petite Colline elle était.

— Tu es la plus jolie petite Colline des Laurentides !

Quelle folle audace ! Jamais encore on n'avait osé être aussi superlatif quant à la modeste personne matérielle de Nicole. Ça lui est monté à la tête comme 100 degrés au thermomètre. Ça ne restera pas. Elle n'est pas le genre de fille que ce genre d'effusion peut traumatiser. Si c'est ça une mère cool, vive les orphelines !

Tout ce que Poulette semblait vouloir savoir c'était si elle n'était pas trop pokée. Si elle n'a pas demandé quarante-deux fois *je suis pas trop pokée ?*, je ne sais pas comment je m'appelle. Et ça ne servait à rien de lui répondre *mais non ! mais non !* Elle ne voulait pas du tout nous croire, l'hostie de chienne sale.

— Je peux bien être pokée, j'ai encore passé la nuit

au bout du fil... Ougi ne cesse de m'appeler pour me tirer les vers du nez !... Il crie, il insiste, il menace... Je ne suis qu'une faible femme...

C'est là qu'on a décroché puis qu'on a jugé bon de s'effacer. Personne n'a essayé de nous retenir. Quand j'ai dit : « Bon eh bien je crois qu'on va aller brûler l'herbe derrière la maison », Poulette, qui s'était mise à parler en anglais parce qu'elle s'imaginait qu'on était trop épais pour être bilingues, murmurait à Catherine : « *I have a feeling that Ougi knows that I know, you know* »[1], et tout le monde était tellement pris par son sujet que personne n'a entendu la moindre de mes paroles.

Dehors, on se défrustre en déblatérant à tort et à travers dans les deux langues officielles.

— *What is the matter ?* (Qu'est-ce que la matière ?)

— La vie, c'est rien aux autres puis tout aux mêmes : beauté, santé, prospérité, intelligence ! Puis ceux qui ont tout crachent sur tout : c'est tout triste, déçu, désenchanté, spleen, insomnie, neurasthénie, dégoût. Regarde les Pygmées, par exemple : affreux, petits, pauvres, bêtes à manger du foin : ils n'ont rien eu du tout. Quelle justice !

— *I don't see your point !* (Je ne vois pas votre point !) *It's totally irrelevant !* (Ce n'est totalement pas révélateur !)

— *I feel bad, that's all !* (Je sens mauvais, c'est tout !)

L'herbe morte l'automne dernier, battue, tassée et pourrie par la neige, étouffe le sol ; les petits couteaux de l'herbe percent mal cette épaisse bourre. Que c'est beau du chiendent quand c'est haut, quand c'est assez dru et profond pour que le vent y roule comme sur l'eau.

1. J'ai un sentiment qu'il sait que je sais, tu sais ?

Aussitôt l'allumette tombée dans les pailles, la flamme, si petite et si seule, lance autour d'elle, comme des enfants plus grands qu'elle, dix autres flammes, puis chacune, aussitôt dansée en rond avec les autres autour du charbon tordu de l'allumette, saute en cheval rapide, puis en deux, cinq, dix grands chevaux rapides, et ça court, loin déjà, avec des galops qui craquent, qui pètent, qui fument. Et ça nous laisse derrière, aveuglés par tant de parfums trop forts et de souvenirs trop loin, à ne pas oser avancer de peur de briser le tapis noir que tissent les fils fragiles de la cendre. T'en souviens-tu, chère, quand on faisait brûler l'herbe sur le bord du fossé en revenant du Mois de Marie ?

On se met dans le plus gros des épaisses fumées blanches. On en mange ; ça goûte si bon ! On plonge la tête pour les respirer, on part, ça chavire ! On ferme les yeux ; on est si bien dans le noir quand on est soûl !

Catherine et sa Poulette ouvrent une fenêtre, sortent la tête, crient, ravies : « Ah que ça sent bon ! » « Hmmmmm ! » ajoutent-elles.

Elles sont habillées pour partir. Elles ont faim ; elles vont aller déjeuner *en amoureuses dans quelque petit snack-bar de Sainte-Geneviève.* Elles n'ont pas besoin de nous raconter leurs vies, hein ? Nous ne leur avons rien demandé Fuck !

Traversés chez le voisin pour éteindre une vague égarée (en la battant avec nos pieds dans une sorte de gigue frénétique où nous comprenons comment ont pu naître les danses iroquoises), on voit que le voisin n'y est pas et que ses iris, comme des flambeaux qui mettraient des jours à prendre complètement feu, ont commencé à fleurir. Il y en a plein partout, ça hallucine. Il y en a tant que ça ne se verra pas si on en cueille assez pour offrir à notre Catherine la gerbe qui nous tente : immense, inouïe, infinie, pour embaumer tout le reste de sa vie. Casse deux douzaines de jaunes, chère, je vais casser deux douzaines de bleus ; on va faire un bouquet en deux parties ; les professionnels des arrangements floraux ne connaissent rien, ils mélangent tout.

Pour que Catherine ne contracte pas en rentrant l'impression grazéviskeuse qu'on a passé notre temps à l'attendre en pleurant, on décide d'aller faire un tour au village.

Pour que ça dure longtemps on marche lentement et on reste penchés indéfiniment sur chaque nouvelle fleur qu'on trouve en explorant le remblai chacun de notre côté de la route. Tiens une *bermudienne !* Tiens une *ancolie !* On connaît le nom de quelques fleurs et quand on les rencontre c'est comme si c'était elles qui nous reconnaissaient. Ça remonte à l'été qu'on a passé à Belœil : on n'errait jamais dans les champs et ne suivait jamais les sentiers de la montagne sans notre *Flore laurentienne.*

A l'épicerie Marchessault, on laisse tout le monde se faire servir avant nous. Nicole détache de l'arbre à chips deux sacs de marque Laviolette, parce qu'ils sont bons même s'ils ne sont guère populaires, et qu'ils sont originaires de Trois-Rivières, chef-lieu de notre Mauricie natale. On veut une caisse de bière pas froide. « Quelle sorte ? » demande la fille à la bouche fraîche éclose et aux yeux marron-avec-du-miel-dedans venue donner un coup de main à notre ami manchot. Je lui réponds : « N'importe quelle... » avec l'air de ne vouloir qu'elle. Elle a dû me trouver effronté.

En revenant, on lambine encore plus. Assis autour d'une bermudienne, on boit deux Labatt : c'est une minuscule étoile, bleue comme celles des ciels des enfants, piquée au bout d'un brin d'herbe. On boit deux autres Labatt accotés sur la clôture en compagnie d'une bande d'ancolies pourpres :

Et juste où fut le corps s'élève une ancolie.
Je voudrais la cueillir mais je n'ose. J'ai peur
Que l'âme de l'enfant, palpitant en la fleur,
De nouveau ne s'exhale avec mélancolie.

On est émus. On se dit que le jour où ils ne laisseront plus pousser les fleurs ils vont perdre deux joueurs. Et on continue à réfléchir là-dessus.

*

What goes up must come down[1]. Les récœurements attendent les rexaltations et les mêmes espoirs suivent les déceptions pareilles : c'est mesuré pour s'égaliser et maintenir à zéro ton total. Pas moyen d'être heureux, pas moyen d'être malheureux. Tout annule tout. Et aucuns efforts, courages, jeûnes, ne peuvent donner à personne, mendiant, gendarme, ferblantier, crotté, trois testicules, pas de testicule, d'échapper à cette équation. Ça ne te donne rien de dépasser les autres. La supériorité obtenue avec tes 90 % de sueur et 10 % de talent fera bien chier tes amis, certes, mais toi, ça t'avance à quoi ? On parlait de ça tout à l'heure, Nicole et moi, et on se trouvait corrects : on fait sacrement bien de perdre tout le temps qu'on peut.

Nos iris sont tous chiffonnés déjà ; leurs têtes pendent sur leurs poitrines... Catherine s'est écriée ah c'est renversant, ah c'est trop too much, quand elle a ouvert

1. Plus tu vas haut plus tu vas descendre.

la lumière en rentrant. Ça lui a donné un choc mais pas un aussi grand qu'on pensait ; mais on n'est jamais contents, il va falloir qu'on finisse par s'habituer. Il était trois heures de la nuit. Nous étions couchés mais nous n'avions pas dormi ; on avait eu si peur qu'elle ne revienne plus jamais. Tu ne peux pas savoir à quoi t'attendre d'une fille encore attachée à sa mère qui se mêle de changer l'amour (avec un grand Q) et qui met le sort du genre humain au sommet de ses préoccupations. Que fait-elle ici ? Mystère. Il n'y a que Poulette qu'elle tienne en assez haute estime pour confier ses vrais secrets, qui nous semblent doubles : professionnels et matrimoniaux.

Catherine a ouvert doucement la porte de notre chambre. Qu'est-ce qu'il fallait faire ? Faire semblant de dormir, pour se prouver qu'on a du caractère, ou laisser nos cœurs idiots nous bondir de joie ? On a attendu comme des tortues dans leur carapace, on retenait nos souffles. Catherine a quitté, comme une Hedy Lamarr, l'écran que la lumière de la cuisine formait dans l'ouverture de la porte. Catherine s'est avancée, sur la plante la plus douce de ses pieds. Catherine nous a embrassés avec une sorte de soin en nous appelant ses trésors.

— Avez-vous sommeil, mes trésors ? Venez, on va se faire du café puis on va discuter le coup...

Elle n'a pas attendu notre opinion ; elle était sûre qu'on suivrait. Tout ce qu'on veut c'est faire tout ce qu'elle veut, elle le sait, elle a pris ça pour acquis une fois pour toutes. Elle n'est pas du genre complexé, de ces personnes qui remettent leur mérite en question à tout bout de champ ; pas comme nous qui, quand quelqu'un nous dit qu'il nous aime, grimpons dans les rideaux : « Non ; ça se peut pas ; on est trop épais... »

J'ai fait le café, Nicole les toasts et Catherine la

conversation. Elle m'a dit de me laisser pousser la barbe, que ça serait *sharp* (plus viril que *cute*), qu'elle ne comprend pas pourquoi les gars qui se rasent se rasent, que ça la dépasse. « C'est de la mutilation, man ! » Elle a dit à Nicole de ne plus attacher ses cheveux en queue de cheval avec un élastique comme en mil neuf cent cinquante-et-con. « Ça m'hallucine, les cheveux en prison ! » Elle nous a dit comment ça a swingé, avec Poulette, dans les petites boîtes de Sainte-Geneviève. Elle nous a dit les gallons de gin-and-tonic qu'elles se sont tapés, et les quantités d'hommes qui leur ont fait danser le bugaloo : tous des gars O.K., ordinaires-ordinaires, des petits Québécois de la base, pas des hosties de chiens sales. Puis Catherine a eu froid. Elle s'est étreint la poitrine, elle nous a montré la chair de poule sur ses bras, elle s'est frottée. Puis elle nous a parlé avec des yeux brillants de ses trois bonnes grosses couvertures de laine. Puis elle est montée se glisser dessous.

On a senti que c'était fini, qu'on ne serait pas capables de se rendormir. Des sortes de disques de sa voix tournaient autour de nos oreilles, et il fallait entendre jouer à tue-tête, rejouer et jouer encore, les phrases qui nous avaient frappés, émus, déçus.

On s'est recouchés puis on s'est relevés puis on a refait du café. On avait froid, on grelottait, on s'ennuyait, mais tout ça ne nous faisait rien, on était au-dessus, mille milles de l'autre bord.

On s'est retrouvés dehors. C'était beau : il ne restait plus de ténèbres que dans l'herbe et les arbres, qu'elles enrobaient comme de la peinture. Tout l'azur était tendu mais aucun soleil n'était encore levé. Quand l'amour dort à côté, dort si près qu'on respire les parfums de sa personne avec l'air d'avant l'aube, on part à courir, et nos têtes qui tournent nous promettent qu'en allant plus vite, toujours plus vite, on va finir par se dépasser, s'échapper, sortir... On était plus légers que nos pieds, plus rapides que nos jambes. A l'approche du lac, j'ai serré plus fort la main de Nicole. Elle n'a pas hésité ; et c'est tout ensemble, tout fous, tout *oui* (oui oui !) qu'on a continué sur notre lancée, qu'on s'est jetés. Trop lourde avec l'épaisseur, l'eau a freiné nos pas, puis a bloqué nos poids, puis on est tombés à plate figure. On a failli ne plus jamais ressortir du lac des Deux-Montagnes : nos sangs regelaient après chaque effort, nos articulations se ressoudaient après chaque mouvement. On n'a pas pu se rendre plus loin que le ponton. On s'est hissés dessus on s'est laissés paralyser là, et on a attendu que ça revienne. Quand j'ai pu déplier les bras, j'ai pris le visage de Nicole dans mes mains et je l'ai embrassé partout : j'aurais aimé mordre. Quand j'ai senti ses larmes couler, si chaudes parmi les ruissellements de ses cheveux glacés, je me suis blotti tout entier contre ses yeux. Je l'aimais comme un fou. Je me sentais, de tendresse, prêt à éclater. Et ça me rendait plus seul que le plus grand désespoir.

— Nicole, dis-moi que tu me laisseras jamais tout seul.

— Je te laisserai jamais tout seul.

— Si tu meurs avant moi, je me tue.

— Moi aussi. Qu'est-ce que t'as ? Ça va pas bien ?

*

Nicole a dû attraper quelque chose comme une pneumonie. Dans le lit froid, son dos me brûle et inonde de sueur ma poitrine. Mais je suis trop déprimé, je ne veux pas rester tout seul. C'est cruel, mais c'est plus fort que moi : quand elle s'endort je l'embrasse et la serre jusqu'à ce qu'elle se réveille encore une fois. « Qu'est-ce que t'as ? Ça va pas bien ? » Je ne réponds pas ; je ne sais pas ce que j'ai. « Retourne-toi, je vais te flatter... » Elle me caresse les épaules, la nuque ; sa main mouillée glisse mal, elle s'excuse : « C'est rude, hein ? » C'est bon, ça va mieux ; mais elle n'est plus capable, sa main retombe, épuisée. Elle se roule, elle se ramasse en chien de fusil : « Colle-toi ». Je me retourne pour qu'elle puisse, comme elle aime, caler ses fesses dans l'épaisseur de mon ventre ; elle dort. « Nicole... Ma petite Colline... J'ai besoin de toi... »

— Veux-tu que je te flatte ?

Des castagnettes d'assiettes dans l'évier nous ouvrent un œil ; des cabrioles de casseroles sur le plancher nous rachèvent. « Maudit Christ ! Enfant de chienne ! » Ça a l'air d'aller mal dans la cuisine. On a dormi juste assez longtemps pour rêver que Catherine, comme le faisait souvent Laïnou, venait se couler entre nous pour traverser les sortes de limbes du dernier petit somme.

Accoudée, face contre table, entre une salière qui coule et un sac de pain qui rend ses tranches comme on sort la langue, Catherine frotte ses tempes du bout de ses doigts.

— Comment qu'elle va la belle Catherine ce matin ?

— Mal !

Elle a l'air de rien vouloir savoir la belle Catherine ce matin. Elle ne lève même pas les yeux pour nous regarder. On reste plantés là, fatigués-morts et songeurs.

La tête lui fend. Elle nous demande d'aller lui chercher des aspirines à la pharmacie du Shopping Centre. Je propose que j'y aille tout seul, que Nicole reste pour prendre soin d'elle, lui faire du café, des toasts, des compliments. Elle aime mieux qu'on y aille tous les deux. Elle ajoute qu'on n'a pas besoin de se dépêcher, qu'il n'y a rien qui presse, qu'on a toute la vie devant nous. Quelle bordée d'euphémismes ! Elle marmonne des mots d'excuse, mais ce n'est que pour continuer de plus belle sur un autre air. Qu'elle nous aime bien mais qu'elle ne peut pas nous cacher que quand elle se sent comme ça elle ne peut souffrir personne autour d'elle. Qu'elle abomine toutes les susceptibilités (heavy feelings) et qu'on va baisser vite en Christ dans son estime si on se met à bouder à cause qu'elle est de mauvaise humeur...

Je veux être tout ce qui me passe par la tête avec vous autres, agir comme ça me prend. Je le veux puis j'y tiens. C'est vous autres qui allez en profiter en fin de compte. Si je me sens libre de vous engueuler, je vais me sentir libre de vous aimer... Sinon...

Sinon, tu te sentiras libre d'aller chier ! Fuck ! Manche da marde !

On pédale le plus lentement que ça peut (le manque de vitesse cause un manque d'équilibre qui demande des rétablissements continuels, ça fait qu'on avance tout croche), en forçant des méninges pour dégager, des réflexions peut-être sublimes que vient de nous communiquer Catherine, l'idée totale qu'elle se fait de nous. Nous trouve-t-elle corrects ou achalants, cool ou cons ? On la fait certainement *flipper* ou *halluciner* (on ne peut pas lui faire autre chose pour la bonne raison qu'il n'y a que ces deux verbes dans sa contre-culture pour exprimer l'effet qu'on peut faire à quelqu'un). *Flipper* ou *halluciner*, that is the question, après ça coupe carré, plus rien... Si on lui plaît elle flippe, si on l'achale elle hallucine, c'est tout, ce n'est pas plus long que ça. Mais ce n'est pas vrai qu'un problème bien exposé est à demi résolu. On arrive à Notre-Dame, on n'est pas plus avancés que lorsqu'on s'est mis en route. Ça ne sert à rien de penser : on en a là une preuve indubitable. On va laisser tomber.

A la pharmacie, ça a bien été. La fille qui nous a servis était pleine d'amour. Elle nous a demandé ce qu'on voulait avec son plus beau sourire. Ça coûtait $0.90 ; elle nous les a demandés comme une faveur ; elle a pris ma piastre comme une avance ; quand elle a rendu la monnaie sur ma main tendue j'ai senti la douceur d'une caresse. On ne peut pas se fier sur rien : on ne peut même pas, quand ça va mal, être sûr que rien ne va nous faire déroger à notre fier désespoir. Il n'y a rien qui tienne ; il n'y a rien tout court ; il faut partir de cette hypothèse et ne pas la quitter. On est revenus en marchant à côté de nos bicycles. Les maisons sont toutes au bord de l'eau ; le milieu de l'île est complètement vide.

Catherine se chicane si fort au téléphone avec sa mère qu'on l'entend crier depuis la barrière. On est arrivés avant qu'il ne fallait, je pense, hein, chère ? C'est sur la pointe des pieds qu'on accote nos bicycles sur le coin de la véranda, c'est en longeant le mur à quatre pattes qu'on va se cacher derrière le réservoir d'huile, c'est comme un ciboire que Nicole presse sur son cœur la bouteille d'aspirines, c'est fou, c'est ridicule, c'est une chance que personne ne nous voie... « Fais-tu encore de la fièvre, chère ?

— Est-ce que je sais, moi ? »

Catherine termine sa prise de bec avec Poulette. On n'est pas pour entrer tout de suite, on aurait l'air de ne pas lui laisser le temps de respirer, on va attendre une couple de minutes... ou d'heures. J'arrache un brin d'herbe et je me le mets entre les dents avec une envie vague de le mâchonner. Je change d'idée, ça ne me tente plus ; mâchonner un brin d'herbe est une activité tellement dénuée d'intérêt que le souvenir de m'y être souvent adonné me fait apparaître mes trente ans de vie comme une vaste platitude, un film deux fois plus déprimant encore que le pire que j'ai vu . *Les Partisans se lèvent à l'aube.* Le brin d'herbe tombe tout seul de ma bouche, je le regarde flotter jusque sur les genoux de Nicole, qui a étendu ses jambes de travers sur les miennes pour me réitérer que ça ne la dérange pas que ce soit épouvantablement ennuyant de vivre avec moi, qu'elle est décidée à ce que rien ne la tanne assez pour qu'elle me laisse tomber, genre n'aie-pas-peur-d'être-épais-je-vais-t'aimer-pareil-mon-amour-n'est-pas-égoïste-moi.

— Viens, cher, que je te donne un bec.

*

Catherine nous demande de téléphoner au Manoir du Bord-du-Lac pour voir s'il y a un show ce soir. Il y en a deux. Le premier commence à dix heures, l'autre à minuit. On décide qu'on va se rendre au restaurant d'assez bonne heure pour aller voir le show de dix heures. Le large sourire de Catherine nous demande impérativement de lui montrer comment qu'on est contents qu'elle nous sorte. On se montre ravis.

On décide de voyager sur le pouce, c'est si excitant. Le curé de Notre-Dame nous embarque, l'abbé Perreault. Je lui demande s'il est parent avec Gilbert Perreault, le fameux joueur de centre des Sabres de Buffalo. Il dit que non. Catherine, en nous donnant un coup de coude, lui demande pour qui il a voté aux dernières élections. Il dit avec une pointe d'humour que c'est dans le secret de la confession. « Vous êtes gêné d'avouer que vous avez voté pour Bourassa, c'est ça, hein ? Moi aussi, je serais gênée... » Alors elle se met à l'abîmer comme Pilate dans le Credo, à le traiter de cléricaliste et de fédéraste, à lui sortir que si Pie XII n'avait pas donné sa bénédiction à Mussolini le nez de Cléopâtre n'aurait pas été si long. Il lui répond du tic au tac de ne pas oublier dans ses prières que c'est le clergé qui a perpétué les valeurs françaises quand elles étaient le plus menacées et que c'est des curés qui ont animé les mouvements patriotiques qui ont abouti à la rébellion de 1837. La cuisse de Nicole chuchote à ma cuisse : « Quels bavasseux ! »

— Parlons-en de 37 ! Quelques pets oraux d'avocats tout de suite repentants ! J'ai fait pire en jouant aux cowboy avec mon petit frère en 1956 ! Faut maturer, man !

Catherine est fatiguée d'être habillée en guenilles ; elle a le goût de faire un peu sa fraîche. Elle demande au curé s'il connaît une place où ils vendent *du linge qui a du bon sens, des affaires le fonne.* L'abbé pas parent avec Gilbert Perreault voit tout de suite ce qu'elle veut dire et s'écarte de son chemin pour nous déposer devant la boutique Right-On. C'est une mercerie unisexe soûle de benjoin et qui fait jouer Pink Floyd tellement fort que le plancher balance. Nicole et moi, il faut qu'on s'agrippe aux gros sautoirs peace-and-love et aux larges ceintures ban-the-bomb pour ne pas chavirer, on se sent si vieux. La marchandise est présentée sur des tringles montées sur des chariots que le client est invité à faire rouler ; c'est l'influence de *La galaxie Gutenberg* de McLuhan qui s'exerce. Je dis à Catherine : « Je me sens ridicule, j'ai envie de me sauver. » Elle fait semblant de ne pas comprendre puis elle décroche un pantalon à bavette qu'elle veut absolument que j'essaie. Je lui dis que j'aime mieux mourir que porter ça. « Envoie donc ! Ça te ferait un bon bedon tout rond ! » Je ne veux rien savoir : « T'es pas drôle. » Elle m'explique que la vie est une blague et qu'il faut qu'on rise. Je lui réponds que je m'en sacre, que ça ne me fait rien. Elle est déçue, son regard se durcit. J'essaie de réparer ma gaffe en exhortant Nicole à s'embarquer, elle, dans ce délire de mascarade : « Aie pas peur, c'est pas si osé, t'as une taille de déesse, tout te va comme un gant... » Catherine exulte, exalte, excite, s'amuse comme une enfant qui découpe des patrons dans un catalogue. Sa jupette et son T-shirt épars sur le plancher, les seins bondissants, le nombril comme un œil effronté, habille, mire, trottine, déshabille, elle tâte, dépend, boude et admire toutes les robes. Elle en trouve une couple de son goût puis se jette sur Nicole qui n'a pas le temps de ne pas lever les bras pour ne pas se faire dépouiller de son chandail et de ne pas lever une jambe puis l'autre pour ne pas se faire extraire de ses jeans. Mais elle crie si fort en sentant attaquée l'agrafe de son soutien-gorge (« Enlève-moi ça, personne fait plus ça ! ») que les commis unisexes brandissent leurs extincteurs chimiques. En plus de ses deux maxis et des deux longuettes de Nicole, Catherine achète une perruque blonde : un admirateur l'a reconnue l'autre jour dans une boîte de Sainte-Geneviève et elle ne tient pas à ce que ça se reproduise. En tout, ça fait $ 149.95. Elle paie comme si ça allait de soi. Elle n'a pas ce qu'on peut appeler froid aux yeux.

Elle nous pousse dans un taxi et on se ramasse à Pointe-Claire dans un restaurant de prix de fous, le Surf'n Turf. Le hamburger steak se fait appeler *Hambourg à la Gril* et se fait chiffrer par $ 5.50. On renonce à regarder le prix du T-bone. Catherine ne veut pas entendre parler du Hambourg à la Gril. Elle trouve qu'on mérite ce qu'il y a de meilleur, la spécialité-titre de la maison, le surf'n turf : des lingots de filet dans une enceinte de langoustines mort-nées au gratin (quelque chose comme ça). Elle en profite pour prononcer un discours enflammé : « Comme tous les Québécois de la base, vous culpabilisez quand vous mangez autre chose que de la marde... Pour qui vous prenez-vous ? Pour des troudkus ? Méprisez-vous votre propre race ? Ou quoi ? Je comprends Ougi quand il dit que la dignité humaine c'est la différence entre le faisan à la broche et le pâté chinois réchauffé quarante-deux fois ! Get out of your ghetto...[1] » Son *je comprends Ougi quand il dit que* est marqué ; il avait un petit air fier qu'on n'est pas près d'oublier...

Lorsque, du cognac plein les voiles, nous abordâmes au Manoir du Bord-du-Lac, les bretelles du gros batteur nageaient dans la sueur et le show de dix heures tirait à sa fin. Le doorman, excité par un pourboire de $2 versé d'avance rubis sur l'ongle nous attable au pied de la piste. La vedette de la soirée évolue en plein sous nos nez, tant et si bien que son Arrid Extra-Sec, qui lui procure une protection de vingt-quatre heures contre les dangers de la transpiration, est en train de la procurer à nous aussi. C'est une effeuilleuse fanée, une blonde usée, une horreur. Sur l'air gras d'un *Harlem Nocturne* dont elle a perdu le tempo, et dans le faisceau rouge d'un réflecteur qui fait fondre à gros plis les masses blanchâtres de sa chair, elle juche son pied sur une chaise pour dérouler jusqu'en bas son bas. Catherine trouve qu'elle a quelque chose de Jean Harlow, qu'elle a comme en décombres son visage de bébé, que c'est fellinien. La tête renversée, les yeux écarquillés, les mains jointes, elle est tourmentée, bouleversée, elle regarde la pauvre femme comme si elle la priait.

1. Sors de ton ghetto.

« Avez-vous lu *Les clowns ?* » Moi, c'est Catherine même qui m'excite, que je trouve fellinienne, c'est elle que je contemple, et je me dis que c'est devant cette image d'elle que je voudrais prier quand elle sera partie pour toujours. « Montre-nous rien qu'un téton, l'autre est pareil ! » Nicole trouve bien bonne la farce du batteur. Catherine trouve bien bon que Nicole la trouve si bonne.

Catherine rit fort. Catherine parle vite. Catherine remue comme une queue de veau. Catherine est heureuse... et on est contents, mais c'est fragile, à fleur de peau, il faut qu'on fasse bien attention. On dit oui à tout ce qu'elle dit, et après chaque gorgée on dépose doucement nos verres. Le mot de passe est CHUT. Le M.C. fait ses remerciements puis déclare que les musiciens sont maintenant à la disposition du public pour le plaisir de la danse et qu'on peut *leur adresser des demandes spéciales*. Nos voisins, un couple fiable et jovial, lui moustache florrissante, elle sourcils épilés, réclament *Release Me*[1], le hit du crooner Engelbert Humperdinck, dont la voix est d'une douceur telle que mes dernières dents saines se gâtent chaque fois que je l'entends. « *Release Me !* » crie Catherine, applaudissant, championne tout de suite debout de toutes les revendications des petits Québécois de la base.

Catherine se lève et m'invite à danser. Il n'y a presque personne sur la piste, je n'ai pas envie de me donner en spectacle : « Ça me tente pas. » Je me fais traiter de casseux de veillée : « Ça m'est égal ! » Mais je reçois sous la table un coup de pied fraternel ferme qui me rappelle que le bonheur est fugitif, et que je suis le gardien de celui de Catherine. Nicole me donne une

1. Fous-moi la paix.

petite tape sur les fesses pour me donner du cœur. Je n'ai vraiment pas le goût, comme on dit.

— Manche à balai !

— Ça me fait rien !

Il faut bien que je me tienne le corps raide, elle est plus grande que moi. « Ça te tentait pas de me prendre dans tes bras... ? Serre-moi. » Tout ce que je peux faire, c'est attention de ne pas marcher sur ses pieds nus, bien attention de ne pas écraser leurs ongles, que des vernis de toutes les couleurs changent en petits œufs de Pâques. « Ça te tentait pas de me respirer... ? » Et elle verse ses cheveux dans mon cou. « Fais pas ça, moque-toi pas de moi... » Elle frappe des petits coups de rire contre mon oreille puis souffle quelques mots de la chanson. « Please release me let me go... » J'ai hâte que ça finisse, je me sens persécuté, tout le monde doit se payer ma tête. Elle pèse sur moi de toute sa poitrine. « Ça te tentait pas de te blottir dans la chaleur du lait de mes deux cœurs... ? » Là, c'est son ventre qui me presse. « Mon ventre est un plein lit d'oiseaux, ça te tentait pas qu'ils te couvent... ? » C'est tout ce que mon caractère susceptible peut prendre. « Si t'arrêtes pas, je je je... » Elle éclate de rire, se frotte de plus belle. Je l'empoigne aux épaules et je la repousse, violemment, plus que je ne croyais. Son rire se brise, ses dents se serrent, ses poings se dressent. Elle est dégrisée ; d'un coup sec, le méchant de tout l'alcool qu'elle a bu lui est monté au visage. C'est, dans ses yeux, dans un seul éclair, la peur, la colère, le mépris. Puis va-t-elle éclater, me gifler, me griffer, me mordre ?

— Con !

Elle quitte la piste, quitte la salle, quitte le Manoir. On cherche dehors, partout. On crie son nom. Catherine ! Catherine ! On court en tous sens dans le parking. Catherine ! Catherine ! Pas de Catherine.

Plus d'argent. Pas $0.01. On court jusqu'à bout de souffle puis on reprend notre souffle pliés en deux. On fait signe aux autos d'arrêter : c'est urgent ; elles ne veulent rien savoir. Puis court, puis marche, puis crache une salive si épaisse qu'elle s'étire jusqu'à terre, puis recourt, puis remarche, puis le cœur qui nous cogne sur les os, puis court encore. Dans le salon (exactement comme on le craignait), aucun signe du retour de Catherine. On est si sûrs que ça y est, qu'elle est partie pour toujours, qu'on grimpe à l'échelle du grenier sans se soucier du bruit qu'on fait et qu'on allume la lumière sans avertir. Elle est là ! On est fous de joie, malgré son air méchant. Elle est couchée tout habillée, avec son sac à main serré dans ses bras comme une poupée. Elle grimace, cache sa figure. « Fermez ça, cons ! » Vite l'interrupteur, ça va assez mal comme ça. Aussitôt les ténèbres reformées, les sanglots de Nicole éclatent. Le silence de Catherine nous presse de redescendre et de la laisser tranquille, mais c'est impossible, on ne pourrait pas, on est pris là, cloués là, finis là !

— Veux-tu que je te déshabille ? Veux-tu que je te démaquille ? Veux-tu que je t'ouvre ton lit ? Veux-tu un bon verre d'eau froide ?...

Nous voulons lécher ses pieds, nous voulons lui décrocher la lune, nous voulons mourir, mais nous ne voulons pas la quitter sans qu'elle nous ait dit quelque chose de gentil.

— Catherine, je je je...

— Moi aussi je je je. Mais cette nuit je suis trop fatiguée... Demain, mon trésor, demain...

Elle demande à Nicole si elle croit qu'elle peut trouver ses valiums dans son sac sans allumer quarante-deux lumières. Nicole répond oui, un grand oui, un immense « Oui ! » Comme si c'était son cœur tout entier que Catherine lui demandait.

*

« Allô ! » Après avoir porté du lit jusqu'au téléphone une tonne de sommeil, on a un ton sec. « Allô chéri, ici Poulette ! Petit Pois fait-elle son beau gros dodo ? » Je pars pour répondre : « Je suppose. » Je me retiens, j'ai peur que ça fasse trop bête. Je lance à tout hasard : « J'espère » ; c'est dix fois pire. Mais Madame est du grand monde, ça en prend plus que ça pour lui faire perdre son petit sifflement affectueux : « Va la réveiller, mon coco ; c'est super-spécial. » Je vais vous dire : « Une minute ». C'est trop long ; c'est mieux *un instant* ou *un moment.* J'ai trop l'embarras du choix, je ne suis pas plus avancé. Je trouve : « Gardez la ligne ! », un anglicisme épouvantable.

Je réveille Nicole pour lui dire d'aller réveiller Catherine, moi ça me gênerait trop.

Le tic de Catherine quand elle parle au téléphone c'est de se gratter l'intérieur de la cuisse. Elle ne se l'est pas gratté longtemps ce matin ; elle lui a cloué vite le bec, à la Poulette.

« Qu'est-ce qu'y a encore ? (...) Je veux rien savoir ! (...) Poulette ! Poulette ? Poulette, laisse-moi finir, bon ! Sais-tu comment que tu parles, là ? Comme une mère ! *And I don't have to remind you what happened to the girl who always listened to her mother !* (...) Je ! m'en ! sacre ! Je veux rien savoir ! O.K. là ? Ki se tue, meure puis ki manche un char de marde avec des baguettes à riz ! »

Nicole la trouve bien bonne ; elle rit aux éclats.

Nicole allume le réchaud, passe les tasses et les cuillers sous le robinet d'eau chaude. Catherine se brosse les dents ; c'est son violon d'Ingres ; elle se les brosse dix fois par jour.

Nous ignorons ce qui se passe à Outremont. Tout ce qu'on sait c'est que les mauvaises nouvelles que Poulette lui donne de Roger rendent Catherine de très mauvaise humeur sur le coup, mais de très bonne humeur tout de suite après. Elle s'anime, fait des compliments sur les toasts : « Quelles bonnes toasts ! », parle beaucoup. Là, elle est montée comme une horloge, piquée par une aiguille de graphophone, intarissable. Elle nous raconte les histoires d'amour de son adolescence, toutes bien plattes.

Il fait chaud, les vêtements collent à la peau, les fesses fondent sur les sièges des bicycles. Catherine n'ose pas entrer dans l'épicerie. Elle a peur que Marchessault la reconnaisse *avec son bras coupé.* (Ça fait drôle mais c'est la tournure qu'elle a employée.) On achète deux caisses de douze canettes à cause des poignées : je vais en glisser une sur chaque branche du guidon, comme ça ça va s'équilibrer. Marchessault dit que le seul qui loue des barques sur la Pointe (c'est-à-dire à Notre-Dame), c'est le bonhomme McPherson, au bout de la Deuxième Avenue. Il ajoute, détail superflu, que c'est le père de Jack McPherson, le lecteur de nouvelles du canal 12, le fameux speakerin.

McPherson n'aime pas nos deux caisses de Heidelberg. Pas de boisson ou bien pas de chaloupe, final bâton ! Quand Catherine a envie de quelque chose (les envies sont si rares dans le bout d'Outremont que c'est défendu de renoncer), ce n'est pas parce que tu t'appelles McPherson, que t'as un petit port de plaisance, un petit stand à hot dogs, un petit club de skidoo et un fils qui lit les nouvelles en anglais à la TV que tu vas pouvoir opposer des fins de non-recevoir insurmontables. Elle sort de son sac de barda de G.I. sa liasse de billets de $ 20, lui en compte cinq ou six dans les mains, lui dit que c'est quarante-deux fois le prix de n'importe laquelle de ses petites hosties de chaloupes, qu'il n'a plus qu'à se montrer ravi en frétillant de la queue comme un hostie de chien sale. On fait deux pas en arrière ; on a peur que McPherson, bâti comme Gilles Marotte des Kings de Los Angeles, se choque, baisse la tête, fonce sur nous. Non ; il rigole ; il aime les belles grandes filles qui ont du caractère et des mamelons durs qui pointent à travers leur T-shirt. Sa n° 8 est à vendre : « Elle prend un peu l'eau mais c'est pas grave ; il va mouiller, anyway, $ 50 ! » Tope là, Lope ! Embarque les bicycles, embarque les caisses de bière, embarque les trois soûlons, embarque aussi une grosse roche pour faire une ancre (on va la mettre dans le sac de G.I. de Catherine et nouer la chaîne de la chaloupe à la bandoulière). Le vent se lève, le soleil se glisse, roulant comme une soucoupe volante, sous la banquise noire de la tempête de la fin du monde, mais vogue la n° 8, on n'est pas des peureux !

On est au milieu de l'eau ; on ne voit la terre ni d'un bord ni de l'autre. Le vent peigne des cheveux blancs aux vagues et fait claquer comme des fouets nos vêtements, enfilés au sommet d'une rame que je ne pourrai pas porter longtemps comme ça au bout de mes bras. A cheval sur la proue, ses jambes assaillies par la boue soulevée du fin fond du lac des Deux-Montagnes, Catherine tourne la tête et nous sourit de toutes ses belles petites dents carrées. Quel bonheur !

Notre ancre de fortune, de fête, de liesse, tient bon. Le ciel éteint ses dernières lumières, les nuages encore entrebâillés se ferment avec vacarme. Tonne mieux que ça, grand veau, fesse plus fort, qu'on entende, qu'on dialogue ; arrête de gronder comme un chien fou et crache un peu ta foudre que les vagues nous éclatent comme des bombes en pleine figure ! On parle au ciel, bonhomme ! On tutoye les éléments, avec arrogance. Il ne pleuvait pas beaucoup au début ; là, ça mouille si dru, si gros, si lourd que ça remplit nos canettes à mesure qu'on boit, chaque fil de pluie sort d'un vrai robinet.

Une femme à la mer ! Catherine saute dans le lac sale, gras, brun : mais elle rit dedans... et c'est un lac gai maintenant ; mais elle se roule, saute, barbote, éclabousse... et c'est un lac d'enfants maintenant ; mais elle se hisse dans la barque et ses cheveux lâchent tant d'eau que c'est d'eux que le lac des Deux-Montagnes tire sa source maintenant. On se jette tous les trois, on plonge ensemble les pieds devant en se pinçant le nez. Là, une vague grossit, monte, se dresse, tombe, carambole nos crânes. Là, nos têtes resurgissent, aussitôt renfouies par une autre avalanche. Là, nous mangeons les vagues par les racines. Là, personne ne s'est noyé (de joie) mais Nicole a perdu sa canette et elle ne peut pas trinquer ; personne ne jouera plus avec elle pour la punir d'avoir tenu plus à sa peau, qui est toute douleur, qu'à sa bière, qui était tout le contraire. On plonge et on replonge pour rescaper la folle boîte : c'est peine perdue, il fait noir comme chez le diable là-dessous et depuis le temps elle doit avoir touché fond, à plus de cent pieds. Oh quels beaux éclairs d'affilée : des vrais Z de Zorro !

Il reste deux canettes dans la première caisse. Nicole les prend, les débouche (on tire l'anneau et la mousse vole), et pendant que ça tonne comme un éboulis sur des tambours, que se déchire le voile du Temple, Nicole les boit d'un trait, toutes les deux en même temps, une par chaque coin de la bouche. Je suis content ; quand Catherine sera partie pour toujours elle ne pourra pas aller dire à l'Accroc que nous ne savions pas boire. On décide de régler le cas de l'autre caisse à la Néron, à la décadent. Douze canettes divisées par trois font quatre. Distribution ! (C'est moi qui m'en charge : elles, elles sont trop soûles pour compter jusqu'à quatre.) Exécution ! Coudes en l'air ! Vite ! C'est à celui qui vomira le premier : en guise de récompense il pourra vomir sur les autres. Quand Catherine sera partie pour toujours elle ne pourra pas dire à ses amis artistes que nous étions des bommes de luxe.

On choque nos Heidelberg à chaque tournée. A la deuxième, renversement, révolution, sens dessus dessous, le lac est monté au ciel et le ciel est tombé dans le lac ; on croit bien que ça y est, que la bière qui gicle entre nos dents est du sang et qu'on va mourir de rire. A la suivante, ça entre encore dans la bouche de Catherine mais ça ne veut plus descendre dans sa gorge ; ça fait qu'elle nous souffle dans la figure ce qui déborde. A la dernière tournée, tout le monde triche, tout le monde s'emplit les joues, les gonfle, les braque puis attend que quelqu'un ouvre les yeux pour les lui arroser comme il faut. Comme c'est Catherine qui a les plus beaux (hé ! ils sont violets et toutes sortes de sels, rhombiques, prismatiques, en aiguilles, cristallisent dedans), c'est sur les siens que tout le monde veut tirer.

Mal à la tête, mal au cœur, mal au ventre, on a décidé de lever l'ancre. Pour décider ça a bien été ; pour le faire, quelle tout autre histoire ! Même à deux, même les trois ensemble, on n'arrivait à rien ; on ne tenait pas debout assez longtemps. On tirait le mou de la chaîne et puis c'est tout, quand il fallait forcer on s'écroulait.

Rame, rame, la barque n'avançait pas. Je ne m'entêtais pas : après quatre ou cinq coups, je me couchais sous mon siège, dans l'eau que nul ne songeait à écoper, puis j'attendais que le beau temps revienne. « Ça sert à rien, le courant est trop fort ! » Catherine et Nicole se sont fâchées, d'une façon positive. Remplies d'initiative elles ont résolu d'utiliser un moyen de transport plus rapide : le vélo volant. L'une pilotant, l'autre poussant pour imprimer l'élan nécessaire, risquant leurs vies, elles se sont élancées, comme les frères Wright. Elles n'ont pas été loin, comme les frères Wright. Plouf et puis c'est tout ; elles ont émergé grosses Jeannes comme devant.

*

Où est-elle ?

Elle a bu du café (celui qui restait dans sa tasse était froid quand on s'est levés) et mangé des toasts (on a trouvé dans la soucoupe, comme des ossements, les bouts de croûte de deux tranches de pain).

Nicole monte au grenier pour faire le lit. Je m'installe à l'évier pour faire la vaisselle. Après, si ce n'est pas assez pour qu'elle soit revenue, on va passer le balai, mettre de l'ordre, aller jeter quelque part les sacs d'ordures, laver nos guenilles. Hier, en rentrant, elle s'est écriée : « Quelle soue à cochons ! » Elle sera contente qu'on ait fait un peu de ménage.

La moitié de l'après-midi passe, sans laisser de trace dans le ciel trop clair, trop bleu. Des grosses mouches à casque vert, toutes neuves, rebondissent avec désespoir et obstination sur les moustiquaires ; elles vrombissent comme des avions dans le désert de notre solitude. On suppose que Catherine s'est levée dans un de ses fameux états... et qu'elle est partie faire une promenade pour pouvoir bouder tout son soûl tranquille... On suppose que Poulette est venue la chercher.. Où est-ce qu'elle nous l'a encore emmenée, la vache, la vieille hostie pourrite ? La lessive semble sèche déjà sur le dos pelé du réservoir d'huile : il fait si grand soleil. Toute nue sous la longuette à pois que lui a payée Catherine, Nicole tâte les vêtements, pliant à mesure sur son bras ceux qui sont prêts. Le voisin a cessé de bêcher ses iris pour la regarder faire et voir la lumière profiler ses formes en imbibant sa robe.

J'enfourche mes beaux jeans propres puis je traverse chez l'horticulteur pour lui demander s'il a vu Catherine partir ce matin. Oui. Et il me donne tous les détails. Comme à Paul Meurisse dans *Le retour du monocle jaune*. Elle est sortie. Il lui a dit quelle belle journée. Elle lui a répondu extraordinaire, distraitement. Elle a traversé la route. Elle a sauté le fossé. Le dos de sa chemise s'est pris dans les barbes quand elle s'est glissée entre les broches de la clôture. Elle s'est dégagée. Elle a continué droit devant elle dans les champs, comme une somnambule. Le voisin pointe le doigt vers les squelettes de deux ormes, loin, là-bas, sur la colline.

Il est quatre heures. Nicole, qui pense toujours à ces choses-là, s'écrie : « Elle doit mourir de faim ! » Elle confectionne un sandwich au jambon qu'elle enveloppe dans du papier ciré puis qu'elle range dans un panier de Chaperon Rouge avec une orange, une banane, des biscuits, une canette de bière. « Penses-tu qu'il manque quelque chose ? »

On marche dans le foin jusqu'aux genoux. Les pissenlits nous lancent leurs mille parachutes. Les fraisiers se blottissent contre le sol pour qu'on n'écrase pas leurs premières fleurs. Les marguerites, au bout de leurs tiges grêles, serrent comme des petits poings leurs boutons. Les touffes d'herbe que les pas de Catherine ont abattues n'ont pas fini de se redresser ; il reste encore de son passage un sillage d'ombres et de creux assez marqué pour qu'on puisse le suivre.

— Pourquoi qu'elle a fait ça ? Pourquoi qu'elle reste pas avec nous autres ?

— Elle reste pas avec nous autres parce qu'elle s'ennuie pas assez avec nous autres...

Catherine dort si fort, cramponnée à sa fiole de valiums, que jusqu'à ce qu'une mouche chatouille sa bouche nous l'avons crue morte. Comme perdue, comme tombée du ciel dans cette verdure où ses membres nus sont presque engloutis, Catherine dort, toute belle, toute blanche. Les bras ouverts, les jambes étendues, la tête sur l'épaule, elle s'est blottie, peau sur peau, contre le ventre de la terre... elle laisse, en pleine confiance, en total abandon, la vie marcher toute seule, se penser elle-même... comme si la vie n'avait plus absolument besoin de Petit Pois pour faire ça... Elle ne s'en mêle plus ; elle ne regarde plus, ne cherche plus, n'analyse plus ; elle ne fait plus de ces choses dont la moindre est un effort douloureux pour donner à la vie cette volonté juste, bonne, logique, suivie qui — c'est écrit dans les livres à l'université et sur les murs des latrines de la cité — lui fait si terriblement défaut... Son sang coule comme la sève, sa peau respire comme l'écorce. Catherine fait comme les arbres : elle dort. On fait comme les deux seuls nuages du firmament : on la regarde sans rien dire.

Nicole trouve un peu partout les vêtements de Catherine. Elle les plie puis elle les range au pied de l'orme contre lequel je me suis assis pour regarder Catherine reposer, les seins pointés vers le soleil comme s'ils voulaient fleurir.

Nicole vient s'asseoir avec moi sous l'arbre lisse : si mort que toute son écorce est partie. On passe quelque temps encore à la regarder, à prendre plein les yeux ce bien dépossédé, laissé là, plus capable de se refuser comme de se donner... Allons cueillir des bouquets pour qu'elle nous laisse garder un peu d'elle quand elle se réveillera et se reprendra.

— Catherine ! Catherine !

Elle dort trop dur. Elle pousse un petit gémissement, elle cale mieux sa tête, et puis plus rien. Alors, épervière, érigéron, gaillet, muguet, brassica, rorripa, on déverse tout sur son corps. On repart, avec l'idée de la couvrir toute, de l'enfouir, de la joncher comme une gitane le matin de son mariage. On revient, avec encore plus d'épervière, érigéron, gaillet, muguet, brassica, rorripa... tous ordinaires, comme ce qu'elle dit qu'elle aime le plus.

Après quatre voyages, elle est emmitouflée comme dans un lit, seule sa tête dépasse. C'est beau. On est trop fiers de notre coup, on a trop hâte qu'elle s'émerveille. Tant pis si elle se fâche : j'attrape une grenouille et fais marcher ses menottes sans griffes, molles et moites, sur la figure de Catherine. Elle se dresse d'un coup sur son séant. C'est une catastrophe : elle regarde avec un air dégoûté les dernières fleurs de l'avalanche glisser sur sa poitrine, puis c'est nous qu'elle regarde avec un air dégoûté.

— Qu'est-ce que vous faites ici ? Qu'est-ce qui se passe ?

Fuck ! On ne sait tellement pas quoi dire, quoi faire, où se mettre, qu'on finit pas gagner sa compassion. Elle soupire un grand coup, prend sur elle, cherche un sourire à nous donner.

— Quelles belles fleurs !...

— On t'a réveillée parce qu'on avait peur que ça fane... Ça fane vite... C'est des fleurs ordinaires...

— Trouvez-vous que j'ai bronzé ? J'ai une peau de bébé, moi... ça veut pas bronzer.

L'amertume ressaisit aussitôt son visage. Elle se laisse retomber sur le dos, elle laisse ses paupières lourdes se refermer.

— L'herbe est chaude, on est bien, venez vous coucher...

Ses mains engourdies n'arrivent pas à dévisser le bouchon de la fiole de valiums. Nicole se dévoue, tremblante : « Combien que t'en veux ? » Elle répond deux, puis elle ouvre la bouche pour les attendre et les gober. « On est bien... On est bien... » Ses mains tapotent le sol, de plus en plus molles, pour nous inviter à s'allonger à ses flancs, puis sa tête roule sur son épaule, et puis plus de Catherine encore... On a été se rasseoir au pied de notre orme, catégoriquement déprimés. Tout à coup il a fait noir, on ne voyait plus rien. Tout à coup, plus haut que le sommet des branches, on a vu briller une lune, et on a été surpris de savoir que ça s'appelait une lune... c'était quelque chose qu'on n'avait jamais vu nulle part...

Nicole grelottait mais c'était pour me réchauffer moi-même que je la serrais dans mes bras, mais c'était inutile. Ça passait complètement à côté, comme quand on essaie de se toucher dans un miroir.

C'est le froid qui a réveillé Catherine. Elle a été prise d'une grosse envie d'éternuer. On l'a aidée à se rhabiller : elle ne voulait pas mais elle n'était pas assez forte pour ne pas se laisser faire. On l'a aidée à marcher : elle ne voulait pas non plus.

— C'est trop dur, j'en peux plus...

Pauvre Nicole. Pauvre chère.

*

Après avoir lu sa...

Après avoir lu l'hostie de lettre sale qu'elle a laissée

sur la table avant de s'en aller avec son rédempteur de races québécoises crucifié en Citroën, avec son Ougi (oui oui!), sur la pointe des pieds, pour ne pas nous réveiller, comme un coup de poignard entre les omoplates, pour ne pas qu'on crie, qu'on pleure, qu'on lui fasse une scène, hé! on l'avait assez hallucinée comme ça, man!...

Après avoir lu l'hostie de lettre platte qu'elle a griffonnée sur le bout de la table avant de partir sur la pointe des pieds, comme une putain courue, qui n'a pas de temps à perdre, qui fait des grosses affaires, comme une hostie de p'lote sale qui n'est pas sur la terre pour chômer...

Après avoir lu sa lettre d'adieu d'hostie de chienne sale, j'ai comme un peu perdu la boule. C'était tellement bas, méchant, injuste de nous faire ça, de nous fuir comme la peste, nous qui ne lui avons jamais rien demandé. Elle n'avait pas d'affaire à avoir peur, à se sauver comme une abusée, détroussée, exploitée, c'est nous qui donnions tout, elle ne levait pas le petit doigt, on la servait, la grosse vache... on y mettait toute notre tendresse par-dessus le marché...

Après avoir lu sa lettre de salut les culs vous ne me reverrez plus, j'ai perdu les pédales. C'était tellement banal et normal de nous faire ça, tellement prévu, ordinaire, moyen, dans l'ordre des choses qu'on sait par cœur jusqu'à ce qu'on se fatigue et qu'on jette son cœur, c'était tellement dans le style niaiseux de tout le reste de notre vie que ça ne se pouvait plus et que j'ai éclaté. Je ne sais pas trop ce que j'ai fait, quelle sorte de crise, mais ça a fait peur à Nicole, elle s'est jetée sur le téléphone en poussant des cris de mort.

Nicole a eu peur pour moi, que je me fasse mal, que je me tue, je ne sais pas quoi. Elle s'est jetée sur le téléphone, mais elle ne savait pas qui appeler, elle ne connaissait pas d'autres numéros que celui de Laïnou. Quand j'ai vu que c'était à Laïnou qu'elle parlait, à cette mouillure sentimentale, à cette larve baveuse toujours en train de traîner son cul par terre, à cette dégoûtante qui fait la dégoûtée, à cette bûcheronne qui fait semblant de souffrir que personne ne l'aime d'amour, j'ai vu rouge, j'ai sauté sur Nicole. « Salope ! Tu vois pas que tu te salis, que tu me salis, que tu salis toute la vie en parlant à cette salope ! T'en as pas assez des salopes ! » Je la frappais, à tour de bras. Je la frappais, si fort que le sang giclait. Son nez saignait, sa bouche. Quand j'ai vu son chandail plein de sang, j'ai été saisi. Nicole si douce ! Nicole si correcte ! Ma petite Colline si loyale ! J'avais honte, peur, je me mettais à genoux, je la serrais, je l'embrassais, je léchais ses blessures, elle ne voulait pas me laisser faire.

J'ai eu si peur de perdre ma Nicole que ça m'a comme dégrisé. Quand elle m'a pardonné, qu'elle m'a dit qu'elle ne m'en voulait pas, qu'elle ne pourrait jamais m'en vouloir de rien, je me suis abandonné au silence profond du soulagement, à la bonne chaleur que ça répandait dans tout mon corps. J'ai laissé aller, et ce qu'il y avait d'incompressible dans ma colère et ma déception s'est écoulé tranquillement avec les larmes et la sueur... Et là c'est supportable ; il y a juste le grand vide où je tombe quand je ferme les yeux ; il s'agit de les garder ouverts. Ça va mieux. Tantôt je sens l'absence de tout et la tête me tourne et ça me fait rire. Tantôt je sens tout ce qu'il n'y aura plus et ça me serre à la gorge et je prends une grande respiration.

La lettre était pliée en deux. La Toune avait mis le sucrier dessus pour qu'elle ne parte pas dans un courant d'air, comme elle. Elle n'a pas trouvé de vrai papier à lettre ; c'est écrit sur la page de garde arrachée d'un livre qu'on a retrouvé sur le comptoir de la cuisine et qui s'appelle *Rimbaud et la Commune*, s'il vous plaît.

Je vous quitte, mon André, ma Nicole, mes trésors, mes oasis, et c'est épouvantable car je vous quitte tout à fait, mes anges, mes nuages. Je ne veux pas que nous restions bons amis et que nous nous revoyions une fois par six mois, ça fait trop mal : c'est que nous vivions tout le temps ensemble que je voulais, mais je ne peux pas, j'ai marché trop loin dans un autre chemin. Je veux reprendre mon cœur comme je vous l'ai donné : tout entier ; je ne veux pas vous en couper un morceau et partir avec le reste, ça fait trop mal.

Je ne peux pas rester avec vous parce qu'on ne peut pas tout lâcher, tout effacer comme au tableau noir, partir pour toujours ; ça reviendrait à se quitter soi-même et ça ne se peut pas, croyez-moi. On ne peut pas arracher son cœur et le planter ailleurs : il est trop faible. Comprenez-vous, mes trésors ?

J'ai parlé à Roger pour qu'il vous trouve du travail dans la publicité. Il dit que si ça ne vous gêne pas, métaphysiquement parlant, de travailler pour des nationalistes, il peut vous placer au Parti Québécois. Quoi que vous fassiez, je sais que ça finira par s'unir avec ce que je ferai, car tout amour se fond dans tout l'amour. Adieu.

Puis c'est tout. Puis qu'est-ce que tu veux comprendre dans un ramassis de calembours pareil ? Puis qu'est-ce qu'on va faire ? On va retourner à Montréal sur le pouce avec notre *Flore laurentienne* sous le bras. On va partir tout à l'heure. Puis personne ne va vouloir nous embarquer à cause de la noirceur. Puis demain, 21 juin 1971, l'hiver va commencer, une dernière fois, une fois pour toutes, l'hiver de force (comme la camisole), la saison où on reste enfermé dans sa chambre parce qu'on est vieux et qu'on a peur d'attraper du mal dehors, ou qu'on sait qu'on ne peut rien attraper du tout dehors, mais ça revient au même.

DU MÊME AUTEUR

Aux Éditions Gallimard

L'AVALÉE DES AVALÉS (Folio n° 1393).

LE NEZ QUI VOQUE (Folio n° 2457).

L'OCÉANTUME (Folio n° 3215).

LA FILLE DE CHRISTOPHE COLOMB.

L'HIVER DE FORCE (Folio n° 1622).

LES ENFANTÔMES.

HA HA !

DÉVADÉ (Folio n° 2412).

VA SAVOIR (Folio n° 2875).

GROS MOTS (Folio n° 3521).

COLLECTION FOLIO

Dernières parutions

5666. Italo Calvino	*Cosmicomics, récits anciens et nouveaux*
5667. Italo Calvino	*Le château des destins croisés*
5668. Italo Calvino	*La journée d'un scrutateur*
5669. Italo Calvino	*La spéculation immobilière*
5670. Arthur Dreyfus	*Belle Famille*
5671. Erri De Luca	*Et il dit*
5672. Robert M. Edsel	*Monuments Men*
5673. Dave Eggers	*Zeitoun*
5674. Jean Giono	*Écrits pacifistes*
5675. Philippe Le Guillou	*Le pont des anges*
5676. Francesca Melandri	*Eva dort*
5677. Jean-Noël Pancrazi	*La montagne*
5678. Pascal Quignard	*Les solidarités mystérieuses*
5679. Leïb Rochman	*À pas aveugles de par le monde*
5680. Anne Wiazemsky	*Une année studieuse*
5681. Théophile Gautier	*L'Orient*
5682. Théophile Gautier	*Fortunio. Partie carrée. Spirite*
5683. Blaise Cendrars	*Histoires vraies*
5684. David McNeil	*28 boulevard des Capucines*
5685. Michel Tournier	*Je m'avance masqué*
5686. Mohammed Aïssaoui	*L'étoile jaune et le croissant*
5687. Sebastian Barry	*Du côté de Canaan*
5688. Tahar Ben Jelloun	*Le bonheur conjugal*
5689. Didier Daeninckx	*L'espoir en contrebande*
5690. Benoît Duteurtre	*À nous deux, Paris !*
5691. F. Scott Fitzgerald	*Contes de l'âge du jazz*
5692. Olivier Frébourg	*Gaston et Gustave*
5693. Tristan Garcia	*Les cordelettes de Browser*
5695. Bruno Le Maire	*Jours de pouvoir*

5696. Jean-Christophe Rufin — *Le grand Cœur*
5697. Philippe Sollers — *Fugues*
5698. Joy Sorman — *Comme une bête*
5699. Avraham B. Yehoshua — *Rétrospective*
5700. Émile Zola — *Contes à Ninon*
5701. Vassilis Alexakis — *L'enfant grec*
5702. Aurélien Bellanger — *La théorie de l'information*
5703. Antoine Compagnon — *La classe de rhéto*
5704. Philippe Djian — *"Oh..."*
5705. Marguerite Duras — *Outside* suivi de *Le monde extérieur*
5706. Joël Egloff — *Libellules*
5707. Leslie Kaplan — *Millefeuille*
5708. Scholastique Mukasonga — *Notre-Dame du Nil*
5709. Scholastique Mukasonga — *Inyenzi ou les Cafards*
5710. Erich Maria Remarque — *Après*
5711. Erich Maria Remarque — *Les camarades*
5712. Jorge Semprun — *Exercices de survie*
5713. Jón Kalman Stefánsson — *Le cœur de l'homme*
5714. Guillaume Apollinaire — *« Mon cher petit Lou »*
5715. Jorge Luis Borges — *Le Sud*
5716. Thérèse d'Avila — *Le Château intérieur*
5717. Chamfort — *Maximes*
5718. Ariane Charton — *Petit éloge de l'héroïsme*
5719. Collectif — *Le goût du zen*
5720. Collectif — *À vos marques !*
5721. Olympe de Gouges — *« Femme, réveille-toi ! »*
5722. Tristan Garcia — *Le saut de Malmö*
5723. Silvina Ocampo — *La musique de la pluie*
5724. Jules Verne — *Voyage au centre de la terre*
5725. J. G. Ballard — *La trilogie de béton*
5726. François Bégaudeau — *Un démocrate : Mick Jagger 1960-1969*
5727. Julio Cortázar — *Un certain Lucas*
5728. Julio Cortázar — *Nous l'aimons tant, Glenda*
5729. Victor Hugo — *Le Livre des Tables*

5730. Hillel Halkin	*Melisande ! Que sont les rêves ?*
5731. Lian Hearn	*La maison de l'Arbre joueur*
5732. Marie Nimier	*Je suis un homme*
5733. Daniel Pennac	*Journal d'un corps*
5734. Ricardo Piglia	*Cible nocturne*
5735. Philip Roth	*Némésis*
5736. Martin Winckler	*En souvenir d'André*
5737. Martin Winckler	*La vacation*
5738. Gerbrand Bakker	*Le détour*
5739. Alessandro Baricco	*Emmaüs*
5740. Catherine Cusset	*Indigo*
5741. Sempé-Goscinny	*Le Petit Nicolas — 14. Le ballon*
5742. Hubert Haddad	*Le peintre d'éventail*
5743. Peter Handke	*Don Juan (raconté par lui-même)*
5744. Antoine Bello	*Mateo*
5745. Pascal Quignard	*Les désarçonnés*
5746. Saul Bellow	*Herzog*
5747. Saul Bellow	*La planète de Mr. Sammler*
5748. Hugo Pratt	*Fable de Venise*
5749. Hugo Pratt	*Les éthiopiques*
5750. M. Abouet/C. Oubrerie	*Aya de Yopougon, 3*
5751. M. Abouet/C. Oubrerie	*Aya de Yopougon, 4*
5752. Guy de Maupassant	*Boule de suif*
5753. Guy de Maupassant	*Le Horla*
5754. Guy de Maupassant	*La Maison Tellier*
5755. Guy de Maupassant	*Le Rosier de Madame Husson*
5756. Guy de Maupassant	*La Petite Roque*
5757. Guy de Maupassant	*Yvette*
5758. Anonyme	*Fioretti*
5759. Mohandas Gandhi	*En guise d'autobiographie*
5760. Leonardo Sciascia	*La tante d'Amérique*
5761. Prosper Mérimée	*La perle de Tolède*
5762. Amos Oz	*Chanter*
5763. Collectif	*La Grande Guerre des écrivains*
5764. Claude Lanzmann	*La Tombe du divin plongeur*

5765. René Barjavel — *Le prince blessé*
5766. Rick Bass — *Le journal des cinq saisons*
5767. Jean-Paul Kauffmann — *Voyage à Bordeaux* suivi de *Voyage en Champagne*
5768. Joseph Kessel — *La piste fauve*
5769. Lanza del Vasto — *Le pèlerinage aux sources*
5770. Collectif — *Dans les archives inédites des services secrets*
5771. Denis Grozdanovitch — *La puissance discrète du hasard*
5772. Jean Guéhenno — *Journal des années noires. 1940-1944*
5773. Michèle Lesbre — *Écoute la pluie*
5774. Michèle Lesbre — *Victor Dojlida, une vie dans l'ombre*
5775. Patrick Modiano — *L'herbe des nuits*
5776. Rodrigo Rey Rosa — *Pierres enchantées*
5777. Christophe Tison — *Te rendre heureuse*
5778. Julian Barnes — *Une fille, qui danse*
5779. Jane Austen — *Mansfield Park*
5780. Emmanuèle Bernheim — *Tout s'est bien passé*
5781. Marlena de Blasi — *Un palais à Orvieto*
5782. Gérard de Cortanze — *Miroirs*
5783. Philippe Delerm — *Monsieur Spitzweg*
5784. F. Scott Fitzgerald — *La fêlure* et autres nouvelles
5785. David Foenkinos — *Je vais mieux*
5786. Guy Goffette — *Géronimo a mal au dos*
5787. Angela Huth — *Quand rentrent les marins*
5788. Maylis de Kerangal — *Dans les rapides*
5789. Bruno Le Maire — *Musique absolue*
5790. Jean-Marie Rouart — *Napoléon ou La destinée*
5791. Frédéric Roux — *Alias Ali*
5792. Ferdinand von Schirach — *Coupables*
5793. Julie Wolkenstein — *Adèle et moi*
5794. James Joyce — *Un petit nuage* et autres nouvelles
5795. Blaise Cendrars — *L'Amiral*

5796. Collectif — *Pieds nus sur la terre sacrée.* Textes rassemblés par T. C. McLuhan
5797. Ueda Akinari — *La maison dans les roseaux*
5798. Alexandre Pouchkine — *Le coup de pistolet et autres récits de feu Ivan Pétrovitch Bielkine*
5799. Sade — *Contes étranges*
5800. Vénus Khoury-Ghata — *La fiancée était à dos d'âne*
5801. Luc Lang — *Mother*
5802. Jean-Loup Trassard — *L'homme des haies*
5803. Emmanuelle Bayamack-Tam — *Si tout n'a pas péri avec mon innocence*
5804. Pierre Jourde — *Paradis noirs*
5805. Jérôme Garcin — *Bleus horizons*
5806. Joanne Harris — *Des pêches pour Monsieur le curé*
5807. Joanne Harris — *Chocolat*
5808. Marie-Hélène Lafon — *Les pays*
5809. Philippe Labro — *Le flûtiste invisible*
5810. Collectif — *Vies imaginaires. De Plutarque à Michon*
5811. Akira Mizubayashi — *Mélodie. Chronique d'une passion*
5812. Amos Oz — *Entre amis*
5813. Yasmina Reza — *Heureux les heureux*
5814. Yasmina Reza — *Comment vous racontez la partie*
5815. Meir Shalev — *Ma grand-mère russe et son aspirateur américain*
5816. Italo Svevo — *La conscience de Zeno*
5817. Sophie Van der Linden — *La fabrique du monde*
5818. Mohammed Aissaoui — *Petit éloge des souvenirs*
5819. Ingrid Astier — *Petit éloge de la nuit*
5820. Denis Grozdanovitch — *Petit éloge du temps comme il va*
5821. Akira Mizubayashi — *Petit éloge de l'errance*
5822. Martin Amis — *Lionel Asbo, l'état de l'Angleterre*

5823. Matilde Asensi — *Le pays sous le ciel*
5824. Tahar Ben Jelloun — *Les raisins de la galère*
5825. Italo Calvino — *Si une nuit d'hiver un voyageur*
5827. Italo Calvino — *Collection de sable*
5828. Éric Fottorino — *Mon tour du « Monde »*
5829. Alexandre Postel — *Un homme effacé*
5830. Marie NDiaye — *Ladivine*
5831. Chantal Pelletier — *Cinq femmes chinoises*
5832. J.-B. Pontalis — *Marée basse marée haute*
5833. Jean-Christophe Rufin — *Immortelle randonnée. Compostelle malgré moi*
5834. Joseph Kessel — *En Syrie*
5835. F. Scott Fitzgerald — *Bernice se coiffe à la garçonne*
5836. Baltasar Gracian — *L'Art de vivre avec élégance*
5837. Montesquieu — *Plaisirs et bonheur et autres pensées*
5838. Ihara Saikaku — *Histoire du tonnelier tombé amoureux*
5839. Tang Zhen — *Des moyens de la sagesse*
5840. Montesquieu — *Mes pensées*
5841. Philippe Sollers — *Sade contre l'Être Suprême* précédé de *Sade dans le Temps*
5842. Philippe Sollers — *Portraits de femmes*
5843. Pierre Assouline — *Une question d'orgueil*
5844. François Bégaudeau — *Deux singes ou ma vie politique*
5845. Tonino Benacquista — *Nos gloires secrètes*
5846. Roberto Calasso — *La Folie Baudelaire*
5847. Erri De Luca — *Les poissons ne ferment pas les yeux*
5848. Erri De Luca — *Les saintes du scandale*
5849. François-Henri Désérable — *Tu montreras ma tête au peuple*
5850. Denise Epstein — *Survivre et vivre*
5851. Philippe Forest — *Le chat de Schrödinger*
5852. René Frégni — *Sous la ville rouge*
5853. François Garde — *Pour trois couronnes*
5854. Franz-Olivier Giesbert — *La cuisinière d'Himmler*
5855. Pascal Quignard — *Le lecteur*

5856. Collectif	*C'est la fête ! La littérature en fêtes*
5857. Stendhal	*Mémoires d'un touriste*
5858. Josyane Savigneau	*Point de côté*
5859. Arto Paasilinna	*Pauvres diables*
5860. Jean-Baptiste Del Amo	*Pornographia*
5861. Michel Déon	*À la légère*
5862. F. Scott Fitzgerald	*Beaux et damnés*
5863. Chimamanda Ngozi Adichie	*Autour de ton cou*
5864. Nelly Alard	*Moment d'un couple*
5865. Nathacha Appanah	*Blue Bay Palace*
5866. Julian Barnes	*Quand tout est déjà arrivé*
5867. Arnaud Cathrine	*Je ne retrouve personne*
5868. Nadine Gordimer	*Vivre à présent*
5869. Hélène Grémillon	*La garçonnière*
5870. Philippe Le Guillou	*Le donjon de Lonveigh*
5871. Gilles Leroy	*Nina Simone, roman*
5873. Daniel Pennac	*Ancien malade des hôpitaux de Paris*
5874. Jocelyne Saucier	*Il pleuvait des oiseaux*
5875. Frédéric Verger	*Arden*
5876. Guy de Maupassant	*Au soleil* suivi de *La Vie errante et autres voyages*
5877. Gustave Flaubert	*Un cœur simple*
5878. Nicolas Gogol	*Le Nez*
5879. Edgar Allan Poe	*Le Scarabée d'or*
5880. Honoré de Balzac	*Le Chef-d'œuvre inconnu*
5881. Prosper Mérimée	*Carmen*
5882. Franz Kafka	*La Métamorphose*
5883. Laura Alcoba	*Manèges. Petite histoire argentine*
5884. Tracy Chevalier	*La dernière fugitive*
5885. Christophe Ono-dit-Biot	*Plonger*
5886. Éric Fottorino	*Le marcheur de Fès*
5887. Françoise Giroud	*Histoire d'une femme libre*
5888. Jens Christian Grøndahl	*Les complémentaires*
5889. Yannick Haenel	*Les Renards pâles*
5890. Jean Hatzfeld	*Robert Mitchum ne revient pas*

Impression CPI Bussière
à Saint-Amand (Cher), le 29 avril 2015.
Dépôt légal : avril 2015.
1er dépôt légal dans la collection : décembre 1984.
Numéro d'imprimeur : 2015382.
ISBN 978-2-07-037622-3./Imprimé en France.